Como viver no mundo
sem abrir mão do evangelho

Como viver no mundo sem abrir mão do evangelho

RUSSELL MOORE

Traduzido por Cecília Eller

MUNDO CRISTÃO

Copyright © 2015 por Russell D. Moore
Publicado originalmente por B&H Publishing Group, Nashville, Tennessee, EUA.

Os textos bíblicos foram extraídos da *Nova Versão Transformadora* (NVT), da Tyndale House Foundation, salvo as seguintes indicações: *Almeida Revista e Atualizada*, 2ª edição (RA), da Sociedade Bíblica do Brasil; e *Nova Versão Internacional* (NVI), da Bíblica, Inc.

Todos os direitos reservados e protegidos pela Lei 9.610, de 19/02/1998.

É expressamente proibida a reprodução total ou parcial deste livro, por quaisquer meios (eletrônicos, mecânicos, fotográficos, gravação e outros), sem prévia autorização, por escrito, da editora.

Edição
Daniel Faria

Revisão
Natália Custódio

Produção e diagramação
Felipe Marques

Colaboração
Ana Luiza Ferreira
Marina Timm

Capa
Jonatas Belan

CIP-Brasil. Catalogação na publicação
Sindicato Nacional dos Editores de Livros, RJ

M813c

    Moore, Russell, 1971-
      Como viver no mundo sem abrir mão do evangelho / Russell Moore ; tradução Cecília Eller. - 1. ed - São Paulo : Mundo Cristão, 2024.
      256 p.

      Tradução de: Onward: engaging the culture without losing the gospel.
      ISBN 978-65-5988-273-1

      1. Cristianismo e sociedade. 2. Cristianismo e cultura. 3. Igreja e o mundo. I. Eller, Cecília. II. Título.

23-86522   CDD: 261
                                                    CDU: 2-43

Gabriela Faray Ferreira Lopes - Bibliotecária - CRB-7/6643

Publicado no Brasil com todos os direitos reservados por:
Editora Mundo Cristão
Rua Antônio Carlos Tacconi, 69
São Paulo, SP, Brasil
CEP 04810-020
Telefone: (11) 2127-4147
www.mundocristao.com.br

Categoria: Cristianismo e sociedade
1ª edição: janeiro de 2024

Para meu filho Jonah Yancey Moore.
Nascido no carnaval, com nome de profeta.
Que você leve avante o sinal de Jonas, rumo ao futuro.
(Mt 12.39-41)

Quando permanece fiel a sua comissão original, quando ministra às pessoas com amor, sobretudo aos pobres, solitários e destituídos, e quando não abre mão de sua firmeza doutrinária, às vezes até mesmo em contradição com a própria cultura pela qual atua como sinal, a igreja por certo serve melhor a cultura.

Walker Percy

Sumário

Introdução	11
1. O fim do Cinturão da Bíblia	23
2. Da maioria moral à minoria profética	41
3. Reino	61
4. Cultura	85
5. Missão	109
6. Dignidade humana	131
7. Liberdade religiosa	159
8. Estabilidade familiar	183
9. Bondade por convicção	211
10. A contrarrevolução do evangelho	231
Conclusão	245
Agradecimentos	249
Notas	251

Introdução

Ele sempre dizia que havia nascido "bom da primeira vez". Essa piada era sua forma de desconsiderar nossos debates na cafeteria sobre a existência de Deus. Ambos éramos universitários na região dos Estados Unidos com mais alto índice de cristãos, o Cinturão da Bíblia: eu, um convertido que havia passado pelo processo de novo nascimento; ele, um ateu que nascera apenas uma vez. Ele não era tão contrário à religião em si, apenas a achava estranha e meio desconectada da vida real, algo semelhante a uma discussão sobre o *habitat* natural dos elfos. Não acreditava em Deus e achava a ideia de um céu a coisa mais tediosa do mundo. Pelo menos os muçulmanos tinham virgens esperando por eles no paraíso para fazer sexo, dizia, mas quem quer ficar tocando harpa a qualquer momento, quanto menos durante a eternidade inteira? Até que, certo dia, do nada, ele me pediu que lhe recomendasse uma igreja.

— Você pode encontrar uma boa igreja batista do sul para mim? — perguntou. — Mas uma que não seja, você sabe, *batista* demais.

Surpreso ao me ver de repente no ponto de virada da estrada de Damasco na vida de alguém, balbuciei que nem sabia que ele havia se tornado cristão. Estava esperando que seus olhos se enchessem de lágrimas enquanto ele me contava como minha explicação do argumento teísta do *design* inteligente fora um momento decisivo para ele, salvando-o para sempre do ateísmo e do desespero. Ele revirou os olhos.

— Não acredito em nada disso — disse. — Mas quero entrar para a política e jamais serei eleito para nada neste estado se não for membro de uma igreja. E analisei os números. Há mais batistas do sul aqui do que qualquer outra denominação, então me inscreva lá.

Fiquei pasmo por um instante, em silêncio, enquanto ele parava para encarar uma moça que passava por nossa mesa. Então ele tomou um gole de café e continuou:

— Mas, sério, nada muito assustador! Se alguém começar a gritar falando do inferno ou tirar uma cobra de dentro de uma caixa, eu saio na hora.

Meu amigo ateu foi estranhamente honesto, mas, para ser honesto, não acho que ele foi tão estranho assim. Ele percebeu que o ateísmo não diz respeito apenas àquilo em que a pessoa acredita ou não — trata-se de um marcador tribal, algo que o tornava uma espécie de exilado na cultura do sul dos Estados Unidos, assombrada por Cristo de todos os lados. Ele estava disposto a fazer um acordo com uma forma inócua de cristianismo, a fim de obter o que queria na "vida real". Ser membro de uma igreja o protegeria da marginalização cultural, que, para ele, era mais assustadora do que o inferno. Encontrar Jesus era sua maneira de receber o sucesso americano no coração como seu senhor e salvador pessoal. Era um dentre muitos a reconhecer que, para ser um bom cidadão, um bom vizinho e se sentir à vontade nos Estados Unidos, é preciso ser cristão. Esse cristianismo não exigiria que ele carregasse sua cruz; bastava fazer uma oração e acatar certos valores e normas.

> Ser membro de uma igreja o protegeria da marginalização cultural, que, para ele, era mais assustadora do que o inferno.

O colapso do Cinturão da Bíblia

Os tempos estão mudando, e rápido. Cada vez mais, não é necessário identificar-se com nenhuma religião, muito menos frequentar uma igreja para sentir-se à vontade dentro da cultura americana. As pesquisas de opinião demonstram isso, bem como a diminuição de determinadas formas de espiritualidade pública aberta por parte de líderes políticos, culturais e empresariais. Dentro da igreja, muitos entram em pânico ao ver o aumento do número de pessoas sem qualquer tipo de afiliação religiosa nos Estados Unidos.[1] Alguns classificam esse fenômeno como um presságio da morte do cristianismo e de qualquer tipo de religião sobrenatural. À medida que o país se torna cada vez mais semelhante à região Noroeste, próxima ao Pacífico, alguns sugerem que talvez Thomas Jefferson estivesse mesmo certo: os unitarianos herdarão a terra. Alguns sugerem que "ou a igreja muda, ou morre" e, por isso, precisaria ejetar as partes da mensagem cristã mais ofensivas ao ambiente cultural. Já outros sugerem que a secularização dos Estados Unidos é outra ameaça, assim como o comunismo e o "humanismo secular" de gerações passadas, e que deveria ser denunciada com ferocidade. Outros ainda aconselham que devemos abrir mão de toda a cultura americana e retirar-nos para dentro de nossos enclaves a fim de conservar o evangelho para outra época.

Eu não aceito a narrativa da secularização progressiva, segundo a qual a religião em si sofrerá um declínio inevitável à medida que a humanidade evolui para formas cada vez mais consistentes de racionalismo. Pelo contrário, creio que o futuro da igreja tem um brilho incandescente. Acredito nisso não por causa das promessas feitas na Declaração de Independência, mas, sim, pela promessa feita em Cesareia de Filipe: "Edificarei minha igreja, e as forças da morte não a conquistarão" (Mt 16.18). Acredito nessa promessa porque creio que Aquele que a proferiu está vivo e mobilizando a história rumo a seu reinado. Isso não quer dizer que o testemunho da igreja na próxima geração será o mesmo. As forças do secularismo mencionadas são reais — de forma mais óbvia na Nova Inglaterra e no Noroeste do Pacífico, nos Estados Unidos, mas que já se espalham para outras partes do país bem afastadas dessas tendências. Alguém poderia praticamente rastrear essas forças como se faria no caso de uma depressão tropical em um mapa de furacões detectados por radar. O Cinturão da Bíblia está à beira de um colapso, e eu diria que é melhor deixá-lo cair mesmo.

Quando a maioria das pessoas analisa as mudanças no cenário religioso dos Estados Unidos, tende a fazê-lo usando as lentes da política e da cultura. Jornalistas e sociólogos tendem a enxergar o cristianismo evangélico em termos de "avanço" ou "retirada". Para eles, se o cristianismo não opera exatamente segundo os padrões da organização de votos partidários, acaba constituindo uma "alienação" da política. Caso os cristãos enfatizem a natureza pública da mensagem do evangelho, o chamado a uma obra de justiça e retidão, então representam uma ameaça ao ideal americano de separação entre igreja e estado. Muitos acham isso porque enxergam o cristianismo da mesma maneira que aquele meu amigo ateu da faculdade, como um meio que leva a outro elemento mais "real". Para quem não tem convicções teológicas, a ideia de que outros as tenham costuma ser difícil de entender. Tais convicções devem acontecer por algum outro motivo, como dinheiro, poder ou fama. E sempre existem aqueles líderes cristãos que confirmam tais suspeitas, por agirem como se essas coisas realmente fossem as principais. Em sua pior faceta, os esforços cristãos de engajamento político e cultural têm sido desastrosos para a missão da igreja. Com frequência, tais tentativas criam subculturas do "nós" contra "eles", dividindo as pessoas em categorias como "estado vermelho republicano" e "estado azul democrata", em vez de igreja e campo missionário. No melhor dos casos, tais esforços nos lembram de que toda a nossa vida deve ser estruturada pelo que é permanente e o que é supremo: o reino de Deus.

Uma nova era de engajamento cultural

A cultura americana parece estar em transição para uma era diferente, na qual a religião não é necessariamente vista como algo bom para a sociedade. O cristianismo, em sua forma histórica e apostólica, é considerado cada vez mais socialmente esquisito, na melhor das hipóteses, e subversivo, na pior. Isso é verdade sobretudo no que diz respeito, no momento, ao aspecto possivelmente mais ofensivo desse tipo de cristianismo: nossa ética sexual. Nossa compreensão da sexualidade humana e, por trás dela, do significado humano, se encontra hoje no âmago de praticamente todas as brigas em andamento da "guerra cultural" em relação à santidade da vida humana, ao propósito do casamento e da família, à liberdade religiosa e de consciência. Muitas das divisões políticas que temos se resumem a isto: visões conflitantes da sexualidade, relacionadas à moralidade e ao bem comum. Por um bom tempo, a igreja nos Estados Unidos presumiu que seu conservadorismo cultural era inerente ao país, ou seja, que a maioria das pessoas pelo menos desejava, na esfera ideal, viver à altura de nosso conceito do que é uma boa vida. Quem tem olhos para ver precisa reconhecer que, se esses dias um dia existiram, eles não são mais realidade.

Por isso, alguns nos dizem que precisamos mudar as ferramentas para alcançar a próxima geração e manter alguma influência que seja sobre a sociedade. Alegam que perderemos a próxima geração por causa de nossa "obsessão" com a moralidade sexual, e que precisamos de uma ética mais flexível para nos adaptar, caso contrário morreremos. Esse argumento não tem nada de novo. No início do século 20, essa era exatamente a retórica usada pelos "modernistas" dentro das denominações protestantes tradicionais. Afirmavam se preocupar com o futuro do cristianismo. Advertiam que, para ter futuro, precisaríamos superar nossa obsessão com a virgindade.

Não estavam se referindo, com isso, à virgindade dos cristãos solteiros e das pessoas à sua volta, mas, sim, à virgindade da mãe de nosso Senhor.

Os progressistas diziam a seus contemporâneos que a geração mais jovem queria ser cristã, mas não conseguia aceitar ideias obsoletas como o nascimento virginal de Cristo. O que os liberais não perceberam é que tais milagres não se tornaram difíceis de acreditar com a era moderna. Eles já eram difíceis de acreditar desde o princípio. As pessoas do primeiro século e seus antepassados do antigo Israel podiam não conhecer a órbita dos planetas, mas sabiam como as crianças eram concebidas. É por isso que a reação de José à gravidez de Maria não foi: "O Natal já vem chegando!". Ele presumiu que ela o havia traído, e essa suposição era completamente razoável porque ele sabia como as mulheres engravidavam.

A mensagem cristã não é atrapalhada pelos milagres, mas, sim, é intrinsecamente ligada a eles. Uma mulher concebe. Os cochos andam. Os cegos veem. Um morto ressuscita, ascende ao céu e envia o Espírito. O governante do universo é um trabalhador judeu de Nazaré, que está a caminho de julgar os vivos e mortos. Aqueles que eliminam tais coisas acabam ficando com aquilo que J. Gresham Machen, profeta dissidente do modernismo, identificou corretamente como uma religião diferente, uma religião tão desconectada do cristianismo global quanto a religião Wicca na Nova Era é distinta dos antigos ritos druidas.[2]

O mesmo se aplica à ética cristã. Não ficou difícil com o início da revolução sexual, nem com a secularização da cultura. Sempre foi difícil. O afastamento do senhorio próprio — ou da tirania dos desejos pessoais — sempre foi o caminho estreito. O jovem rico que certa vez teve um encontro com Jesus queria uma religião que prometesse a melhor vida agora, estendida por toda a eternidade. Mas Jesus sabia que tal existência não era vida nenhuma, apenas um cadáver zumbi do caminho da carne — sempre faminto, mas incapaz de morrer. Jesus veio fazer algo diferente: veio arruinar nossa vida, para que pudesse nos unir à vida dele. Não podemos edificar igrejas cristãs com base em um evangelho subcristão. As pessoas que não querem o cristianismo também não querem um quase-cristianismo.

O mais estranho é que a crescente marginalização do cristianismo oferece uma oportunidade para a igreja recobrar a visão do evangelho que, muitas vezes, é obscurecida, até mesmo dentro de setores da igreja que classificamos como "conservadores". Não se engane: o cristianismo cultural da religião civil no sul dos Estados Unidos impediu que algumas coisas ruins acontecessem. É possível que hoje eu exista por causa dessa realidade social. Tive antepassados que permaneceram juntos por tempo suficiente para formar minha família, já que o divórcio os tornaria excluídos em seu vilarejo no Mississipi. A perda do Cinturão da Bíblia pode ser uma má notícia para os Estados Unidos, mas, ao mesmo tempo, uma boa-nova para a igreja.

O problema do cristianismo neste país é que, com frequência, presumimos que havia mais "nós" do que "eles". E, em algumas circunstâncias, nos confundimos em relação ao que significava dizer "nós". A ideia de igreja como parte de uma "maioria moral" não começou nem terminou com o movimento político com esse nome. A ideia é que a maioria dos americanos tinha objetivos em comum com o cristianismo, se não na metafísica, então pelo menos no nível da moralidade. Conseguiríamos levar a conversa para a esfera metafísica caso começássemos com a moralidade. Essa narrativa era auxiliada pelo fato de que, pelo menos em alguns aspectos, isso era verdade. A maioria dos americanos se identificava com o cristianismo e com os benefícios da cristandade, como ir à igreja e ter autocontrole moral. Tais práticas eram aprovadas pela cultura como uma forma de moldar bons cidadãos, do tipo capaz de resistir a ataques inóspitos ou às ameaças do comunismo global. A cultura americana em larga escala aspirava pelo menos ao ideal de muitas das coisas que a igreja cristã defendia: casamentos saudáveis, famílias estáveis, comunidades fortes unidas pela oração.

Agora, política e socialmente, é isto que um grupo deve fazer: unir-se a uma coalizão ampla e falar como parte de uma maioria. O problema é que, desde o princípio, os valores cristãos sempre foram mais populares na cultura do que o evangelho cristão. É por isso que era possível alguém falar sobre "Deus e a nação" com grande receptividade em quase qualquer era da história do país, mas o mesmo indivíduo criaria distância cultural assim que mencionasse "Cristo crucificado". Deus sempre foi bem-vindo na cultura americana. Afinal, é a Divindade cuja função é abençoar o país. Contudo, o Deus que deve ser abordado pela mediação do sangue de Cristo é bem mais difícil de ser encaixado em músicas patrióticas ou de receber "amém" em orações nos clubes da alta sociedade.

Agora, porém, torna-se cada vez mais claro que a cultura americana não rejeita apenas as particularidades do cristianismo ortodoxo, mas também aspectos centrais dos "valores tradicionais". As grandes "polêmicas sociais" que, no passado, beneficiavam os conservadores não o fazem mais e agora beneficiam os libertários morais — desde questões de sexualidade, legislação referente às drogas até expressões públicas de religiosidade e definição de família.

A partir daqui, para onde vamos?

Essa realidade deixa o cristianismo americano a ponderar o caminho a partir daqui. A alternativa que muitos encontram é uma forma de mentalidade de cerco. Conservam a ilusão de um país anteriormente cristão e ficam cada vez mais irados, achando que perdemos algo que era nosso por direito. Além disso, sempre haverá aqueles que criam uma espécie de rede de extorsão, classificando a intensidade da convicção cristã com base na força teatral da ira expressa. Outros desejam simplesmente absorver a cultura mais ampla em sua vida secular, ao mesmo tempo que esculpem contraculturas dentro da igreja, a fim de se manter firmemente ligados ao evangelho, sem reconhecer a celeridade da cultura em superar os movimentos contraculturais.

Devemos abordar o futuro sem fechar os punhos nem torcer as mãos. Precisamos enxergar o abalo cultural em andamento no país como uma espécie de libertação de um cativeiro no qual nem sabíamos que nos encontrávamos. A proximidade da cultura com a igreja levou muitos setores da igreja a ler a Bíblia como se as Escrituras estivessem apontando para os Estados Unidos. É por isso que inúmeras menções a 2Crônicas 7.14 focam o reavivamento do país como método para obter bênção nacional, sem se perguntar qual seria o "meu povo" ao qual o texto se refere e o que significa, à luz do evangelho, ser "abençoado".

A estranheza do cristianismo forçará a evaporação daqueles que se identificam com o quase-evangelho de Jesus como meio para ser um americano normal, e pode obrigar a igreja a articular, de maneira explícita, a alteridade do evangelho. Isso não leva ao desengajamento, mas, sim, a uma forma diferente de engajamento, a qual é mais explicitamente cristã, ao mesmo tempo que se revela mais aberta a alianças com quem não professa o cristianismo. Com fundamentação evangélica clara, a política e a cultura podem ser importantes, sem serem espiritualizadas em uma espécie de totem de expressão pessoal.

O abalo da cultura não é sinal de que Deus desistiu do cristianismo no país. Pelo contrário, pode ser sinal de que Deus está resgatando o cristianismo americano de si mesmo. Devemos nos lembrar de que até mesmo a escravidão de Israel no Egito foi sinal da misericórdia divina. O povo de Deus estava em terra estranha não porque o Senhor havia se esquecido dele, mas, sim, porque o poupou de uma fome em Canaã, fome essa que eliminaria a linhagem de Abraão e, assim, o próprio evangelho. A igreja tem agora a oportunidade de reivindicar novamente nosso testemunho como entidade formada por aqueles que são "estrangeiros e peregrinos neste mundo" (Hb 11.13). A estranheza começa com a coisa mais importante que nos diferencia do restante do mundo: o evangelho. Se nosso principal método de diferenciação for a política ou a cultura, então teremos todos os motivos do mundo para enxergar as pessoas ao nosso redor como inimigas e nos considerar, de algum modo, moralmente superiores. Mas caso aquilo que nos diferencia for o sangue derramado por nossos pecados, então nos veremos como realmente somos: pecadores que merecem o inferno, nas mãos de um Deus misericordioso.

> Somos chamados a uma *alienação engajada*, a um cristianismo que preserva a singularidade de nosso evangelho ao mesmo tempo que não nos impede de cumprir nosso chamado como vizinhos, amigos e cidadãos.

Um cristianismo sem atrito com a cultura é um cristianismo que morre. Tal religião absorve a cultura do ambiente até se tornar indistinta em relação a ela. Por fim, a cultura se pergunta qual é a razão de ser de tudo aquilo. O cristianismo que constrói um muro ao seu redor para se separar da cultura é um cristianismo que morre. O evangelho que recebemos é missionário, pois precisa se conectar com os de fora para ter vida. Somos chamados a uma *alienação engajada*, a um cristianismo que preserva a singularidade de nosso evangelho ao mesmo tempo que não nos impede de cumprir nosso chamado como vizinhos, amigos e cidadãos.

Em outras palavras, nossa prioridade é uma visão teológica do que significa ser a igreja no mundo, do que significa ser humano no cosmo. Devemos estabelecer como prioridade o mesmo que Jesus: o reino de Deus. Mas embora sejamos um povo do reino primeiro, não somos um povo do reino somente. Jesus nos disse que buscássemos o reino de Deus "e a sua justiça" (Mt 6.33). Buscamos a justiça, a misericórdia e o bem-estar de todos ao nosso redor, inclusive nos âmbitos social e político. Isso significa que seremos considerados "guerreiros culturais". Pode até ser, mas que sejamos guerreiros culturais parecidos com Cristo. Sejamos aqueles que contendem em prol da cultura, mas que não estão em guerra com a cultura. Nós nos consideramos envolvidos em uma guerra muito mais profunda, intratável e antiga — não contra carne, sangue ou até mesmo forças culturais, mas, sim, contra principados e poderes invisíveis nos lugares celestiais.

Reconheceremos a necessidade de engajamento social e político, mesmo percebendo os limites desse tipo de ação deste lado da Nova Jerusalém. E no entanto nos engajaremos — não com o objetivo final da vitória, mas, sim, da reconciliação. Isso quer dizer que a moralidade e a justiça social, embora boas, não bastam. Testemunhamos de um evangelho que busca não só reconciliar as pessoas umas com as outras, mas também com Deus, ao eliminar o obstáculo para essa comunhão: nosso pecado e nossa culpa. Isso não acontece por meio de blocos de eleitores ou de políticas públicas, mas mediante uma cruz ensanguentada e um túmulo vazio.

Ao longo do último século, as "guerras culturais" podiam ser categorizadas como disputas ligadas à dignidade humana (o movimento pró-vida, por exemplo), à estabilidade familiar (debates sobre sexo, casamento e criação de filhos, por exemplo) e à liberdade religiosa. Creio que as intuições dos cristãos deste país em relação a essas questões costumam estar corretas, mesmo que, com frequência, não se ancorem em uma visão evangélica mais ampla e em uma estrutura mais ampla de justiça. Devemos aprender com os melhores impulsos desse tipo de engajamento e usar a articulação de nossos pontos de vista a esse respeito como parte de um debate ainda maior. Tudo isso deve nos encaminhar de volta a uma visão de reino, cultura e missão enraizados no evangelho e na igreja, mesmo enquanto trabalhamos com aqueles que discordam de nós em muitos aspectos visando uma aproximação da justiça na arena pública. Ao fazer isso, não devemos nos envergonhar de Jesus, nem ter medo de andar descompassados do restante da nação. Marchamos avante, em direção a um tipo diferente de reino.

A igreja hoje tem a oportunidade de testemunhar em uma cultura que nem finge compartilhar nossos "valores". Isso não é nenhuma tragédia, já que jamais recebemos a missão de promover "valores", mas, sim, de falar do pecado, da justiça e do juízo, de Cristo e seu reino. Precisaremos a partir de agora articular conceitos que anteriormente subentendíamos — conceitos como "casamento", "família", "fé" e "religião". Melhor ainda, já que Jesus e seus apóstolos fazem o mesmo, definindo tais categorias em termos de criação e do evangelho. Deveríamos fazê-lo o tempo todo. Agora seremos forçados a isso, simplesmente para ser entendidos. Nosso objetivo final não é um país cristão, seja de um passado inventado, seja do futuro que esperamos. Em vez disso, nosso objetivo final é o reino de Cristo, formado por toda tribo, língua, nação e povo. Em Cristo, somos herdeiros desse reino. A pior coisa que pode acontecer conosco é a crucificação debaixo da maldição de Deus, e já fizemos isso em Cristo. O melhor que pode nos ocorrer é a libertação da morte e a vida à destra de Deus, e isso também já nos aconteceu em Cristo. Toda essa realidade deve nos libertar para nos posicionar e falar, não por sermos a maioria — seja ela moral, seja de qualquer outra natureza — mas por sermos embaixadores do futuro, que se dirigem a consciências projetadas para ansiar por boas-novas.

Conclusão

Um tempo atrás, eu me lembrei daquele meu amigo universitário incrédulo, enquanto conversava com outra pessoa adepta do ateísmo, desta vez uma ativista lésbica progressista em um importante centro cultural urbano. Ela quis conversar comigo porque o cristianismo evangélico despertava seu interesse como fenômeno sociológico. Queria saber principalmente sobre nossa ética sexual e me encheu de perguntas sobre por que achávamos certas coisas pecaminosas. Tivemos uma conversa respeitosa e polida, mas ela não conseguiu deixar de dar risada várias vezes quando expressei pontos de vista bem comuns não só no cristianismo histórico, mas também no judaísmo e até mesmo no islamismo. Disse-me que eu era a primeira pessoa com quem ela conversava que realmente acreditava que a expressão sexual só deveria acontecer dentro do casamento, e também que eu era a única pessoa que ela conhecera na vida real que achava que o casamento só podia acontecer com a união entre um homem e uma mulher. Afirmou ainda que, se conhecesse uma pessoa que havia saído com alguém por mais de três ou quatro semanas sem fazer sexo, não presumiria primeiro que tal pessoa tinha algum tipo de convicção religiosa, mas, sim, que deveria ter cicatrizes psicológicas por algum abuso traumático. Em seguida, comentou:

— Então você consegue perceber como o que está dizendo parece estranho para nós, que levamos uma vida normal aqui nos Estados Unidos?

Antes de conseguir responder, distraí-me com duas coisas que ela disse: "vida normal" e "Estados Unidos". Que reviravolta as coisas deram! A maioria das pessoas nos bancos da igreja em minha terra natal considera sua "vida normal" nos "Estados Unidos". Elas classificariam essa mulher — com sua abertura sexual e desconsideração pela monogamia — como parte de uma elite cultural esquisita, desconectada dos "valores tradicionais". Mas suspeito que ela esteja certa. Cada vez mais, ela representa a maioria moral deste país, comprometida com os "valores familiares" de autonomia pessoal e liberdade sexual. Agora normal é ela.

Então ela me tirou do meu devaneio ao me perguntar, mais uma vez:

— Sério mesmo, você percebe o quanto isso parece estranho para mim?

Eu sorri e respondi:

— Percebo sim. Também me parece estranho. Mas você deveria saber que acreditamos em coisas ainda mais esquisitas. Cremos que um homem que esteve morto aparecerá no céu, montado em um cavalo.

1
O fim do Cinturão da Bíblia

Cantamos muito, na igreja onde cresci, sobre ser estrangeiros e exilados, que anseiam por um lar em algum lugar além das nuvens. Mas nunca me senti estrangeiro ou forasteiro até tentar cumprir os requisitos para receber a insígnia "Deus e a nação" dos escoteiros.

Nosso clube era formado, assim como nossa comunidade em geral, principalmente por crianças batistas e católicas. Toda semana nos reuníamos na igreja católica para conversar sobre o que significava ser moralmente correto. No entanto, a fim de ganhar a insígnia, fomos levados à igreja metodista para receber aulas sobre o que significava fazer nossa parte em prol de um país cristão. Depois, tivemos um momento aberto de perguntas e respostas com o pastor. Foi então que descobri que eu estava envergonhando o pregador, o líder do meu clube e talvez até mesmo meu país.

Eu queria falar sobre teologia. Meu pastor era simpático e receptivo, mas eu não tinha a chance de me sentar e perguntar tudo que quisesse. E o que estava em minha mente era o diabo. Um amigo meu na escola primária havia assistido a um filme de terror sobre possessão demoníaca e me contou cada detalhe, as vozes assustadoras, as cabeças que giravam 360 graus e tudo o mais. Aquilo me abalou. Então perguntei:

— Um cristão pode ser possuído por um demônio ou somos protegidos disso pela habitação do Espírito Santo?

O pastor metodista estava todo empolgado até então, da maneira que um funcionário da prefeitura estaria ao cortar o laço de inauguração de uma loja. Mas agora parecia desconfortável, revirando-se na cadeira e dando um riso todo entrecortado. Ele ficou divagando sobre os conceitos pré-modernos de doença mental e a personificação de estruturas sociais, sempre limpando bem a garganta a cada frase. Eu não fazia a menor ideia do que ele estava falando e havia muito em jogo para deixar a dúvida de lado e liberá-lo com tanta facilidade. Eu não queria correr o risco de vomitar gosma demoníaca. Minha avó era católica, mas eu poderia poupar o tempo necessário para ir à casa dela pegar um crucifixo? Fiz a pergunta de novo. Desta vez, ele foi abrupto e claro:

— Demônios não existem.

Agora é que eu estava confuso.

— Ah, mas existem sim! — falei. — Veja só, aqui no Evangelho de Marcos diz...

O pastor me interrompeu para dizer que estava bem familiarizado com Marcos, Mateus e com Q, seja lá o que "Q" significasse. Sabia que eles acreditavam no diabo, mas ele não. Na época em que vivemos, a existência literal de anjos e demônios não seria aceitável. Foi a primeira vez que encontrei ao vivo alguém que sabia o que a Bíblia dizia, mas simplesmente discordava. E era pastor! Além disso, constatei, por meio de pistas não verbais, que ele não achava a ideia de anjos e demônios apenas impossível de acreditar; ele a achava constrangedora.

A insígnia "Deus e a nação" não queria nos conformar com o evangelho, a Bíblia, qualquer tradição cristã confessional ou até mesmo com o "cristianismo puro" de credos e concílios antigos. Esse projeto não queria nos mergulhar (ou mesmo aspergir) no mundo estranho da Bíblia, com seus espíritos incandescentes, sarças ardentes e túmulos vazios. Estávamos ali para aprender sobre o tipo certo de cristianismo, que funciona apenas como um meio para um fim específico. Deveríamos ser cristãos o suficiente para combater o comunismo e salvar a República, contanto que não levássemos a religião a sério demais. Não deveríamos ser defensores de Cristo e do reino, apenas de Deus e da nação. Esse conceito de nação cristã foi o pano de fundo das guerras culturais da última geração.[1] A fim de nos engajar em um novo contexto, precisamos entender o que aceitamos, talvez sem nos dar conta, e como navegar além desses pressupostos.

Muito embora o movimento Maioria Moral tenha sido uma organização formal cultural e política que durou por determinado tempo nas décadas de 1970 e 1980, a ideia de "maioria moral" transcende qualquer organização particular, pois é mais uma atmosfera do que um movimento, que tanto antecedeu quanto perdurou além da organização de mesmo nome. A ideia era clara: a maioria dos americanos concorda com certos valores tradicionais: casamento monogâmico, família nuclear, direito à vida, as vantagens da oração e de frequentar uma igreja, livre iniciativa, exército forte e a excelência básica do estilo de vida americano. O argumento era que esse consenso representava os Estados Unidos verdadeiros. Isso, para os cristãos evangélicos, queria dizer que o cristianismo evangélico representava a melhor maneira de preservar esses valores e alcançar tais ideais.

Os tempos estão mudando

Temos a tendência de pensar em guerras culturais principalmente no que diz respeito à cédula de votação, aos estados vermelhos e azuis, republicanos *versus* democratas e conservadores *versus* liberais. Antes, porém, de chegar às cédulas de votação, a guerra cultural chegou às rádios e vitrolas.

Muito embora as raízes da guerra cultural sejam bem anteriores a 1960, aquela década trouxe as fissuras à superfície e ameaçou, pelo menos na imaginação popular, separar uma geração da outra. A contracultura dos anos 1960 e 1970 se apresentou quase que em termos proféticos, denunciando os pecados da cultura ocidental. Em muitos aspectos, a contracultura estava certa. O racismo era endêmico na sociedade americana, impulsionado pela injustiça sistêmica e pelas leis de segregação entre negros e brancos no sul do país e em outros lugares. A Guerra do Vietnã se mostrou muito mais moralmente complicada do que a clareza dos "Aliados contra o Eixo" na Segunda Guerra Mundial ou do "mundo livre *versus* cortina de ferro" ao longo da Guerra Fria mais ampla. A estrutura da "família tradicional" do pós-guerra incluía uma forma de misoginia que fechava os olhos para o assédio dentro do local de trabalho e sancionava desigualdade tanto de pagamento quanto de oportunidades para as mulheres no mercado. Para os movimentos *hippie* e antiguerra, as mudanças rápidas na cultura em diversas instâncias representavam mais do que progresso moral e social; representavam o prenúncio e o recebimento de uma nova era.

> Antes de chegar às cédulas de votação, a guerra cultural chegou às rádios e vitrolas.

As letras das músicas de Bob Dylan estruturam a mudança cultural como uma espécie de dilúvio de Noé, varrendo a antiga ordem a fim de abrir caminho para uma nova ordem diferente. "Se você quer poupar seu tempo, é melhor começar a nadar ou afundará como uma pedra, pois os tempos estão mudando." A canção "Imagine", de John Lennon, vislumbrou uma religião completamente nova, que transcendesse a ideia de céu e inferno. E, claro, a enfastiante "Era de aquário" era mais triunfalista em sua escatologia do que qualquer hino evangélico cantado em tendas de reavivamento. Entretanto, do outro lado do rádio, havia vozes distintas. A música "Okie from Muskogee", de Merle Haggard, foi ouvida como uma resposta para a contracultura. "Não fumamos maconha em Muskogee. Não usamos cabelo longo e bagunçado como os *hippies* de San Francisco." Conforme destacou um crítico musical, dois dias depois que a música "Okie" ficou entre as cem mais tocadas do país, o presidente Richard Nixon proferiu um discurso, escrito por Patrick Buchanan, sobre a "maioria silenciosa".[2] A maioria não protesta, grita ou agita cartazes. É quieta e virtuosa. Não quer amor livre, nem drogas psicodélicas. Não vai para a prefeitura queimar seus cartões de recrutamento para o exército. Era mais do que apenas a guerra cultural em questão. Tratava-se de um duelo entre visões proféticas.

O historiador Richard Perlstein observa: "Aquilo que um dos lados via como alforria, o outro enxergava como o apocalipse. E aquilo que um via como o apocalipse, o outro enxergava como alforria".[3] É difícil discordar dessa análise. As cenas de estudantes universitários drogados com LSD, brincando nus na lama do festival de Woodstock, em Nova York, pareceriam semelhantes ao Armagedom para o pessoal "sal da terra e luz do mundo" do centro dos Estados Unidos, para os quais "o despontar da era de Aquário" soaria como ameaça. Ao mesmo tempo, as palavras "Não fumamos maconha em Muskogee" deviam parecer o inferno para quem estava em Woodstock. E no entanto, conforme observa Perlstein, ambos os grupos precisavam ocupar o mesmo país.[4] Qual deles formaria, então, os Estados Unidos de verdade?

Impulsos da maioria religiosa

Fui uma criança que cresceu na cultura cristã da década de 1980. Aprendi meu lugar dentro da cultura americana por meio de uma série de filmes sobre o arrebatamento secreto. Tais filmes — baseados em uma interpretação dispensacionalista *pop* das profecias — retratavam o momento em que a igreja seria repentinamente levada deste planeta, voando pelos ares até o invisível (para quem observava de longe) Jesus Cristo. Em seguida, os filmes sempre mostravam o pânico dos que eram "deixados para trás" e descreviam o caos social que emergiria assim que "o sal da terra e a luz do mundo" da cultura fossem embora. Sempre presumimos que nossos amigos incrédulos entrariam em pânico quando vissem nossas roupas na calçada ou quando passassem pelos estacionamentos vazios das igrejas a caminho de um restaurante para tomar um café da manhã caprichado no domingo. Nunca questionamos essa premissa. Não seria somente o desfile de horrores da linha profética que os aterrorizaria: *microchips* com a marca da besta, nuvens nucleares em forma de cogumelo e cavalos amarelos cavalgando o céu noturno. Para ser bem franco, o problema é que seria um mundo sem nós, o sal, a luz e a presença cristã. Jamais cogitamos que eles poderiam se sentir aliviados depois que partíssemos. Nunca imaginamos que nossa moralidade poderia ser considerada assustadora, como o lado negativo de um gráfico que explica as profecias.

O argumento da maioria silenciosa era, em sua maior parte, verdadeiro. Richard Nixon foi eleito duas vezes, da segunda ganhando em 49 dos 50 estados do país. Ronald Reagan teve duas vitórias por uma maioria esmagadora. Não foi um mero fenômeno republicano. Jimmy Carter foi professor de escola de dominical de uma cidade pequena, um cristão convertido. E embora Bill Clinton não fosse conhecido como alguém cheio de escrúpulos morais, os anos de campanha entre os batistas e pentecostais do estado de Arkansas o ensinaram a apelar para o senso comum dos valores americanos.

O impulso moral majoritário entre os cristãos americanos se conectou com essa sensação mais ampla de um país atacado por elites não eleitas e inelegíveis. A decisão sobre as orações dentro das escolas, que muitos evangélicos conservadores acharam questionável — e alguns chegaram a caracterizar como "expulsar Deus das escolas" —, foi tomada pela Suprema Corte. Ainda mais chocante foi a decisão dessa mesma Suprema Corte de codificar o aborto como um direito constitucional. A maioria das pessoas não queria abortos permitidos sem restrições, famílias desfeitas e uma arena pública desprovida de religião, argumentava a direita religiosa. E, na época, eles estavam preponderantemente corretos nessa avaliação.

Os alertas exagerados em relação à direita religiosa com frequência eram injustos e ignoravam aquilo em que os próprios conservadores acreditavam. Contrariando a caricatura, o impulso moral majoritário jamais foi uma espécie de imposição teocrática da Bíblia sobre as estruturas deste mundo. Houve algumas vozes em prol dessa espécie de teologia do "domínio", buscando a definitiva codificação da lei de Moisés na arena pública, mas tais vozes eram marginais e, se não completamente isoladas do movimento, pelo menos mantidas com cuidado fora do conhecimento público. Pelo contrário, a última geração de ativismo da direita religiosa era o total oposto, afirmando e reafirmando que não se tratava de um movimento teológico, mas, sim, político. A aliança era ampla o suficiente para incluir protestantes evangélicos, católicos, mórmons, judeus ortodoxos e até agnósticos e ateus conservadores na esfera social.[5] A retórica se concentrava muito menos no reino de Deus ou no evangelho de Cristo e bem mais nos "valores familiares tradicionais" ou em nossa "herança judaico-cristã".

Nem mesmo o discurso de "recuperar os Estados Unidos para Cristo" era tão ambicioso quanto parecia, depois de se investigar o que queriam as pessoas que usavam esse *slogan*. Afinal, elas estavam "recuperando", subentendendo que a ordem desejada já havia existido no passado. E em seus sermões, discursos e escritos, logo ficou evidente que o passado que almejavam não era a Salem pré-revolucionária que queimava bruxas, nem a Boston colonial que fundava igrejas. Era apenas voltar aos Estados Unidos "de verdade", a época anterior à revolução sexual. A ordem que tinham em mente, pelo menos para a nação, não era a nova ordem proclamada no Sermão do Monte, nem no Apocalipse de Patmos. Tratava-se somente de voltar à religião civil vagamente protestante dos "nossos valores judaico-cristãos".

Com isso, os conservadores religiosos e seus contrapontos na pequena mas vibrante esquerda evangélica se encontravam, com frequência, na melhor tradição da preocupação cívica americana, usando os temas e, muitas vezes, as táticas dos movimentos em prol da abolição, temperança, sufrágio universal e direitos civis. O problema para eles não estava com o povo americano, mas, sim, com a falta de poder do povo, que partilhava com eles dos mesmos valores. Não fumamos maconha em Muskogee, nem em Wheaton, Nashville, South Bend ou Salt Lake City.

No entanto, assim como Dylan nos advertiu, os tempos mudaram. Foram dados passos reais na questão do aborto, tanto na legislação quanto na cultura, mas o aborto continua a ser legal. As pesquisas de opinião demonstram com bastante consistência que os jovens estão mais dispostos a se identificar como "pró-vida" do que a geração anterior. Em parte, isso se deve às ultrassonografias e outras tecnologias que dificultam cada vez mais manter a crença de que o "feto" é um aglomerado de tecido impessoal. E, em parte, isso se deve às vozes corajosas, cativantes e muitas vezes proféticas do movimento pró-vida, apelando à consciência pública para enxergar dentro do útero uma criança e um próximo vulnerável. Sempre que nós, conservadores, vemos pesquisas de opinião como essa, temos a tendência de anunciar que estamos vencendo. Sim e não.

Sim, é uma vitória ver que o conceito "pró-vida" continua vivo e viável. As líderes feministas da época do caso judicial *Roe contra Wade*, que culminou no reconhecimento do direito ao aborto, provavelmente teriam predito que o movimento contrário ao aborto morreria até o fim da década, assim como aconteceu com o movimento a favor da lei seca. Mas o movimento persiste e vem ganhando terreno. Ao mesmo tempo, precisamos nos lembrar de que o grande número de pessoas que se identificam como pró-vida revela, em alguns casos, o quanto a cultura do direito ao aborto está enraizada na vida americana.

Além disso, o debate sobre o aborto está mudando rapidamente da esfera clínica para a química, à medida que os medicamentos abortivos se tornam cada vez mais comuns e acessíveis. As pessoas já não precisarão agendar um procedimento para realizar o aborto; bastará conseguir uma receita e comprar o remédio que trará o mesmo resultado. Como saber o que esse desenvolvimento tecnológico fará com a mentalidade do aborto? Ganhos reais estão acontecendo, mas não podemos fingir que não temos um longo caminho a percorrer até que o nascituro seja, nas palavras do presidente George W. Bush, "protegido pela lei e acolhido em vida".

O mesmo se aplica ao aviltamento sexual no ecossistema cultural americano. Os esforços para controlar a pornografia tiveram certo grau de sucesso na última geração por meio da persuasão e pressão para que os comércios não vendessem revistas masculinas e os hotéis parassem de oferecer o serviço de locação de filmes "adultos". Quem prediria que esse procedimento teria alto grau de sucesso, mas principalmente porque hotéis e bancas de revista não precisam mais vender pornografia? A pornografia agora se armou com uma tecnologia digital que a torna ainda mais perigosa, devido a sua quase onipresença e anonimidade ilusória. Lembro-me, anos atrás, de passar por um protesto em uma calçada de alguma cidade de Indiana, em frente a uma locadora de filmes pornográficos. A improvável aliança entre cristãos conservadores e ativistas do feminismo se formou para tirar fotos das placas dos carros estacionados ali e publicá-las por toda a cidade. Faz bastante tempo que não ouço mais esse tipo de preocupação. Em vez disso, todos os pastores que conheço, sem exceção, lidam com uma epidemia da pornografia, não proveniente dos comércios da comunidade, mas, sim, dos membros que se assentam nos bancos das igrejas, ocasionando a divisão de casamentos e famílias.

Ao longo de muito tempo — na verdade, por muito mais tempo do que de fato foi verdade — os conservadores usaram um argumento de maioria moral no debate sobre o casamento. Todos os estados que votaram uma definição de casamento, afirmavam eles, defendiam a definição "tradicional" de união conjugal entre um homem e uma mulher. O problema não estaria nas pessoas, mas, sim, nos tribunais que impõem uma redefinição. Todavia, dentro de poucos anos, as maiorias mudaram em velocidade radical. No passado, o casamento entre pessoas do mesmo sexo era alvo de chacota dos conservadores, que o faziam como tática de alarme, argumentando que a aprovação de uma Emenda de Direitos Iguais acarretaria consequências absurdamente distópicas. Hoje, até mesmo a proteção mais básica da liberdade religiosa daqueles que não desejam participar de uniões entre pessoas do mesmo sexo é retratada pelos ativistas e jornalistas como intolerância semelhante à segregação dos refeitórios entre negros e brancos protegida por leis racistas no passado. Tudo indica que talvez eles fumem, sim, maconha em Muskogee.

O maior problema, porém, não é termos perdido a guerra cultural, mas, sim, o fato de que jamais tivemos uma. O cientista político Alan Wolfe destaca que a retórica intensa e ultrajada dos evangélicos nas esferas política e midiática costuma estar diretamente relacionada à ineficácia do caráter distintivo do cristianismo em nossas salas de estar e bancos de igreja. Wolfe afirma o seguinte acerca dos cristãos conservadores: "A incapacidade de usar seu poder político para diminuir os índices de aborto e divórcio, internalizar um senso de obediência e respeito pelas autoridades nos adolescentes e convencer tribunais e membros do poder legislativo a prestar reconhecimento especial ao papel de poder do cristianismo na vida religiosa americana cria, entre eles mesmos, uma máquina perpétua de indignação".⁶ Embora Wolfe possa estar exagerando em sua explicação, não está errado. Se o Cinturão da Bíblia houvesse se apegado a uma vitalidade religiosa verdadeiramente "radical", identificaríamos, nos lugares com maior índice de frequência regular à igreja, uma forte discrepância em relação ao restante do país no que diz respeito a harmonia conjugal, percentual de divórcio, hábitos sexuais, violência doméstica e assim por diante. Não somos os guerreiros culturais que pensamos ser, a menos que estejamos combatendo em prol do outro lado.

O cristianismo está mudando?

Não é apenas o cenário cultural que está mudando. O cristianismo neste país também, embora não da maneira que alguns da cultura mais ampla esperavam e outros da geração mais antiga temiam. Muitos reconhecem que as gerações mais jovens de cristãos evangélicos, sobretudo pastores e outros líderes, parecem diferentes de seus antecessores na guerra cultural. Por causa disso, muitos presumem que essa ala da igreja está assumindo uma postura esquerdista, sobretudo nas questões polêmicas referentes a moralidade sexual, que se encontram na raiz de temas mais contestáveis, como aborto, casamento, família e até mesmo, cada vez mais, liberdade religiosa e relação entre igreja e estado. O argumento padrão que ouço com frequência de jornalistas seculares é que o compromisso cristão histórico com a moralidade sexual, que limita as relações sexuais ao casamento entre um homem e uma mulher, é uma pedra de tropeço para o crescimento. Segundo essa narrativa, estamos perdendo nossos jovens e os ganharíamos de volta se abrandássemos nossos pontos de vista em relação ao sexo. Caso fizéssemos isso, nossos bancos estariam cheios e os tanques batismais borbulhando diante do retorno dos soldados afastados de Cristo.

É verdade que as gerações mais novas de evangélicos estão interessadas em mais do que apenas as questões que envolviam a guerra cultural do passado. Muitos estão ativamente engajados no cuidado com os órfãos, com o meio ambiente, no combate ao tráfico humano, à justiça racial e à pobreza, na reforma carcerária, bem como nas questões de aborto, casamento e assim por diante. Isso não é um repúdio dos impulsos culturais conservadores, mas, sim, um desdobramento dos mesmos. Aqueles que trabalham para amenizar a pobreza estão, antes de mais nada, dando continuidade a todas as gerações de cristãos conservadores que fizeram o mesmo. Até quando se desviam dos temas abordados pela classe executiva do Partido Republicano, dificilmente repudiam suas raízes morais e evangélicas. Concentram-se em problemas sistêmicos, mas também na estabilidade conjugal, responsabilidade familiar e prestação de contas pessoal. E estão comprometidos como nunca com a santidade da vida humana e com o casamento definido como uma união de uma só carne entre um homem e uma mulher.

De fato, na maioria das vezes, a agenda "mais ampla" reforça o conservadorismo social da nova geração de cristãos conservadores. Aqueles que trabalham com os pobres em centros urbanos e com a subclasse rural testemunham em primeira mão as consequências do esfacelamento familiar, do divórcio sem responsabilização de nenhuma das partes, da cultura das drogas, dos jogos de azar e assim por diante. Além disso, essa visão mais ampla não torna o cristianismo ortodoxo mais palatável para a cultura. Quando evangélicos adotam filhos, a esquerda secular os acusa de "roubar" crianças para a doutrinação cristã. E quando não adotam, as mesmas vozes os acusam de se importar com "fetos" sem prover lares para as crianças "indesejadas" depois que nascem. Não importa a amplitude da preocupação, nem se, às vezes, ela se sobrepõe às questões defendidas pelos progressistas, a pergunta que geralmente é feita, no fim das contas, é: "Tudo bem, mas e o sexo?".

É nesse ponto que muitos esperam ver a rendição da guerra cultural. O problema é que "jovem evangélico" é um termo confuso, sobretudo para a cultural midiática que costuma definir o conceito com base na publicidade, não na teologia ou eclesiologia. Parte disso se deve a dissidentes profissionais que ganham a vida anunciando expressões protestantes progressistas em linguagem evangélica. Com frequência, esse tipo de ação corresponde a uma série de problemas metafóricos (e, às vezes, literais) de relacionamento com o pai, remontando a uma ferida real ou imaginada de uma igreja ou família de origem. Tais figuras costumam receber muita atenção, em geral de públicos evangélicos universitários, ao questionar (sem negar abertamente) doutrinas, desde a inerrância da Bíblia até a realidade do inferno. Esses evangélicos costumam apresentar uma ideia episcopaliana de como um evangélico deveria ser, mas raramente alcançam influência de longo prazo entre as igrejas. O "cristão das letras vermelhas"* que fala como se o Sermão do Monte fosse um excelente rascunho galileu para a plataforma política do Partido Democrata em 2024 dificilmente será o mesmo a tomar a iniciativa em um movimento de plantio de igrejas ou a criar agências de adoção, cozinha solidária ou casas de apoio para os egressos do cárcere.

Um estudo realizado por um grupo de pesquisa sugeriu — para a ostentação da imprensa — que uma nova "maioria liberal" é a face da vida religiosa americana.[7] A interpretação foi que os progressistas religiosos logo superarão em número os conservadores religiosos e a nova "maioria moral" será liberal. Minha primeira pergunta foi: "Qual é o sentido de *progressista* nesse suposto enredo?". Afinal, William Jennings Bryan, o anti-darwinista do julgamento de Scopes, era progressista. Assim como o calvinista e defensor da inerrância bíblica Charles Haddon Spurgeon. Quando, porém, se fala em religião nos Estados Unidos da atualidade, progresso sempre se resume a sexo.

> Quando se fala em religião nos Estados Unidos da atualidade, progresso sempre se resume a sexo.

Um novo tipo de igreja

Sou cético, e vou explicar por quê. A religião cristã não é uma ideologia, como o socialismo ou o libertarismo, rastreada pela identificação pessoal. A religião cristã é um corpo. Diversas pessoas que se identificam como cristãs ao responder a uma pesquisa de opinião não representam um movimento. A pergunta é: "Quem frequenta uma igreja?". E, em termos congregacionais, o liberalismo protestante está mais morto do que Henrique VIII. Se a adaptação à cultura fosse a chave para o sucesso eclesiástico, onde estão agora os movimentos de plantio de igreja liderados pela Igreja Presbiteriana dos Estados Unidos ou as megaigrejas unitarianas?

Dito isso, as gerações mais velhas estarão enganadas caso presumirem que a próxima geração será mais do mesmo, apenas com mais orações por

---

* Referência ao movimento cristão não denominacional criado em 2007 por Jim Wallis e Tom Campolo. As letras vermelhas aludem às palavras de Jesus em destaque no Novo Testamento. Segundo os proponentes desse movimento, os cristãos devem pôr em prática tudo aquilo que Jesus disse, sobretudo na forma de engajamento em questões sociais. [N. da T.]

"reavivamento" e "grande despertamento" no país. O pastor jovem típico é menos partidário do que seus antecessores, menos disposto a falar no púlpito sobre a "mobilização" de votos e a "recuperação de valores judaico--cristãos" por meio de ações políticas e boicotes econômicos. Isso não está acontecendo porque os pastores jovens estão aderindo ao movimento esquerdista, mas, sim, porque querem que o cristianismo se mantenha cristão. Aliás, o centro do cristianismo evangélico hoje é, teologicamente falando, bem à direita da antiga direita religiosa. É verdade que o típico pastor jovem de uma igreja urbana ou suburbana em crescimento não se parece com seu antepassado que usava camisas com abotoaduras ou camisetas gola polo para dentro da calça. Mas isso não quer dizer que ele seja liberal. Pode até ter tatuagens, mas não são de Che Guevara, e sim de passagens de Deuteronômio em hebraico.

A declaração de fé de sua congregação não traz os mesmos *slogans* genéricos dos movimentos evangélicos consumistas e doutrinariamente confusos das últimas gerações. Em vez disso, é mais provável que seja um longo manifesto, com pontos, subpontos e notas de rodapé, tudo embasado em uma das grandes tradições teológicas da igreja histórica. Esse pastor faz pregações que duram de 45 minutos a uma hora, às vezes apelando aos cristãos apostatados do púlpito com todo o ímpeto dos reavivadores do passado, com suas alusões ao fogo e enxofre do inferno. É pró-vida e pró--casamento, embora tenha a tendência de abordar questões como a homossexualidade em termos teológicos e pastorais, não usando a advertência retórica contra a "agenda *gay*".

Diferentemente das congregações típicas do Cinturão da Bíblia do século 20, o novo tipo de igreja evangélica tem regras rígidas para os membros, tanto no que diz respeito aos requisitos para ingressar na comunidade de fé quanto no que é necessário fazer para permanecer ali. Será difícil encontrar crianças batizadas aos quatro anos de idade depois de repetir uma oração de arrependimento em um clube de lições bíblicas de fundo de quintal. Além disso, o pecador não arrependido enfrentará aquilo que seus pais jamais pareceram encontrar em suas Bíblias de letras pretas e vermelhas: a exclusão do rol de membros. Se isso é liberalismo, que venha mais!

Tais igrejas costumam ser mais profundamente engajadas com a cultura, em termos de música e artes, com uma compreensão teológica mais rica de como analisar a graça comum nos artefatos culturais do que as subculturas cristãs do Cinturão da Bíblia no passado, as quais, com frequência, apenas imitavam a cultura popular da época, com menor qualidade, colocando o nome de Jesus no fim de tudo. Muitas vezes, porém, não sabem ao certo como pensar seu engajamento político. Mais uma vez, isso não se deve ao liberalismo, mas ao conservadorismo teológico. Eles já viram os evangelhos sociais da esquerda e da direita tentarem encaixar uma mensagem transcendente em questões decisivamente deste mundo, bem como propósitos bem cínicos de manipular as engrenagens do poder político.

Correção da maneira correta

Para entender isso, é preciso compreender que os cristãos evangélicos de quase todas as tradições são motivados por narrativas. Não raro, nosso evangelismo inclui histórias pessoais de como conhecemos a Cristo. Nossos cultos costumam abranger "testemunhos" pessoais, sejam eles falados sejam cantados. Para quem não faz parte da comunidade, podem parecer sentimentaloides e, às vezes, até manipuladores. Mesmo assim, aqueles que enfatizam a natureza pessoal de conhecer a Cristo com frequência definem a Cristo em termos de nosso passado, do que estamos deixando para trás. No entanto, mesmo sem um testemunho falado, muitas vezes é possível interpretar do que um evangélico está se afastando com base em suas reações moderadas e até exageradas. Sempre que ouço um cristão dizer que não devemos enfatizar os imperativos das Escrituras (as ordens de Deus), mas, sim, os indicativos (quem somos em Cristo), sou capaz de prever que, quase todas as vezes, trata-se de alguém que cresceu em um ambiente legalista rígido e opressor. Em contrapartida, quando ouço falar de um cristão evangélico que quer construir cercas de regras em volta da possibilidade de pecar, em geral presumo que essa pessoa tinha uma vida moralmente caótica antes de se converter. O cristão que se converteu de uma igreja morta, sem vida, costuma desconsiderar a liturgia e rotulá-la como "formalismo", além de contrastar "religião" com "relacionamento". Ao mesmo tempo, aquele que se converteu a despeito de uma igreja emocionalmente exuberante, mas teologicamente vazia, tem a tendência de buscar as raízes antigas e a estrutura de uma igreja com ordem litúrgica mais estruturada.

A verdade no nível pessoal também se aplica ao movimento. Tendemos a fazer um vaivém entre os extremos — sempre buscando evitar o último aspecto negativo. A esquerda religiosa da última geração foi, de muitas maneiras, uma reação de alguns setores da era do "povo de Jesus" (o movimento jovem de influência carismática do final da década de 1960 e início de 1970) às instituições religiosas que praticavam um consumismo vazio e endossavam o racismo e o militarismo do pós-Segunda Guerra Mundial.[8] A velha direita religiosa foi, de muitas formas, uma reação às consequências terríveis da diminuição real ou imaginada do recato de alguns dentro da igreja enquanto o país se encaminhava para a revolução sexual e a cultura do aborto.[9] Ao nos movermos para uma nova era, a igreja procurará corrigir o rumo de alguns aspectos do passado. Devemos apenas nos certificar de que os corrigiremos do jeito certo.

Alguns enxergam qualquer reestruturação do testemunho cristão público como um "afastamento da política" ou a retirada para dentro de nossas torres de marfim. Mas não é esse o caso, por diversas razões. Antes de mais nada, isso seria impossível. Uma coisa é o cristianismo corrigir erros de incursões passadas na arena pública: expectativas triunfalistas, por exemplo,[10] ou pânico teatral e paranoia enraizados em uma mentalidade de vítima cercada por todos os lados. É bem diferente restringir a liberdade das gerações futuras com o silêncio. O desengajamento total é um privilégio de uma cristandade cultural que está morrendo rapidamente. A igreja só pode evitar assumir posturas controversas acerca do que significa ser humano ou estar casado enquanto a cultura externa pelo menos finge compartilhar dos mesmos ideais básicos. A igreja só pode ignorar a cultura até que esta remodele a igreja de uma forma que obscureça o evangelho, como aconteceu com a cultura do divórcio no passado. E a igreja só pode ignorar o estado enquanto este respeitar os limites territoriais daquilo que Jefferson chamou de "muro de separação". O estado que considera alguns aspectos do testemunho cristão uma manifestação fanática e perigosa não fica mais do próprio lado do muro.

O principal motivo que me leva a pensar que o movimento evangélico não permanecerá cambaleante no engajamento público é o evangelho. Na crescente onda de evangélicos, ouve-se o refrão constante de "foco no evangelho" e "centralidade no evangelho". Alguns podem desconsiderar os termos como apenas mais uma moda ou outro *slogan* evangélico, e talvez, em parte, seja mesmo. Mas eu acredito que é muito mais.

O foco no evangelho está ligado ao colapso do Cinturão da Bíblia. À medida que a cultura se torna mais secularizada, os pilares cristãos mais básicos jamais pareceram tão afastados da cultura geral. Ou seja, para aqueles que alcançaram a maioridade ou a alcançarão nos próximos anos, não existe nenhuma utilidade social em aderir a eles. Quem se identifica com o cristianismo e se une ao povo de Deus já decidiu andar na contramão da cultura. Esses cristãos já aceitaram o rótulo de esquisitos quando passam a manhã de domingo na igreja em vez de tomar café em um restaurante da moda.

Isso está levando ao oposto do que os evangelistas itinerantes que pregavam o arrebatamento nos advertiram. Os cristãos nominais desaparecem subitamente dos bancos. Aqueles que queriam um quase-evangelho descobrem que não precisam dele para prosperar na cultura dominante. Aliás, o cristianismo cultural é separado por seleção natural. Esse tipo de religião nominal, que carrega o fardo do embaraço de uma Bíblia controversa, está tão bem equipado para sobreviver em um mundo secularizado quanto um gato sem as garras solto na floresta. Quem será deixado para trás? Isso será definido não por um país cristão, mas, sim, por um evangelho cristão.

A fim de entender por que isso gera mais engajamento, não menos, precisamos compreender, antes de mais nada, o que significa o colapso em câmera lenta do Cinturão da Bíblia. Isso muda não só o número de incrédulos, mas também a maneira como os cristãos enxergam a cultura externa e se relacionam com ela. O filósofo James K. A. Smith, ao analisar a obra de Charles Taylor, dá o exemplo de um plantador de igreja evangélico que se muda do Cinturão da Bíblia para um centro urbano "pós-cristão" no Noroeste do Pacífico. O plantador de igrejas está capacitado para evangelizar e fazer discípulos por meio de perguntas diagnósticas às pessoas sobre o que está faltando na vida delas. Há uma ou duas gerações, esse questionamento poderia se referir àquilo em que elas confiavam a fim de ir para o céu. Já nos anos mais recentes, o sentido da pergunta seria o que falta para ter significado e propósito na vida. A questão central não é que o plantador de igreja não tem capacitação adequada para responder às perguntas, mas, sim, que as pessoas estão fazendo *perguntas diferentes*. Não se sentem "perdidas" no mundo, nem acham que precisam de propósito e significado. O evangelista eficaz precisa se engajar não só nas respostas, mas também nas perguntas em si.[11]

O mesmo se aplicará ao testemunho social e político do cristianismo em uma nova era. As gerações mais antigas podiam presumir que a cultura ecoava os mesmos "valores" e "princípios". Podiam presumir que a cultura desejava conservar sua "herança judaico-cristã". Cada vez mais, porém, a cultura não enxerga o cristianismo como "a nação de verdade". Se o cristianismo é apenas um meio para alcançar os valores americanos, os Estados Unidos podem muito bem se virar sem eles, já que o país está aprendendo a valorizar outras coisas. Contrariando a intuição, é possível que isso seja bom tanto para a igreja quanto para seu engajamento com o mundo exterior. J. Gresham Machen advertiu à igreja na década de 1920 que o escambo da ortodoxia, além de não aumentar a credibilidade cultural da igreja, também aumentaria o risco de que esta passasse a ser vista como um meio para outro fim.[12] É verdade que o cristianismo constrói famílias mais sólidas e também apresenta uma alternativa à ideologia marxista. Todavia, caso o cristianismo seja promovido como uma maneira de construir famílias fortes e ajudar as pessoas a assimilar os valores americanos ou combater o comunismo, não se trata mais de cristianismo, mas, sim, de uma religião completamente diferente, que ele chamou de "liberalismo". Na última geração de engajamento cristão público, houve alguns profetas e santos genuínos que chamaram a igreja a sair do isolamento, mas advertiram o tempo inteiro contra o cativeiro político da igreja, um cativeiro que macularia o zelo justo do cristianismo em busca de poder e, por fim, a destituiria daquilo que a cultura acha mais incômodo: a exclusividade de Cristo.

À medida que a cultura muda, o escândalo do cristianismo ganha cada vez mais destaque, exatamente como aconteceu no primeiro século. O abalo da cultura ocidental nos leva de volta à pergunta que Jesus fez a seus discípulos em Cesareia de Filipe: "Quem vocês dizem que eu sou?" (Mt 16.15). Conforme o cristianismo cultural retrocede, aqueles que se posicionam por Jesus serão como Simão Pedro na antiguidade: saberão responder a essa pergunta. Uma vez que o cristianismo deixa de ser parte do patriotismo, a igreja precisa oferecer mais do que o moralismo da pergunta "O que Jesus faria?" e o populismo da declaração "Eu voto em valores", aos quais fomos acostumados. Que bom!

Uma igreja que não dá o devido valor ao evangelho é uma igreja que logo o perderá. Hoje a igreja precisa explicitar, a cada etapa, a razão de sua existência, pois ela não consiste mais em uma parte óbvia do ecossistema cultural. A explicitação do evangelho significará engajamento, pois as questões mais prementes não são subordinadas ao evangelho da mesma maneira que outras questões culturais ou políticas. A tentação será, como sempre, apresentar uma reação exagerada aos pecados e às falhas da última geração, com uma retirada completa na tentativa de evitar guerras culturais e um evangelho social. Sem dúvida, é necessária uma nova calibragem. Somos pessoas diferentes em um contexto diferente. Mas se enxergarmos o contorno cósmico do evangelho, não penderemos para uma espiritualidade libertária que reduz o evangelho apenas às questões relativas à salvação e à moralidade pessoal. Em primeiro lugar, a cultura cada vez mais acha a salvação e a moralidade pessoal bastante problemáticas. Não há como excluí-las de uma cultura na qual o pessoal também é político.

> Se um dia fomos a maioria moral, não somos mais.

Mais importante, a tentativa de nos isentar por completo pode até nos livrar do moralismo e do jeito tendencioso de algumas figuras na geração de nossos pais e avós, mas nos fará voltar ao erro contrário da geração de nossos bisavôs, que separava o evangelho do reino, o amor de Deus do amor ao próximo. Poderíamos até descartar toda forma de testemunho social a fim de nos defender do legalismo. Mas estaríamos errados e, o mais irônico, acabaríamos caindo em uma espécie de farisaísmo do lado oposto, construindo muros em torno da tentação de assumir essa mesma postura. E mais: abandonaríamos uma função que nos foi designada e da qual não recebemos permissão para sair. O teste será se conseguiremos interagir com a cultura sem abrir mão do evangelho.

Conclusão

Se um dia fomos a maioria moral, não somos mais. Enquanto as revoluções sexual e secular prosseguem a todo vapor, não é mais possível fingir que representamos "a nação de verdade", uma maioria de conservadores que, assim como nós, ama a Deus, trabalha duro e funciona como sal da terra dentro da cultura. Logo, envolvemo-nos com a cultura menos como os capelães de uma cidade cristã idílica e mais como os apóstolos de Atos. Falamos primariamente não com pagãos batizados no rol de membros de uma igreja, mas, sim, com gente que está ouvindo algo novo, quem sabe pela primeira vez. Dificilmente seremos "normais", mas jamais deveríamos ter tentado ser. Jesus prometeu ao vencedor a coroa da vida. Mas nunca disse nada acerca de uma insígnia sobre "Deus e a nação".

2
Da maioria moral à minoria profética

Há mais de cinquenta anos, Martin Luther King Jr. se pôs de pé diante do Lincoln Memorial e proferiu um dos discursos mais icônicos da história americana. O refrão desse discurso está tão enraizado na memória nacional que a maioria das pessoas o conhece simplesmente como o discurso "Eu tenho um sonho". Parte da gravidade dessa fala se deveu a sua localização, em frente ao monumento ao grande emancipador. Parte da gravidade veio do entorno, uma multidão poderosa de homens, mulheres e crianças reunidos na capital dos Estados Unidos, pedindo a compensação do "cheque" metafórico da igualdade garantida na Declaração de Independência. Mas a maior parte do poder daquele momento veio das palavras em si. Em seu discurso, King procurou apelar à consciência e à imaginação moral. Estava falando não só para seus apoiadores, reunidos ali na grande área verde do parque National Mall, mas além deles, para seus adversários também. Buscava criar uma nova realidade, que, na época, não parecia mais real do que um sonho. Há muito que os cristãos de hoje podem aprender sobre como manter um testemunho social em um país pós-cristão.

O que nós somos?

Se não somos uma "maioria moral" neste país, o que somos então? Minha proposta é que devemos nos enxergar como uma *minoria profética*. Alguns se esquivam imediatamente desse vocabulário. Afinal, argumentam que se trata de admitir a derrota. Na visão daqueles para quem tudo é política, reivindicar *status* de minoria parece sem sentido. Cada grupo supostamente quer afirmar que representa a maior parte da população, e é por isso que ouvimos ciclicamente sobre o "surgimento de uma maioria democrata" e a "maioria republicana permanente", expressões que vão e vêm, alternando-se. Além disso, para aqueles que enxergam as motivações religiosas em termos meramente políticos ou econômicos, a prioridade do evangelho sempre parecerá uma abstenção na arena pública, mesmo quando não for o caso.

Se um jornalista estivesse presente quando Jesus disse: "Nem só de pão o homem viverá", a manchete do dia seguinte provavelmente seria: "Líder religioso endossa um entrave às políticas agrícolas". Mas não chame isso de retrocesso. Essa é nossa posição há anos. Aliás, o chamado a um engajamento focado no evangelho é o chamado a uma presença mais enfática na vida pública, pois busca alicerçar o testemunho onde ele deveria estar: na missão mais ampla da igreja.

Até mesmo alguns setores do ativismo religioso se irritam com a honesta descrição do cristianismo apostólico como ponto de vista minoritário na cultura ocidental. Argumentam que as minorias não exercem influência sobre a cultura ou os sistemas ao seu redor. A tentação é de fingir ser maioria, mesmo quando não se é. Mas essa é uma forma profundamente darwinista de enxergar o mundo, semelhante ao animal assustado que estufa o peito a fim de parecer maior e mais valente, na esperança de assustar os predadores. Todavia, esse não é o método de Cristo.

Dizer que somos minoria não é falar em termos de números como estatísticos ou economistas. É falar sobre uma mentalidade, sobre como nos enxergamos. A igreja de Jesus Cristo jamais é maioria — em qualquer cultura caída — mesmo quando superamos em número todos ao nosso redor. As Escrituras falam sobre um sistema mundial em oposição ao reino, um mundo que nos tenta constantemente a conformar nosso intelecto e nossas afeições a ele, até sermos interrompidos pela transformação constante do reino (Rm 12.1). O sistema mundial ao nosso redor, a matriz cultural na qual habitamos, é alheio ao reino de Deus, com prioridades, estratégias e visão de futuro diferentes. Se não percebermos que estamos trilhando um caminho estreito e contraintuitivo, não teremos nada distintivo a dizer, pois teremos esquecido quem somos.

A perda da mentalidade de maioria é apressada pelas tendências culturais e políticas, e deveríamos acolher essa perda. Tudo começou com boas intenções, na tentativa de sair da torre de marfim e nos conectar com o público mais amplo, mas o preço pago foi alto demais. A ênfase nos "valores" acima do evangelho exportou para toda a nação alguns dos piores aspectos da cristandade no sul dos Estados Unidos. O cristianismo se tornou ferramenta para obter um casamento feliz, uma carreira de sucesso, filhos bem-comportados — tudo isso e a vida eterna também. Tal cristianismo não tem sotaque galileu, mas, sim, o toque estudado de um marqueteiro que tentou normalizar o cristianismo ao encontrar um objetivo com o qual tanto a igreja quanto a cultura pudessem concordar, mesmo que Jesus permanecesse confortavelmente descansando em sua sepultura emprestada. A visão era de um país cristão, ou um país judaico-cristão, ou ainda de uma nação com "valores familiares tradicionais".

Ao mesmo tempo, porém, alguns setores dessa tendência ativista toleravam e encorajavam a parcialidade, a paranoia e até a heresia. Alguns líderes do ativismo religioso foram santos e heróis genuínos, enquanto outros fizeram sua carreira atropelando quem estava ao redor com comentários cada vez mais ultrajantes. Com frequência, a corrida por recursos e plataformas midiáticas dava vitória às vozes mais absurdas e bizarras no ar. Isso confirmou uma caricatura secular do cristianismo como uma fusão entre Elmer Gantry, o golpista que se finge de evangelista no filme *Entre Deus e o pecado*, e Eufrazino, o adversário do Pernalonga.

Walker Percy destacou corretamente, em meio aos escândalos repugnantes que envolveram os evangelistas da televisão na década de 1980: "Só porque Jimmy Swaggart acredita em Deus, não significa que ele não exista".[1] É verdade. Mas, assim como aconteceu no caso dos evangelistas da televisão, alguns ativistas afastaram números incontáveis de pessoas do evangelho em si com uma presença pública louca e caricatural. Tais figuras são consideradas estranhas pela cultura não por seu compromisso com o caráter sobrenatural do evangelho, nem com a ética do Sermão do Monte, mas, sim, por seu comportamento ultrajante.

A igreja de Jesus Cristo deveria ser o último lugar para encontrar trambiqueiros e demagogos. Afinal, a igreja tem o Espírito de Deus, que dá ao corpo os dons de sabedoria e discernimento. Com frequência, porém, caímos nisso. Recebemos celebridades simplesmente porque são "conservadoras", sem perguntar o que elas estão conservando. Se você está bravo com as mesmas pessoas que nós, então deve ser um de nós. Mas seria uma tragédia ter o presidente certo, o congresso certo e o Cristo errado. É uma péssima troca. O evangelho nos torna estranhos, mas não loucos de verdade. Muitas vezes, no Novo Testamento, Jesus e seus discípulos eram considerados malucos. É claro que sim: eles diziam coisas insanas como cruz ensanguentada, túmulo vazio e união entre judeus e gentios. Mas não eram loucos de fato. Jesus é a voz mais razoável dos evangelhos, demonstrando que os argumentos de seus oponentes não faziam sentido, nem se sustentavam (Mc 3.22-27; 7.14-16).

Na corte de Agripa, Paulo foi considerado insano. Mas porque cria na ressurreição de Jesus, não por vender panos de oração. Paulo honrou os governantes Agripa e Félix, argumentando com eles que a obra de Cristo não fora realizada "em algum canto escondido" (At 26.24-27). Destacou que estava falando "a mais sensata verdade" (At 26.25). Não se importava em ser visto como louco, mas mantinha o escândalo onde ele deveria ficar: no evangelho, não em suas traquinagens. Isso acontece porque a igreja foi edificada sobre o fundamento sólido de apóstolos e profetas, não de mascates e artistas do ultraje. Então como viemos parar aqui?

> Seria uma tragédia ter o presidente certo, o congresso certo e o Cristo errado.

Não somos mais maioria

Isso se encontra intrinsecamente ligado à compreensão pessoal do testemunho da igreja como relato da maioria. A fim de manter uma base de poder político, alguns ativistas religiosos aceitavam como seus qualquer um que ajudasse sua causa. Na metade do século 20, um fundamentalista mesquinho disse que evangélico é aquele que diz para o liberal: "Eu o chamarei de cristão se você me chamar de teólogo". É claro que, como evangélico, acho a caracterização injusta, mas rio mesmo assim porque retrata determinada tendência dentro da academia religiosa — e, na verdade, de todas as tribos —, já que a respeitabilidade acadêmica é mais valorizada do que a integridade profissional. No entanto, isso é mais verdadeiro e claro no que diz respeito à política. Alguns setores do ativismo religioso estão dispostos a aceitar hereges e demagogos como cristãos, contanto que eles fiquem do nosso lado nas questões políticas. Quando isso acontece, demonstramos o que é importante de verdade para nós e aderimos a um evangelho diferente do de Jesus Cristo.

Se a política impulsiona o evangelho e não o contrário acabamos assumindo um testemunho público no qual apresentadores de televisão mórmons, magnatas de cassino que casam e descasam o tempo inteiro e pregadores do evangelho da prosperidade são aceitos em nossas fileiras, a despeito da violência que imputam ao evangelho. Afinal, "estão do lado certo" nas questões políticas. Essa espécie de cristianização de aliados úteis não se limita apenas aos que estão vivos e respirando. Permitimos que Thomas Jefferson, Benjamin Franklin e outros sejam caracterizados como convertidos que fundaram uma "nação cristã", mostrando que não são apenas os santos dos últimos dias que tentam batizar os mortos. Thomas Jefferson foi um grande patriota, a quem devemos respeitar. Estava certo ao propagar a independência em relação ao rei George, mas bastante equivocado quanto à independência do Rei Jesus. Para alguns, porém, a tarefa mais importante é formar uma coalizão, incluindo uma nuvem artificial de testemunhas, mais do que perguntar se esses quase-evangelhos ou contraevangelhos irão salvar ou condenar. É de se espantar que alguns que não pertencem a nossas fileiras acreditem cinicamente que nossa religião não passa de ópio para os eleitores, ajudando-nos a conservar o poder político?

Além disso, enxergar-nos como maioria levou, por vezes, a uma decadência teológica e a um posicionamento público contraprodutivo. Por exemplo, a aplicação das promessas feitas a Israel aos Estados Unidos da América levou muitos a perder de vista, conforme veremos no próximo capítulo, o significado do reino de Deus e, assim, a deixar de lado o próprio Jesus Cristo. A ideia de que os Estados Unidos são uma nação cristã consegue despertar "améns" nas igrejas somente enquanto as igrejas pensarem que o país, pelo menos em alguns aspectos, está a nosso favor, não contra nós. Mas o que acontece quando o clima cultural começa a mudar de forma clara? Se a igreja acredita que os Estados Unidos são uma espécie de novo Israel, ficamos aterrorizados quando vemos "a nação se perder". Começamos a falar do país em termos sombrios, que, na melhor das hipóteses, é Babilônia, um lugar de exílio desesperançado, ou, na pior, Gomorra, à espera do julgamento divino.

Isso leva a uma mentalidade de cerco que busca catalogar ofensas do que está errado na cultura, a fim de chocar os fiéis para que entrem em ação. Castigamos a cultura porque começamos a vê-la como algo que antes "tínhamos" e agora "estamos perdendo", em lugar de nos ver como aqueles que foram enviados a esta cultura com o objetivo de alcançá-la. O testemunho cristão público se torna cada vez menos uma missão do evangelho redentor e mais uma sessão contínua de terapia grupal do grito. Em termos de questões a ser defendidas, a mentalidade de maioria levou alguns ativistas religiosos a ignorar uma herança rica e teologicamente formada, por exemplo, sobre liberdade religiosa e relação entre igreja e estado. Isso aconteceu porque eles aceitaram a visão de que os Estados Unidos são um país cristão em seu âmago. Todavia, conforme veremos, isso é não só doutrinariamente deficitário, como também causador de derrota para o movimento cristão. Enxergar-nos como maioria pode levar a coisas perigosas, sobretudo quando deixa de ser verdade.

Catedrais e catacumbas

Há vários anos, coordenei um grupo de seminaristas em uma viagem de estudo na cidade de Roma, trabalhando o livro de Romanos e os aspectos relevantes da história da igreja nesse local. Certo dia chuvoso, passamos a manhã na Basílica de São João de Latrão e a tarde nas ruínas das antigas catacumbas cristãs. Passei um tempo sozinho e distante das multidões nos dois lugares, orando. Ao fazê-lo, marcou-me que nós, cristãos, às vezes nos esquecemos da graça paradoxal de Deus em nos dar um legado tanto de catedrais quanto de catacumbas. As catacumbas são o legado de um grupo minúsculo de cristãos perseguidos, que se reuniam no subterrâneo a fim de escapar do olhar onipresente da Roma imperial. Já as catedrais representam um momento bastante distinto: uma igreja que cresceu não só em tamanho, mas, que, na verdade, superou o império e durou mais do que ele. As catacumbas simbolizam simplicidade e praticidade; as catedrais simbolizam transcendência e deslumbramento. Precisamos de ambas.

Observei que os americanos evangélicos que me acompanharam nessa viagem se decepcionaram quando passamos por lugares significativos da história da igreja. Queriam que fossem uma restauração estilo parque temático da "igreja primitiva" que os fizesse achar que a fé viajou pelo tempo direto de uma era áurea e pura para as cruzadas evangelísticas de Billy Graham. Esse tipo de cristão tende a gostar das catacumbas pelo mesmo motivo que algumas pessoas amam estudar seu histórico familiar antigo, mas não apreciam ir às reuniões de família. As catacumbas não respondem.

Sim, há desenhos ali, mas como os habitantes das catacumbas não tinham poder, seus pecados e erros não transparecem de forma tão clara para nós.

Mas as catacumbas e as catedrais juntas nos lembram de duas coisas que precisamos saber: a soberania de Deus em nos mandar a fé e a fragilidade dos seres humanos como mordomos dessa fé. Não podemos romantizar a igreja primitiva perseguida. Afinal, os textos do Novo Testamento fazem repreensões frequentes a essas igrejas pelos mesmos motivos que nos levam a lamentar a condição da igreja atual: imoralidade sexual, divisão, carnalidade, arrogância (1Co 4.7-13; 5.1-8; 6.1-8). E se o cristianismo permanecesse nas catacumbas, é bem possível que você e eu jamais tivéssemos conhecido a Cristo.

A Basílica de São João de Latrão foi fundada ali pelo imperador Constantino. Por ser um batista comprometido com a separação entre igreja e estado, minha pele estremece com a mera menção a Constantino. Sua visão de um império cristão foi, a meu ver, um experimento falho que levou à perseguição e produziu todo tipo de cristianismo nominal, que é a antítese da convicção pessoal. Ainda assim, Deus usou Constantino para dar fim a uma perseguição por vezes sangrenta e, entre outras coisas, para reunir a igreja e acabar com uma ou outra heresia mortal. Mediante a providência divina, o teísmo trinitário e a cristologia ortodoxa com a qual eu critico a ideia de um império cristão chegaram até mim por meio dos atos do imperador cristão prototípico. Não reconhecer isso seria cair no pecado da ingratidão.

A caminhada por entre as catacumbas e as catedrais me lembrou da maravilha paradoxal encontrada na maneira de Jesus falar sobre o reino de Deus. Por um lado, Jesus se referiu ao reino como um pequeno rebanho cercado por lobos (Lc 12.32; At 20.29). O caminho é estreito, contou-nos, e poucos são os que passam por ele (Mt 7.14). Em contrapartida, Jesus disse que o reino é como uma semente minúscula que cresce até se tornar uma imensa árvore na qual todas as aves do céu podem encontrar descanso (Mc 4.30-32). Se virmos apenas as catacumbas, correremos o risco de valorizar a pequenez e a perseguição como se fossem equivalentes de santidade. E quem sabe ignoremos nossa responsabilidade de construir instituições e culturas que protejam as gerações futuras da perseguição. Contudo, se enxergarmos somente as catedrais, tanto as antigas como sua versão moderna em forma de megaigrejas em bairros residenciais, talvez equipararemos espiritualidade com grandeza e autoridade com uma suposta "influência".

Há muito na história da igreja que deu errado. As pessoas que construíram catedrais majestosas eram pecadoras que merecem o inferno. Assim como os mártires das catacumbas. Assim como nós. Muitas decisões ruins foram tomadas, e algumas delas persistem. Mas a história da Bíblia também está cheia de pessoas pecadoras que tomaram decisões tolas e, em meio a tudo isso, Deus fez todas as coisas cooperarem para a glória de Cristo (Rm 9.4-5). Nos episódios heroicos da história da igreja (Atanásio derrotou Ário! Agostinho colocou Pelágio para trás! Bonhoeffer confrontou Hitler!) e nas partes terríveis (igrejas estatais, ideologias políticas presunçosas e escândalo após escândalo), Deus orquestra um fluxo do rio da redenção, conduzindo-o das colinas da Judeia para as ruas repletas da Antioquia, até Dubuque, Dubai, Buenos Aires, Little Rock ou qualquer lugar onde você tenha ouvido o nome do Cristo de Deus pela primeira vez.

Uma minoria profética

Enxergar-nos como minoria profética não significa retrocesso e, sem dúvida, não nos coloca em posição de vítimas. Também não confere fidelidade de maneira automática. A marginalização pode nos livrar de pecados consolidados no ponto de vista da maioria, mas também é capaz de nos trazer outros. Devemos nos lembrar de nossa pequenez, mas também de nossa conexão com uma realidade global e até mesmo cósmica. O reino de Deus é vasto e minúsculo, universal e exclusivo. Nossa história é a de um pequeno rebanho e de um exército extraordinário com seus estandartes. Nosso legado inclui o cristianismo da perseguição e da proliferação, das catacumbas e das catedrais. Se nos enxergarmos apenas como minoria, seremos tentados a cair no isolamento. Se nos virmos apenas como reino, sofreremos a tentação do triunfalismo. Em vez de tudo isso, somos igreja. Uma minoria com mensagem e missão.

Isso nos leva ao aspecto *profético* de nossa posição minoritária. Alguns rejeitam essa palavra, e compreendo bem sua hesitação.

Em uma igreja na qual ministrei no passado, havia um homem bravo que estava sempre "discernindo" o que havia de errado no mundo e na igreja, capaz de transformar uma classe da escola dominical em uma briga de rua, cheia de insultos verbais. Quando confrontado acerca desse espírito briguento, o homem apresentava um "inventário de dons espirituais", como se isso lhe desse imunidade para o mau humor. Esse teste de personalidade revelou que ele possuía o dom espiritual de "profeta". Para ele, esse era o disfarce espiritual para dizer a todos qual era o problema de cada um e do mundo, sem se importar com os sentimentos de ninguém. Lembrei disso anos depois quando ouvi uma personalidade cristã da mídia defender um tom irado e estridente como "profético", assim como Jeremias e Isaías, profetas do Antigo Testamento no passado.

Na verdade, essa tendência não diz respeito a se amoldar ao Antigo Testamento, mas, sim, a se amoldar ao espírito de nossa era. Nossa cultura costuma relacionar convicção a intensidade de sentimentos. E a intensidade de sentimentos é marcada por indignação teatral e discurso cáustico para chamar atenção. Com muita frequência, dentro da comunidade cristã, "Não acredito que ela disse isso!" tem substituído o "Assim diz o Senhor". Por causa disso, temos adotado aliados com base na intensidade de sua indignação, em lugar de usar como critério a consistência do evangelho. Se você está bravo com as mesmas pessoas que nós, então deve ser um de nós. Jesus nunca trabalhou assim. Os fariseus eram rivais dos saduceus. Jesus enraivecia ambos. Os zelotes eram rivais dos publicanos. Jesus redimiu ambos. Seu ministério não era, em primeiro lugar, antifariseu, antissaduceu, antizelote ou antipublicano. Sua missão era o reino de Deus, e isso faz descer o juízo sobre todos os reinos rivais.

E não é como se o ministério profético de Jesus tenha dado uma pausa da "ira" dos profetas do Antigo Testamento. Afinal, Jesus sabia ser severo quando necessário, como na ocasião em que expulsou os cambistas do templo. E os profetas não eram pessoas ranzinzas. Eles iam além da advertência de juízo e destacavam a esperança de redenção. É por isso que o chamado profético de Deus a Jeremias é descrito da seguinte maneira: "Veja, coloquei minhas palavras em sua boca! Hoje lhe dou autoridade para enfrentar nações e reinos, para arrancar e derrubar, para destruir e arrasar, para edificar e plantar" (Jr 1.9-10). No ministério de nenhum profeta, de nenhum dos Testamentos, existe o chamado apenas para derrubar ou "discernir" erros. O próprio chamado ao arrependimento é uma mensagem de esperança, pois a voz que clama no deserto abre caminho para a revelação da glória do Senhor (Is 40.1-5). E essa glória tem um nome: Jesus (Jo 12.41).

O problema com a ira carnal e o ultraje é que se trata se um dos pecados mais fáceis de cometer enquanto o indivíduo imagina estar sendo fiel. Muitas vezes, o adúltero consegue racionalizar seu pecado e tirá-lo da cabeça, mas raramente enxerga o adultério em si como parte de sua missão santa. Mas quantos cristãos tomados de ira, causadores de divisão e perpetuamente indignados estão convencidos de serem profetas do Antigo Testamento reencarnados, invocando que desça fogo do céu? Para ser franco, existe sim um momento para clamar por fogo do céu. Mas tenha a certeza de que você foi chamado por Deus para direcionar esse fogo. Caso contrário, estará sim agindo como profeta, mas não como profeta de Deus.

Os profetas de Baal também invocaram fogo do céu. Gritaram e se enfureceram pedindo um fogo que nunca veio (1Rs 18.29). Quanto mais frustrados por sua impotência, mais barulhentos se tornavam. Sem dúvida, Tiago e João criam estar dentro do espírito de Elias quando desejaram invocar fogo do céu sobre as aldeias de Samaria que rejeitaram a Cristo. Jesus não queria ter ligação alguma com esse espírito porque discernia o motivo por trás das intenções. Aqueles discípulos enxergavam Jesus simplesmente como outro Baal, mais um deus pessoal da fertilidade a quem podiam usar para inundar seus inimigos de choque e espanto.

Um amigo meu me confessou uma "falha na criação dos filhos" com a qual muito me identifiquei. Seu filho machucou o dedão do pé e caiu no choro. Meu amigo tentou desenvolver o lado durão no garoto, dizendo que ele não deveria chorar daquele jeito. No dia seguinte, o filho do meu amigo chegou em casa falando sobre outro machucado no parquinho. Com orgulho, anunciou que havia encontrado uma estratégia para não chorar. Ficou muito bravo e culpou o coleguinha que estava do lado dele. Eu me enxerguei nessa falha de criação. Quantas vezes já tentei corrigir um comportamento só para ver minhas próprias instruções terem o efeito contrário do desejado? No entanto, quanto mais pensei na situação, mais me identifiquei também com o filho. Quantas vezes me iro em vez de lamentar?

Os profetas anunciavam juízo sobre Israel e as nações, mas nunca como forma de catarse pessoal. Em vez disso, o juízo sempre apontava para um Deus que não tem "prazer algum" nos "perversos", mas que busca ser misericordioso e redentor (Ez 33.11). Às vezes, a ira é justificável. Deus, em sua santidade, demonstra ira. Mas a ira divina é lenta em ser despertada, enraizada na paciência daquele que "não deseja que ninguém seja destruído, mas que todos se arrependam" (2Pe 3.9). A ira divina não é um mecanismo de catarse e, sem dúvida, não consiste em uma manifestação teatral de temperamento descontrolado. É por isso que a Bíblia nos adverte dizendo que "a ira humana não produz a justiça divina" (Tg 1.20). O tipo de testemunho que prega condenação sem oferecer misericórdia é "profético" só na equiparação com a desobediência do profeta Jonas. Ele estava disposto a anunciar à cidade de Nínive sua destruição iminente, mas fez cara feia quando seus inimigos se arrependeram. Parte da suposta autoridade "profética" é desse jeito. Não aceita sim como resposta. A raiva não é sinal de autoridade, nem profética, nem de qualquer outra natureza.

"A Bíblia assim me diz"

Também entendo a relutância de alguns com o termo *profético* quando o veem ser usado pela esquerda religiosa. Para alguns, os infinitos artigos de opinião sobre qualquer assunto, desde boicotes econômicos a Israel até padrões mínimos de eficiência energética, são rotulados "proféticos". Às vezes são mesmo, no sentido de estar enraizados no testemunho bíblico e falar a verdade ao poder com coragem. Todavia, na maioria das vezes, *profético* é apenas mais uma palavra para ações burocráticas impopulares junto aos membros que se assentam nos bancos das igrejas e pagam a conta desse tipo de ativismo. Para alguns, tanto da esquerda quanto da direita, profético é apenas mais uma forma de dizer "consistente com todos os aspectos de minha agenda política, qualquer que seja ela". Devemos ser minoria profética, em primeiro lugar, no sentido de basear nosso testemunho na autoridade. Isso significa que nosso testemunho é moldado e formado por uma compreensão cristã da realidade, uma vez que o testemunho profético gira em torno do próprio Cristo (Dt 18.15; Hb 1.1-3). Os cristãos podem até discordar em relação à aparência do dom de profecia nesta era pós-apostólica, mas existe algo em que todos podemos concordar: nós temos uma mensagem profética nas Escrituras inspiradas (Jo 16.12-14; 2Pe 1.19-21). Qualquer engajamento cristão com a cultura externa deve ser moldado pela vida interna da igreja. E a igreja é formada e moldada pelo Espírito falando por meio das Escrituras. Assim, não devemos nos intimidar de dizer: "A Bíblia diz".

Com isso, não quero dizer que a Bíblia fala diretamente a todas as questões sociais, culturais ou políticas. Não acho que Jesus, ao instruir os discípulos a comprar uma espada, estava necessariamente fazendo um manifesto contra a verificação governamental de antecedentes antes de permitir o porte de armas. Também não penso que a ordem de Jesus a Pedro para guardar a espada seja um manifesto contrário à concessão de porte de armas aos cidadãos. Tampouco as ordens bíblicas para Israel necessariamente têm aplicação na estrutura jurídica de um estado que não se encontra em aliança com Deus, após o cumprimento de Israel na pessoa de Jesus Cristo — muito embora, é claro, os princípios gerais ali existentes costumem nos mostrar algo sobre o que Deus considera justo e certo. Também não acho que a citação de uma passagem bíblica clara resolve o debate para pessoas que não aceitam a autoridade da revelação divina.

> Não devemos nos intimidar de dizer: "A Bíblia diz".

"A Bíblia diz" não resolve as questões políticas na arena pública, nem insere as pessoas que não estão em igreja nenhuma no contexto de uma autoridade que não aceitaram. Mas se os cristãos devem ser moldados e formados pela autoridade das Escrituras, precisamos treinar nossa consciência para enxergar como as questões que nossos vizinhos confrontam hoje entram em interseção com os propósitos do reino de Deus. Nossa vida pública é moldada por interesses em conflito e consensos sobrepostos — e é assim que deve ser. No entanto, precisamos ser honestos quanto aos motivos que nos levam a nos importar com os assuntos que abordamos.

Por exemplo, quando falamos sobre a necessidade de cuidar dos órfãos ao redor do mundo, podemos trabalhar junto com pessoas que não concordam conosco em praticamente nada sobre o evangelho, contanto que desejem garantir o bem-estar e a proteção das crianças e das famílias. Apelamos para seu senso de misericórdia e compaixão, baseado na imagem de Deus, mesmo que elas nem acreditem na existência dessa imagem e semelhança. Ao mesmo tempo, moldamos e formamos nossa consciência e a de nossa igreja porque, para nós, a crise de órfãos não é apenas mais um problema. Sabemos que as crianças precisam de pai e mãe porque podemos acessar dados de pesquisas sociais e a história da civilização, que sugerem tal necessidade. Além disso, porém, sabemos que Deus inseriu na criação e no evangelho a prioridade de que as crianças conheçam o amor dos pais. Não enxergamos os órfãos como apenas mais um problema social, mas reconhecemos que nós também já fomos órfãos aceitos em uma família pela graça de Deus, que nos adota como filhos. A história deles também é a nossa. Não esperamos que todos compartilhem das mesmas motivações, mesmo quando trabalhamos juntos, mas não precisamos ficar envergonhados pela Palavra que nos molda. Em nosso testemunho social, temos um diálogo de mão dupla. Falamos para quem está fora e exemplificamos para nosso próprio povo o que significa conformar-se à imagem de Cristo pelo evangelho em todos os aspectos de nossa vida.

Podemos trabalhar com o próximo, inclusive com aqueles de quem discordamos profundamente, porque cremos que todos possuem consciência e certo grau de identificação do que é certo e justo. Reconhecemos que o pecado e a fuga de Deus afetam todos os aspectos de nosso ser, mas isso não quer dizer que todas as pessoas — ou mesmo que alguma pessoa — são tão más quanto possível. Jesus reconheceu uma intuição humana básica em relação ao certo e o errado. Nas discussões com seus críticos, por exemplo, destacou que até eles mesmos conseguiam enxergar que suas afirmações não faziam sentido. Se ele fosse um endemoninhado que expulsava demônios, isso significaria que estava acontecendo uma guerra civil entre os poderes das trevas. Até eles seriam capazes de reconhecer que esse tipo de reino dividido não poderia se manter por muito tempo (Mt 12.22-26). O instinto do pai — até mesmo de um pai espiritualmente perdido — é alimentar o filho em sincronia com a maneira como o universo foi projetado (Mt 7.9-11). Podemos construir coalizões com base nessas intuições morais corretas, mesmo quando discordamos em relação a de onde elas vêm e por que são importantes.

Certa vez, falei sobre aborto em um congresso secular em um *campus* universitário. Havia ali pessoas reunidas de todos os grupos religiosos possíveis, e muitas sem nenhuma convicção religiosa. Falei sobre por que nos importamos com os nascituros, sobre a identificação de Jesus com os vulneráveis e sobre a mensagem evangélica da morte como maldição. Continuei dizendo que até mesmo aqueles que discordam de mim quanto aos motivos que me levam a me importar com essa questão conseguem identificar um erro quando poderosos ferem os fracos, negando a humanidade a um indivíduo com base apenas em sua etapa de desenvolvimento. Depois que terminei, a oradora seguinte foi uma jovem estudante muçulmana muito impressionante, que leu o Alcorão. Minha mente estava divagando enquanto eu pensava em minha lista de afazeres do dia seguinte. Ouvi aquela moça dizer algo sobre o cuidado com os pais idosos e como isso não deveria ser feito de má vontade, já que um dia eles nos alimentaram, vestiram e limparam. E respondi: "Amém!". De repente, percebi que havia acabado de falar amém para o Alcorão e olhei furtivamente em volta a fim de ver se algum evangélico havia percebido, com medo de que começasse uma conspiração de que eu era um espião muçulmano secreto ou algo do tipo. Na verdade, porém, o que aquela jovem disse foi totalmente apropriado. Ela não apelou ao Alcorão a fim de silenciar o debate, mas apenas revelou por que a questão era significativa para ela. E, ao fazê-lo, levou-me a refletir nas mesmas questões de meu ponto de vista cristão. Isso não é teocracia, mas, sim, uma consciência chamando a atenção de outra consciência. Precisamos de mais disso.

Afinal, o ofício profético é diferente do papel de um rei. Não governamos como reis na presente era. Não recebemos tal autoridade como igreja. Todavia, temos a incumbência de testemunhar. Os profetas testemunhavam a reis, governantes e nações, destacando aquilo que sua consciência já sabia, nem que fosse em nível subliminar. Mas o juízo era deixado nas mãos de Deus.

Um posicionamento cristão sobre tudo

Dizer que nosso testemunho é *profético* também significa afirmar que é limitado. Quando muitos em nossa cultura pensam em cristãos, sua primeira lembrança não é Ireneu, Agostinho ou a igreja do bairro, mas, sim, um evangelista da televisão recebendo uma "palavra de conhecimento" de que alguém em meio ao público está sofrendo com uma inflamação na próstata e necessita de cura. Toda vez que há uma crise no país ou um desastre natural, aparece algum pregador afirmando falar em nome de Deus e nos dizendo exatamente qual é o pecado que Deus está castigando ao enviar um furacão ou permitir um ataque terrorista. O problema desse tipo de ação não é que a igreja ganha má reputação entre as pessoas de fora; o principal problema é que se trata de idolatria. Deus pode, é claro, revelar o significado por trás de sua providência, mas raramente o faz, até mesmo nas páginas das Escrituras. Além disso, ele faz advertências repetidas contra aqueles que falam em seu nome com base em autoridade falsa e iluminação fingida (Dt 18.19-22). "Não enviei esses profetas, mas eles correm de um lado para o outro. Não lhes dei mensagem alguma, e ainda assim continuam a profetizar" (Jr 23.21). O povo de Deus devia repudiar qualquer "profeta" que não falasse em nome de Deus, ou porque suas predições não se cumpriam ou porque suas palavras não condiziam com as Escrituras. Todavia, em nossos dias, um líder cristão pode sair por aí vendendo produtos com cara de profecia bíblica que se encaixam nos eventos geopolíticos, com uma predição diferente de "últimos dias" a cada década, junto com um novo anticristo em potencial.

Mesmo eliminando tudo isso, o engajamento cristão político por vezes se resume rapidamente a falar sobre cada aspecto da agenda política de nossos aliados, como se fosse uma mensagem divina sobre todas as coisas. A última geração costumava enxergar "orientações eleitorais" dentro do posicionamento "cristão" acerca do que quer que fosse, desde a emenda de equilíbrio orçamentário até o veto ao tratado do canal do Panamá, anexando versículos bíblicos a cada uma dessas situações. Já vi cristãos defenderem o fim de uma obstrução do Senado a indicações do presidente ao Poder Judiciário, citando Juízes e a falta de qualquer demora entre o chamado de Deus ao juiz e o começo do exercício da função. Isso não quer dizer que a sabedoria respaldada pela Bíblia não terá desdobramentos para cada uma dessas decisões, assim como para diversas outras, mas, sim, que não existe autoridade da parte de Deus para decidir definitivamente essas questões de juízo sensato. E quando a posição "cristã" sobre tudo se alinha de maneira exata com o candidato ou partido político preferido, como podemos esperar qualquer coisa além de cinismo da parte daqueles que já têm a tendência natural de suspeitar que "Deus" significa simplesmente "nosso time"? Quando tudo é profético, nada é.

Já temos a tendência de compreender isso no âmbito da ética pessoal. Existem alguns assuntos que despertam uma mensagem clara de autoridade, com a qual falamos diretamente à consciência. Devo gastar o pagamento dessa semana com cocaína e prostitutas? Não. Há, porém, outras questões acerca das quais os princípios bíblicos são menos claros e mais abertos à aplicação da prudência. Devo matricular meus filhos em uma escola pública ou particular? Não existe nenhuma mensagem definitiva que obrigue a consciência a qualquer uma dessas duas decisões. Em vez disso, procuramos discipular pessoas sábias, moldadas pelo evangelho, capazes de fazer esse tipo de escolha de forma coerente com o chamado do reino. Não quer dizer que não falamos de tais assuntos, nem que os consideramos sem importância. Significa que aprendemos a diferença entre o "Assim diz o Senhor" e o "Eu acho que".

Tenho amigos que pertencem a uma tradição cristã mais carismática, na qual, em um momento do culto, alguém se levanta para apresentar uma palavra de profecia. Eles acreditam que a profecia continua nos dias atuais, assim como acontecia na era do Novo Testamento. Embora eu não compartilhe do mesmo posicionamento doutrinário a esse respeito, observo que, toda vez que vou à igreja deles, não encontro nada de objetável nesse momento profético do culto. As mensagens parecem fundamentadas em palavras de incentivo e repreensão encontradas nas Escrituras. Mencionei isso aos pastores e eles se entreolharam como quem sabe o que há por trás disso. Então me contaram que levaram anos treinando as pessoas com o objetivo de que aquele momento profético do culto não arregimentasse Deus como mascote da agenda pessoal do participante. Explicaram que havia uma regra clara de que as pessoas não poderiam, por exemplo, se levantar e dizer que Deus estava revelando que alguém da congregação deveria se casar com quem estava testemunhando e, por isso, precisava retornar as ligações e aceitar o pedido de namoro. O mesmo princípio se aplica ao nosso testemunho social.

Em seus melhores momentos, o ativismo social da última geração por vezes era profético — no melhor sentido da palavra. Por exemplo, nos primórdios do movimento pró-vida, nenhum partido político estava interessado na questão. A maioria das denominações protestantes dos Estados Unidos (incluindo, vergonhosamente, a minha) era funcionalmente pró-escolha.[2] Ainda assim, o movimento persistiu, mostrando para a igreja o testemunho bíblico sobre a dignidade da vida humana, uma teologia mais ampla da pessoa humana, e então destacou para a cultura como um todo a incoerência de defender o direito inalienável à vida, à liberdade e à busca da felicidade quando tais direitos não se aplicam aos mais vulneráveis em nosso meio.

E isso nos leva de volta ao exemplo de Martin Luther King. O discurso "Eu tenho um sonho" iniciou um contraste entre o fim da injustiça, prometido por Lincoln, e a injustiça em andamento, por meio das leis que chancelavam a segregação racial. Nesse quesito, houve um chamado à urgência semelhante em conteúdo, mas com tom diferente, na "Carta de uma prisão em Birmingham". Nela, King explicitamente chama atenção dos brancos que se denominavam "moderados" e aconselhavam "paciência".[3] King enfatizou uma "condição chocante": o fato de que os americanos ainda eram, em grande número, exilados dentro da própria terra. Com o predomínio da injustiça, não havia espaço para a "droga tranquilizante do gradualismo".[4]

O que King fez nesse caso? Exatamente aquilo que os profetas do Antigo Testamento faziam com Israel e Judá: destacou o pecado e o juízo, advertindo quanto à justiça de Deus. Com frequência, ouvimos caricaturas sobre as pregações estilo "fogo e enxofre" dos evangélicos. Mas acho que não ouço um sermão sobre fogo e enxofre há anos. A maioria das igrejas conversa tranquilamente sobre o pecado em termos das consequências a ser evitadas. O mesmo se aplica ao testemunho cristão para a injustiça pública e sistêmica. Aliás, a maior parte das conversas que ouço sobre pecado e juízo se parece muito com meu dentista dizendo que devo usar fio dental com mais frequência. Eu gosto do meu dentista, confio nele e sei que ele está certo. Mas não me parece uma mensagem transcendental, porque de fato não é.

O ponto de vista de King era, sem dúvida, uma posição minoritária na época. Até aqueles que criam no término da segregação legal muitas vezes ainda se apegavam a resquícios da supremacia branca implícita. Mesmo aqueles que diziam ser favoráveis aos direitos civis para os negros não raro advertiam contra o movimento acontecer depressa demais ou ir longe demais. Mas King falava com autoridade e persuasão. Ele apelava à consciência. Simplesmente não fazia menção a seus oponentes. Seria muito fácil para ele fazer isso. Era só chegar nas igrejas afro-americanas e dizer como as relações raciais no país eram terríveis e mostrar de quem era a culpa. No entanto, ele ia além disso. Falava para seus adversários, apelando diretamente à consciência. Pregou aos americanos citando palavras nas quais estes diziam acreditar, de Jefferson a Madison e Lincoln, verdades evidentes e direitos inalienáveis. E pregou aos cristãos citando as palavras de Amós, Isaías e Jesus. A mensagem de King era intencionalmente semelhante à cadência das versões mais tradicionais da Bíblia. Parte disso acontecia por causa de quem ele era: criado na igreja, pastor e filho de pastor. Mais que isso, porém, devia-se ao fato de que ele estava pregando uma mensagem de juízo ao

Cinturão da Bíblia, com base nessa mesma Bíblia na qual as pessoas diziam crer. Qualquer que fosse o compromisso doutrinário pessoal de King, naqueles momentos ele não pregava com base em Fosdick, Tillich ou Niebuhr. Em vez disso, confrontava a consciência de seus ouvintes com a palavra daquele que tem autoridade, não de alguns dos escribas.[5]

Mas King não falava apenas de juízo. Afinal, Malcolm X podia pregar sobre juízo e o fazia, usando termos nacionalistas islâmicos fortes. King sabia que seu argumento não encontraria lugar nas consciências assombradas por Cristo a menos que apelasse para a imaginação profética. É por isso que falou de um sonho. King permitiu que seus ouvintes imaginassem como seria se aquela condição chocante se invertesse. Desafiou-os a não enxergar o presente simplesmente como "o jeito que as coisas são". Convocou-os a imaginar como seria ver a liberdade ecoar, até mesmo "em cada monte e colina do Mississippi". King desarmou o gradualismo não só com argumentos, mas também levando seus ouvintes a viajar junto com ele para além dos limites de suas expectativas reduzidas.

Além disso, King não enxergava esse futuro como uma simples libertação para os afro-americanos. Ele reconhecia que o ódio, assim como a injustiça, é um fardo pesado a se carregar. Aqueles que entoam o cântico "Free at last!" [Livre enfim] em seu imaginário profético não são apenas homens e mulheres negros, mas, sim, todas as pessoas. No futuro que ele vislumbrava, "os filhos de ex-escravos e os filhos de ex-proprietários de escravos terão condições de se assentar juntos à mesa da fraternidade".[6]

Onde King aprendeu a falar em tom de denúncia inflamada e convite receptivo, ao mesmo tempo e no mesmo discurso? Nos bancos da igreja, ouvindo a pregação do evangelho. Encontrou ali uma visão que não deixa o pecado como está. Jesus, assim como os profetas antes dele e os apóstolos que vieram depois, consistentemente chamava o pecado pelo nome, não em termos abstratos e genéricos, mas arrancando pela raiz todas as formas criativas que nós, pecadores, encontramos para considerar nossos pecados aceitáveis e justificados. Os fariseus não achavam que estavam desonrando os pais; haviam se convencido de que, ao abandonar a responsabilidade de cuidar dos pais idosos, sobrava mais dinheiro para dar como oferta a Deus. Jesus desmontou toda essa argumentação (Mc 7.9-13).

Mas a mensagem profética jamais termina em condenação. Jesus apresentou uma visão do reino que incluía aqueles que jamais se imaginariam bem-vindos. Pedia às pessoas que imaginassem aquilo em que, por conta própria, jamais pensariam — que o evangelho é mesmo uma boa-nova, até mesmo para nós. O convite à reconciliação não é somente para "todo aquele que", mas, de maneira específica, para *você* e para *mim*. Fico imaginando o quanto nosso testemunho teria mais ênfase caso nos lembrássemos de trovejar a justiça divina, mas sempre sucedê-la com as boas-vindas de Deus, por meio da visão de um Deus que, no Cristo crucificado, é tanto justo quanto justificador daquele que tem fé em Jesus (Rm 3.26).

Mais do que uma minoria

Mais de meio século depois da marcha em Washington, o país ainda tem um longo caminho a percorrer para alcançar o sonho de justiça racial de King. Mas existe um motivo para seu discurso permanecer na mente e no coração tanto tempo depois. O movimento foi minoritário e prevaleceu por diversos motivos. A imaginação profética de King estava aliada a uma estratégia política sofisticada, mas a política jamais avançaria sem o elemento profético. Afinal, aqueles que sofriam a injustiça não conseguiriam se organizar em uma força eleitoral poderosa, já que boa parte da injustiça residia em um sistema que, antes de mais nada, os impedia de votar. Devemos aprender a ser estranhos o bastante para ter uma voz profética, mas conectados o suficiente para profetizar àqueles que precisam ouvir. Necessitamos ser aqueles que sabem tanto advertir quanto acolher, tanto chorar quanto sonhar.

Não somos mais uma maioria moral, se é que já fomos um dia. Em nossos melhores dias, somos uma minoria profética. Isso não quer dizer que devemos nos desengajar, nem que somos vítimas. Significa apenas que sabemos quem somos e onde está nosso poder.

O reino rebelde de Israel pensou, certa vez, que conseguiria triunfar sobre a casa de Judá por causa de seu número e poderio militar. "Vocês acreditam, de fato, que podem resistir ao reino do S<small>ENHOR</small>, que ele entregou aos descendentes de Davi? Seu exército é enorme, e vocês têm os bezerros de ouro que Jeroboão fez para serem seus deuses" (2Cr 13.8). Multidões e bezerros de ouro, é isso que todas as culturas valorizam. Continuaremos a achar que devemos sobrepujar a oposição em números e bezerros. No entanto, conforme aconteceu tantas vezes nas Escrituras, a minoria venceu, e foi porque "confiou no S ENHOR, o Deus de seus antepassados" (2Cr 13.18).

Mais do que simplesmente interpretar os sinais dos tempos, devemos ser capazes de nos ver por meio de lentes múltiplas. Somos a minoria em termos terrenos, mas não somos tão somente um povo deste planeta. Fazemos parte de uma grande nuvem de testemunhas, um número que ninguém é capaz de contar. Trata-se da maioria dos ressurretos. Quando nossa confiança despencar, precisamos nos lembrar do que o profeta Eliseu disse para nosso antepassado que perdeu a coragem: "Não tenha medo! [...] Pois do nosso lado há muitos mais que do lado deles!" (2Rs 6.17). Tal asserção não pode ser verificada por pesquisas de opinião ou avaliações de desempenho. E jamais poderia ser. Tudo que nosso assustado ancestral era capaz de ver era a horda esmagadora contra ele. Mas o velho profeta Eliseu orou para que o servo enxergasse o que está além do que é visível, o que é real, e "ele viu as colinas ao redor [...] cheias de cavalos e carruagens de fogo" (2Rs 6.17). Isso só pode ser visto pela autoridade profética. E por uma minoria humilde a ponto de ficarmos cegos o bastante para pedir para ver.

Conclusão

À medida que o cristianismo se torna cada vez mais estranho para a cultura secular, temos a liberdade de ser proféticos. Isso significa que viveremos na tensão entre o distanciamento e o engajamento profético. Somos profeticamente distantes por não nos tornarmos capelães em defesa da facção política ou econômica de ninguém. Somos profeticamente engajados por enxergarmos a conexão entre evangelho e justiça, assim como fizeram nossos antepassados das comunidades abolicionista, pró-vida e em defesa dos direitos civis. A prioridade do evangelho não quer dizer que fechamos os olhos para a injustiça ou iniquidade, mas, sim, que lutamos de maneira diferente. Todavia, por trás e acima de tudo isso, fazemos aquilo que os profetas sempre são chamados a fazer: dar testemunho. Isso requer uma visão diferente de quem nós somos e onde nos encaixamos nesse tempo entre os tempos, entre o Éden e o Armagedom. Essa visão requer que comecemos no mesmo lugar de Jesus: no reino de Deus.

3
Reino

Toda vez que passo pela Casa Branca, não consigo deixar de lembrar da filha de um mineiro que colocou o líder do mundo livre em seu lugar — com um sorriso. Loretta Lynn estava no auge da fama como cantora e compositora, encantando a nação tanto com suas músicas que retratavam com honestidade pungente a vida dos trabalhadores pobres quanto com sua história de alguém que veio do nada, das minas de carvão do Kentucky para o estrelato nacional. Ali estava ela, em Washington, convidada a conhecer o presidente dos Estados Unidos. Quando o presidente Richard Nixon a cumprimentou, Lynn disse:

— Tudo bem, Richard? Muito prazer em conhecê-lo.

Seus assessores e a equipe da Casa Branca ficaram horrorizados.

— Você não pode chamar o presidente dos Estados Unidos pelo primeiro nome! — alguém lhe explicou em seguida, em uma discreta repreensão. — Não pode chamá-lo de "Richard".

Lynn respondeu:

— Bem, eles chamavam Jesus de "Jesus", não é mesmo?[1]

"O filho de José"

A cantora não entendia o protocolo da Casa Branca, mas esbarrou em um ponto comum de estranheza para os cristãos que tentam relacionar sua fé ao aqui e agora. Jesus nos instruiu a buscar, "em primeiro lugar, o reino de Deus e a sua justiça" (Mt 6.33). Ensinou-nos a orar pelo reino de Deus por vir tanto na terra como no céu. A mensagem que ele e seus apóstolos pregavam dizia respeito a um reino que, misteriosamente, tanto é aqui quanto está por vir. Mas o reino não parece tão "real" quanto os poderes à nossa volta. A maioria dos cristãos não interage com líderes mundiais, mas interage com o poder terreno, seja dando opinião sobre os rumos do país ou do mundo com seus amigos, seja manobrando as lutas de poder bem políticas do intervalo no escritório, da sala dos professores, do campeonato de futebol infantil. Os reinos do momento, quaisquer que sejam eles, parecem mais importantes do que o reino de Cristo, sem que jamais nos demos conta disso. Portanto é mais provável que nossa pressão sanguínea suba quando ouvimos alguém discordar conosco sobre nosso partido político, time ou notícia do que quando ouvimos ensinos falsos em um púlpito cristão.

> Os reinos do momento, quaisquer que sejam eles, parecem mais importantes do que o reino de Cristo, sem que jamais nos demos conta disso.

O primeiro passo para uma visão renovada de nossa missão é enxergar o reino de Deus em sua glória futura e realidade presente. No reino nós vemos como o evangelho se conecta com a cultura e a missão. Começamos a ser moldados de acordo com o que esperamos, o que deveríamos lamentar e o que justiça significa. E, talvez o mais importante, no reino de Deus nós vemos quem somos e para onde estamos indo. Isso muda tanto o conteúdo quanto o tom de nosso testemunho.

Em Nazaré, eles chamavam sim Jesus de "Jesus", pelo menos quando não o denominavam simplesmente "filho de José". E ele estava provocando controvérsias em sua cidade natal. Sem dúvida, era grande a fofoca de que ele havia ido até o deserto encontrar o primo — um pregador esquisito do fim dos tempos — e passou por um tipo de ritual para pecadores que estão fugindo do juízo divino. Então disseram que ele foi para ainda mais longe no deserto, onde se infiltrou no mundo oculto, afirmando ter falado com um demônio. De todo modo, havia perdido muito peso e, quando regressou, começou a dizer e fazer coisas estranhas nas cidades da região. Agora estava de volta, e era hora de ver se esses sinais dos quais haviam ouvido falar aconteceriam em meio às pessoas que o haviam criado.

Qualquer pessoa que cresceu em uma cidade pequena e voltou entende um pouco da dinâmica desse episódio. Lembro-me, quando criança no Mississippi, de ouvir algumas senhoras idosas conversarem sobre alguém que "se mudou para Arkansas, no norte, e ficou todo sofisticado". Esse tipo de atitude transcende tempo e espaço. Ali, na sinagoga da cidade, Jesus voltou para casa. E anunciou o reino de Deus.

Na sinagoga de sua cidade natal, Jesus recebeu o rolo do profeta Isaías. E leu as palavras: "O Espírito do Senhor está sobre mim, pois ele me ungiu para trazer as boas-novas aos pobres. Ele me enviou para anunciar que os cativos serão soltos, os cegos verão, os oprimidos serão libertos, e que é chegado o tempo do favor do Senhor" (Lc 4.18-19). E a multidão amou. Alguns disseram que ele era profeta. Outros afirmaram que era um político. Naquele dia, porém, ele foi peregrino, pregador e um problema a ser apedrejado.

O reino está chegando

Em nosso contexto, tendemos a ler sem prestar atenção às palavras "reino de Deus". A ideia não nos abala porque, ao contrário dos contemporâneos de Jesus, não estamos imersos a vida inteira no testemunho profético do Antigo Testamento, pelo menos não da mesma maneira. A maioria de nós enxerga "reis" e "rainhas" somente nos termos de ditadores militares de terras estrangeiras ou autoridades nominais em outros governos, sem qualquer poder de decisão para governar, além de participar de festas e ir a funerais. Com frequência, presumimos que "reino de Deus" é apenas outra maneira de dizer "todos os cristãos do mundo" ou "tudo de espiritual que está acontecendo agora" ou, pior ainda, a soma de todos os nossos programas e todas as nossas iniciativas. Mas os habitantes da cidade natal de Jesus tinham uma visão diferente. E, nesse ponto, eles estavam certos. O reino de Deus é uma declaração de guerra.

Nessa leitura, Jesus retratou o futuro que Deus estava traçando para sua criação. Esse futuro havia sido demonstrado no tabernáculo e no templo, no qual Deus se aproximava de seu povo. Mas também era demonstrado no ano do jubileu, ocasião em que todas as dívidas eram canceladas e os prisioneiros eram libertos. O ano do jubileu em Israel significava que as estruturas de poder existentes nem sempre permaneceriam como estavam e que Deus faria uma grande reviravolta em tudo. Isaías, ao falar para um povo cansado da guerra e do exílio, mencionou um jubileu que não faria parte do ciclo de um século, mas, sim, de uma nova e permanente ordem. Ela seria inaugurada por aquele a quem Deus ungiria. Falar em "unção" é se referir a reis. Quando Deus ungiu Davi com o Espírito, ele recebeu poder para derrotar os inimigos do povo e lutar pela segurança nacional. No reinado do ungido vindouro, os prisioneiros encontrariam liberdade, os cegos enxergariam, os pobres teriam esperança e, o mais importante, o favor de Deus repousaria novamente sobre seu povo.

Jesus começou com o fim, no lugar ao qual Deus queria levar seu povo e, com ele, o universo que havia criado. Isso é crucial, tanto para eles quanto para nós. Se não sabemos para onde vamos, não sabemos o que queremos. Esse é um problema maior entre nós do que gostamos de admitir. A maioria dos cristãos fala bastante sobre o céu. Queremos uma vida que continue e um amor que seja mais forte do que a morte. Queremos nos reencontrar com os amigos de quem sentimos saudade. Quanto mais velhos ficamos, mais pessoas perdemos e mais desejamos revê-las. Não queremos ir para o inferno. Ninguém jamais reclamaria sobre a vida eterna que nos foi prometida. No entanto, se colocássemos o soro da verdade dentro do suco de uva na ceia em nossas igrejas, creio que descobriríamos que muitos de nós tememos a vida no reino de Deus, não porque a achamos aterrorizante, mas porque a achamos tediosa.

A visão do fim que muitos cristãos têm é agradável o bastante — uma reunião de família branca e antisséptica com superpoderes, comida de graça sem calorias e cânticos infindáveis que continuam pelos séculos dos séculos, para todo o sempre. A maneira de encaixarmos essa visão do fim em nossa vida presente acaba sendo revelada em nossa maneira de nos referir a ela, a "vida após a morte". Pense por um instante na expressão — o foco está na morte, que dá fim a este momento de vida, e tudo que vem depois é apenas "após". Pense em como sua visão de casamento seria diferente caso você o chamasse de "relacionamento após o amor".

Logo, para muitos cristãos, a expectativa do futuro eterno é como um reencontro com a turma de ensino médio que não termina nunca. Para ser franco, um reencontro com a turma de escola pode ser uma boa experiência por quatro ou cinco horas. O foco da reunião é o passado. Ali falamos coisas do tipo: "O que aconteceu com a Lorena Sampaio? O que ela está fazendo da vida?". Ou então: "Lembra aquela vez que o André Matsumoto invadiu o sistema de comunicação interno da escola, imitou a voz da secretária da diretora e anunciou que todos seriam dispensados na metade da aula?". Tudo isso pode ser ótimo, a menos que dure quadrilhões de anos. A mera cogitação dessa possibilidade já nos enche de terror existencial. Vou falar sem rodeios: se essa foi a promessa que recebemos, então ela é chata como o inferno. E digo isso literalmente. O inferno é o lugar para os seres humanos concentrados no passado, sem futuro à sua frente (Lc 16.25). Não é esse o reino de Deus que estamos aguardando.

O reino de Deus não é uma existência estática, nem um simples retorno à inocência edênica da antiga criação. Desde o princípio, Deus declarou que o universo era bom, mas necessitava ser cultivado, podado. É por isso que o propósito divino era de governar o cosmo por meio de um rei e uma rainha humanos, feitos à sua imagem e investidos de sua autoridade. Deveriam criar, cultivar e garantir que todas as coisas estavam a seus pés. Na antiga ordem, sempre havia o pressuposto de que a vida estaria crescendo e se expandindo, uma vida cheia de família, agricultura, diplomacia e artes. O propósito de Deus não é condenar o mundo que criou, mas salvá-lo (Jo 3.17). E, nesse processo de salvação, Deus está restaurando a harmonia entre a humanidade e ele mesmo, bem como entre a humanidade e a natureza. Isso não significa obliterar o que almejamos na vida presente, mas, sim, um cumprimento muito superior ao que somos capazes de entender agora, acima de qualquer coisa que somos capazes de pedir ou mesmo pensar.

Nos últimos dias, caberia a Israel, por ser a luz, chamar para si todas as nações (Is 60.3-6). O rei no trono de Davi herdaria não só um pedaço de terra no Oriente Médio, mas os confins da terra (2Sm 7.10-16; Sl 2.8; 89.20-37). A criação em si teria paz, e os animais seriam domesticados harmoniosamente pelo domínio humano (Is 11.1-9). O povo de Deus triunfaria sobre todos os seus inimigos, incluindo o último, a morte (Is 25.6-12; Ez 36.24-38; Jr 31.31-36). A pregação de Jesus sobre o reino deu continuidade a essa expectativa. Quando Jesus falava sobre o reino de Deus, ele dizia aos discípulos não só que iriam para o céu, mas também que dividiriam com ele a autoridade de governo que o Pai lhe concedia. Eles se sentariam em tronos e julgariam as doze tribos de Israel (Lc 22.30). Quando a mãe de Tiago e João pediu a Jesus que permitisse que um se assentasse à sua direita e outro à esquerda, sua preocupação não era quanto ao lugar, mas, sim, quanto ao nível de autoridade que seus filhos teriam. Jesus não respondeu que ela estava confusa, trocando domínio "espiritual" por "político". Em vez disso, explicou-lhe que a vida no reino está ligada à vida aqui e agora; que os últimos serão os primeiros e os primeiros, os últimos (Mt 20.20-28).

Uma visão deturpada do futuro tem consequências tanto pessoais quanto sociais. Estremeço quando ouço os cristãos falarem sobre a lista de coisas que querem fazer antes de morrer: "Quero pular de paraquedas pelo menos uma vez antes de morrer". Ou então: "Quero escalar o monte Kilimanjaro uma vez antes de ficar velho demais para isso". Ou ainda: "Quero ver as pirâmides antes de bater as botas". Não há nada de errado em querer essas coisas, mas, com frequência, a filosofia por trás dessas declarações é: "Só se vive uma vez". O pressuposto aqui é profundamente não cristão, a ideia de que nosso tempo de vida não passa dos próximos dez, vinte ou cem anos. Mas, se Jesus estiver dizendo a verdade, nosso planejamento de vida deve incluir o próximo trilhão de anos e além. Se presumirmos que aquilo que nos aguarda além da sepultura é um poslúdio, em lugar de uma missão e aventura, vamos nos apegar ferrenhamente ao *status quo* ou, pelo menos, às partes dele de que gostamos. Desejaremos, assim como os pagãos, comer, beber e nos alegrar porque amanhã morreremos. (A despeito de tudo isso, provavelmente você deve sim conhecer as pirâmides, já que o livro de Êxodo lança um pouco de dúvida sobre a possibilidade de que os monumentos do faraó façam parte da nova terra.)

A menos que sejamos corrigidos por uma visão holística do reino, abstrairemos do próximo estágio da vida as preocupações pertencentes a esta fase, pois não veremos conexão nenhuma entre as duas, exceto pelo fato de que é nesta que recebemos o evangelho que nos conduzirá à próxima. Compreenderemos mal então o que a Bíblia quer dizer ao afirmar que devemos concentrar nossa mente nas coisas celestiais, não nas terrenas, e que nossa cidadania está no céu (Fp 3.18-20). Ignoraremos que o foco de Paulo não está no fato de que o céu se encontra distante da terra, mas, sim, que Jesus está no céu. Paulo, é claro, escreveu: "De lá aguardamos ansiosamente a volta do Salvador, o Senhor Jesus Cristo. Ele tomará nosso frágil corpo mortal e o transformará num corpo glorioso como o dele, usando o mesmo poder com o qual submeterá todas as coisas a seu domínio" (Fp 3.20-21). É por isso que Jesus ensinou a buscar, "em primeiro lugar, o reino de Deus" no contexto da preocupação com as necessidades econômicas (Mt 6.33). Se não entendemos como o "venha o teu reino" influencia a vida agora, ficamos frenéticos com as coisas desta existência, tentando torná-las supremas. Ou agimos como se justiça e retidão fossem irrelevantes, já que, no fim das contas, o que está nos esperando no céu é uma vida de adoração. Assim, por que deveríamos nos preocupar com quem não tem roupa, comida ou corre risco de vida? Por meio do engajamento frenético ou do desengajamento com as comunidades ao nosso redor, nós nos tornamos, para usar uma palavra que não escutamos muito nesses dias, "mundanos". Isso significa ser moldados segundo o padrão do mundo ao nosso redor. Não quer dizer que nos importamos com as questões do mundo à nossa volta. Não é esse o significado de mundanismo. Tiago nos pede, ao mesmo tempo, que permaneçamos puros e verdadeiros e que cuidemos das viúvas e dos órfãos em suas aflições (Tg 1.27). Mundanismo quer dizer que cedemos diante das prioridades e da agenda dos sistemas que hoje governam o mundo, em muitos casos porque não os questionamos.

O reino chegou

A declaração de Jesus sobre o reino é bem diferente. O reino não vem do mundo, ou seja, não emerge do progresso evolutivo. Jesus chegou interrompendo a direção para a qual o mundo estava indo, começando com um conceito imerso em rupturas (além de motivo de fofoca em Nazaré). Mas a mensagem de Jesus era decisivamente benéfica para o mundo. Um oráculo profético não diz respeito apenas a sobreviver à morte biológica, mas também a ter paz com Deus, uns com os outros e viver em uma sociedade justa. Na pregação que Jesus fez na sinagoga, estava implícita a mensagem que ele pregaria em todos os lugares depois: buscar *primeiro* o reino de Deus e a sua justiça. Buscar primeiro o reino não significa buscar somente o reino. Uma vez que o reino é um reino de justiça e retidão, buscá-lo significa que descobrimos com o que devemos nos importar antes de mais nada.

Se o reino for aquilo que Jesus anunciou, então o que importa não é apenas o que classificamos puramente como coisas "espirituais". O mundo natural ao nosso redor não é um mero "ambiente" temporal, mas parte de nossa herança futura em Cristo. Nosso emprego — seja pregando o evangelho, carregando docas, colhendo abacates, escrevendo leis ou apascentando cabras — não é um acidente. Nossa vida hoje está nos moldando e preparando para um domínio futuro, e isso inclui o aprimoramento da consciência e um senso de sabedoria, prudência e justiça. Deus nos ensina, assim como ensinou nosso Senhor, a aprender, nas pequenas coisas, como estar no comando das grandes (Lc 2; Mt 25.14-23). Nossa vida hoje é um estágio para o futuro escatológico.

No momento em que você rasgar a terra acima de sua sepultura, começará uma nova e empolgante missão — uma missão que você não compreenderia agora caso alguém lhe explicasse. E muitas das coisas que hoje parecem importantes — se você é atraente, famoso ou não tem câncer — parecerão irrelevantes. Mas muitas questões que hoje parecem pequenas assumirão nova importância cósmica.

No reino de Deus, Jesus nos mostra o objetivo do futuro — de nossa vida individual e congregacional, bem como das galáxias e dos sistemas solares ao nosso redor. Quando nos vemos como parte dessa herança, somos libertos da tentação de protestar e lutar por nossa própria glória ou relevância. Ao enxergar nossa vida aqui e o universo à nossa volta como precursores da vida por vir, somos libertos da ingratidão que se afasta dos bons presentes de Deus para nós e da apatia que ignora aqueles a quem Deus ouve. Entregamo-nos ao amor, ao serviço e ao trabalho porque tais coisas são sementes das tarefas que Deus tem para nós na próxima fase. Não conferimos significado eterno às coisas deste mundo. O sentido de minha vida não se encontra no breve intervalo entre o nascimento e a sepultura — em um casamento feliz, um emprego satisfatório ou no tipo de "sucesso" que os familiares do meu cônjuge reconheceriam ao redor da mesa de Natal.

Ao mesmo tempo, porém, minha permanência neste intervalo me molda e me prepara para o que é supremo, então não posso me esquivar da pessoa que estou me tornando pelos hábitos que aprendo agora. O objetivo do reino é unir céu e terra — quando a morada de Deus transformará a criação e os reinos deste mundo se tornarão os reinos de nosso Senhor e seu Cristo. Não somos nós que fazemos isso. É por esse motivo que Jesus ensinou todas as gerações da igreja a orar pela consumação do reino de Deus na terra assim como no céu (Mt 6.10). Ainda assim, ao orarmos por esse reino, podemos enxergar as prioridades de Deus. O reino por vir inclui não só adoração, mas também justiça (ética), comunhão (sociedade), autoridade (política) e "a glória e honra das nações" (cultura). Articularemos então aquilo que falamos, nas esferas pessoal e social, com base na estrutura de buscar primeiro o reino de Deus e suas prioridades. Se estamos unidos a Cristo, então as prioridades dele se tornam as nossas também. E se somos treinados hoje para dominar depois, não podemos presumir que as questões sociais são meras preocupações dos políticos. Nós somos líderes de governo em espera, em um domínio muito maior do que o existente hoje.

Os conterrâneos de Jesus reconheciam que o reino não era meramente "espiritual".

Nada disso era novo para o público de Jesus. A novidade — nova o suficiente para provocar uma revolta violenta — foi a declaração feita por Jesus de que o dia do Senhor havia chegado e que o reino era ali e naquele momento. Antes que o sermão parecesse revolucionário, pareceu louco. A multidão amou as "palavras graciosas" que saíram da boca de Jesus, até ele dizer: "Tudo isso se cumpriu enquanto vocês ouviam". O problema é que parecia claramente mentiroso. E ainda parece.

Já, mas ainda não

Eu não sei quem é você que está lendo esta página agora mesmo, mas de uma coisa eu sei. Há um pedaço de terra em um cemitério em algum lugar, talvez ainda nem separado, esperando seu cadáver. Um dia, não importa quem você é, nem o que está fazendo, você estará morto. E, em cem anos, grande é a chance de que ninguém se lembre de seu nome — inclusive as pessoas que carregarem seus genes na corrente sanguínea. O universo parece conspirar contra você em tudo, desde as forças naturais que desbotam a cor em seu cabelo, até as bactérias que um dia moerão seu corpo até se transformar em uma gosma cheia de vermes. Tudo indica que o universo não é seu amigo. Ele está tentando matá-lo. E vai conseguir. Algo deu terrivelmente errado.

Se formos honestos, precisaremos admitir que tudo aquilo que os niilistas dizem sobre o mundo parece verdadeiro. Ao contrário do que disse Jesus, não parece que os mansos herdarão a terra. Nem que os pacificadores são bem-aventurados. Não parece que os que choram serão consolados. E, sem dúvida, não parece que os cativos serão libertos, os cegos enxergarão e os pobres serão recebidos com boas notícias. É como se o universo fosse operado por e para o poder, assim como acreditam aqueles que não esperam nada dele.

O evangelho do reino pregado por Jesus reestrutura nosso testemunho como uma espécie de "intervenção", chocando-nos para enxergar o que é "normal". Certa vez, li o texto de um escritor contando que ele descobriu que era alcoólatra ao observar sua lata de lixo reciclável. Quando foi levá-la para a rua, notou que estava transbordando com latas de cerveja, contou quantas eram e se deu conta de que ele era o único na casa e a coleta seletiva só passava uma vez por semana. Algo estava errado.

Se não tivermos à nossa frente uma visão de para onde estamos indo, presumiremos que o *status quo* é normal, que nós, nossa cultura e sociedade somos "apenas humanos", sem jamais reconhecer que nunca vimos a humanidade normal em nossa vida.

O povo hebreu conservou por milênios uma história, uma contraleitura do universo sobre como as coisas parecem ser. No relato bíblico, nosso problema principal é a ausência de governo, uma condição que nos escravizou em uma tirania que nem conseguimos enxergar. Nossos antepassados deveriam se tornar reis e rainhas do universo, mas entregaram seu domínio a um ser das trevas, um réptil invasor. Quando a humanidade se uniu a esses espíritos rebeldes misteriosos em sua insurreição, a harmonia do universo foi interrompida. A comunhão entre a humanidade e Deus foi quebrada, assim como a comunhão entre os próprios seres humanos. A natureza humana, que deveria ser governada pela Palavra de Deus, assumiu a natureza de seus chefes supremos, os espíritos criminosos. Passou a ser dominada tanto pelos desejos de seus apetites quanto pelo medo da acusação e do juízo. A natureza então se revelou contra a humanidade, sentindo nela não o reinado divino, mas, sim, a ditadura de um poder estrangeiro (Rm 8.19-22). Todavia, desde o princípio, o Criador prometeu que tal agressão não prevaleceria.

Muito antes de Deus começar a restaurar o reino, ele iniciou um projeto-piloto — a princípio com um homem e depois com uma nação daqueles que deveriam ser "luz para as nações" —, um modelo do governo divino. Evitou que se amalgamassem às outras nações com um código legal distintivo, que os lembrava de que sua redenção ainda era futura, pela linhagem de Abraão. Ungiu uma família real, da casa de Davi, que deveria governar com retidão e justiça. O reinado deles prevaleceria ou cairia pela obediência do monarca à Palavra de Deus. Tais reinados caíram. Cada um dos reis, por mais que fosse ungido, sucumbiu à morte, provando que cada um deles tinha pelo menos um pecado, não podendo ser considerado o Messias. E, por fim, o reino em si entrou em colapso — em divisão, cativeiro, exílio. Na ocasião em que Jesus pregou em Nazaré, a casa real de Davi, tão grandiosa no passado, era apenas uma marionete nas mãos dos romanos incircuncisos. Mas sempre havia a promessa. A descendência de Abraão herdaria o cosmo. O filho de Davi edificaria a casa de Deus e governaria do trono como ser humano. O povo de Deus seria levantado dos mortos e ungido com o Espírito. Deus habitaria com seu povo, e céu e terra seriam um só.

Todas as civilizações imaginam que a vida tem sentido e que a história está indo para algum lugar. Futuros tanto utópicos quanto apocalípticos são imaginados em culturas de toda parte, a despeito da religião ou do nível de desenvolvimento. Na aliança com Israel, Deus prometeu um reino do domínio humano restaurado no trono de Davi. Os males seriam endireitados, a maldição se desfaria, os filhos e as filhas de Deus substituiriam os estrangeiros que invadiram a boa criação divina. Mas, sem dúvida, isso parecia e ainda parece distante.

E foi isso que deu início ao tumulto na sinagoga. Os ouvintes de Jesus entenderam como parecia insano e egomaníaco Jesus se identificar com a chegada da nova ordem divina. Soava como um desapontamento Jesus proferir uma mensagem de restauração cósmica e reorganização da sociedade, para, em seguida, apontar para si mesmo e dizer: "E aqui estou". Eles queriam os sinais do reino que Jesus havia realizado nas cidades vizinhas. Queriam a pregação do reino que Jesus expressava. Mas não queriam, de maneira alguma, ouvir que Jesus é o reino. Desejavam a glória, o poder e a segurança do reino, e quem sabe Jesus poderia até ser o meio para esse fim. Eles não estavam, nem estão sozinhos.

Jesus anunciou o reino ao longo de seu ministério, mas sempre atrelou o reino a si. A ética do reino, proclamada no Sermão do Monte, certamente não era alcançável por ninguém além dele. Jesus demonstrou a chegada do reino ao superar exemplos de todos os aspectos da maldição. Ele viveu entre feras selvagens, sem ser ferido (Mc 1.13). Falou com o vento e as ondas, que se calaram de imediato (Mt 8.23-27). Diante da sua palavra, as doenças retrocediam (Mt 8.16-17). Os seres demoníacos não só reconheciam seu direito de governar, como também imploravam por misericórdia toda vez que ele aparecia (Mc 1.23-24). Por quê? Porque, usando suas palavras, "se expulso demônios pelo Espírito de Deus, então o reino de Deus já chegou até vocês" (Mt 12.28). Sendo rei por direito, Jesus reinstituiu o domínio humano sobre as ordens natural e angelical, ao pôr em prática o destino do qual nossos antepassados caídos abriram mão. Foi um governante sábio, com domínio sobre os próprios apetites, com vontade, afeto e consciência dirigidos por seu Pai e pela Palavra de seu Deus. Tudo isso aconteceu porque ele estava livre do único poder que os espíritos maus têm sobre cada um dos outros seres humanos: a acusação. "O governante deste mundo se aproxima", disse Jesus. "Ele não tem poder algum sobre mim" (Jo 14.30).

Jesus reviveu a história de Israel. Foi tirado do Egito por meio das águas do Jordão. Foi provado no deserto. Aplicou para si as metáforas ligadas a Israel — o templo, a videira, o pastor, a luz às nações — e então para aqueles que se uniram a ele. Foi amaldiçoado, condenado e entregue a Satanás, mas ressuscitou dos mortos e foi marcado pelo Espírito (Ez 37.1-14; Rm 1.4). Em seus ensinos, com histórias, imagens e sinais, preparou quem tem ouvidos para escutar a vida em seu novo reino. E então a introduziu como o primogênito dentre os mortos, as primícias do novo projeto de criação divina. Jesus foi a nova humanidade e o novo Israel. E, em meio a tudo isso, ele estava em guerra. Lutou até o chão contra o "homem forte" que havia tomado a casa da criação divina. E, com esse bandido acusador amarrado pelo evangelho, Jesus alegremente saqueou sua casa.

Todas as gerações da igreja se esforçam para entender os questionamentos que surgiram na sinagoga de Nazaré, a tensão entre o "já" e o "ainda não" do reino. Jesus antecipou as objeções de seus ouvintes ao dizer o que eles estavam pensando: "Médico, cure a si mesmo". Foi exatamente isso que, anos depois, os observadores disseram no Gólgota: "Se você é o rei de Israel, desça da cruz".

O que está em jogo?

Os perigos de entender errado essa tensão são bem reais. Aqueles que erroneamente trazem o reino para *perto demais* (já) caem em utopia, expectativas irreais, um evangelho politizado ou, o pior de tudo, perseguição daqueles que não creem ou não enxergam as coisas da mesma maneira. Quem mantém o reino *longe demais* (ainda não) cai em fixação por tabelas proféticas, apatia cultural ou tentativas falhas de se afastar da sociedade. Em sua ressurreição, Jesus recebeu autoridade sobre todas as coisas (Mt 28.18). Ele é o herdeiro e governante do cosmo por direito, mas Jesus *ainda* não governa sobre tudo.

A princípio, isso parece herético. Afinal, Deus não é soberano sobre todas as coisas? Sim, e as Escrituras dizem que ele sempre foi. Mas a linguagem do "reino de Deus", usada por Jesus em continuidade com os profetas, diz respeito a mais do que isso. Engloba a vontade de Deus sendo feita tanto na terra quanto no céu, assim como Jesus orou. Jesus já subiu ao céu há mais de dois milênios e as espadas continuam a ser usadas para tudo, menos para arar a terra. Em quase todos os oceanos do planeta, as tempestades continuam a colocar barcos em perigo — e, às vezes, vilas inteiras — sem nenhuma voz da Galileia para acalmá-las. Um dia, Jesus terá tudo sob seus pés e entregará a seu Pai a missão do reino concluída. Pela fé, podemos enxergar sua autoridade, coroada com poder e glória (Hb 2.9), mas, pela visão temporal, tudo que conseguimos ver é um cosmo diabólico, caótico até o âmago (1Jo 5.19; Ef 2.2; 2Co 4.4; Ap 12.7-17).

Como, então, distinguir entre o *já* do reino de Deus e o *ainda não*? Jesus resumiu a resposta na sinagoga: a resposta está nele. A pergunta é: "Onde Jesus está reinando agora e como?". O reino se manifesta em duas etapas, porque o próprio Rei Jesus também o faz. O reino não ocorre inicialmente como o choque e o esplendor da explosão no céu oriental, mas de maneiras secretas e ocultas. Vem como o fermento que trabalha em uma massa de pão, como a semente que germina no solo ou, na verdade, como o embrião que se mexe no útero da virgem.

Assim, se Jesus ainda não governa no mundo, onde ele governa? Na presente era, ele governa sobre sua igreja (Ef 1.22-23). A igreja é uma placa indicativa do reino vindouro de Deus (Ef 3.10), uma prévia para o mundo a observar de como é o reino de Deus em Cristo, uma colônia do reino por vir. No rolo de Isaías, do qual Jesus leu, existe a promessa de que as ruínas antigas seriam reconstruídas. No período posterior à ressurreição de Jesus, a igreja primitiva viu a restauração dessas ruínas, a reconstrução da "tenda caída de Davi" em uma igreja formada pela humanidade reconciliada, com o fim da antiga divisão entre judeus e gentios (At 15.15-17). Ao contrário da ordem da aliança do antigo Israel, a igreja não possui poder militar coercitivo. Os apóstolos nos contam que nós não governamos o mundo no presente

(2Co 4.4). Em vez disso, Jesus reina sobre nós por sua voz, por meio da pregação correta da Palavra. Ele reina sobre nós ao delimitar as fronteiras de nossa comunhão, mediante o batismo, a ceia do Senhor e a disciplina. Na igreja, Deus criou uma embaixada do reino de Cristo, apelando para que o mundo exterior se reconcilie com o reino vindouro e sendo modelo de como o reino será. Não vivemos sem rei. Em vez disso, estamos sendo moldados, formados e preparados para governar dentro da vida da igreja de Cristo. Ao mesmo tempo, sabemos que ainda não governamos sobre quem está do lado de fora.

> A igreja é uma placa indicativa do reino vindouro de Deus (Ef 3.10), uma prévia para o mundo a observar de como é o reino de Deus em Cristo, uma colônia do reino por vir.

Deus ungiu Davi na função de rei muito antes que este fosse visivelmente reconhecido como o governante de Israel. Ele foi separado pelo Espírito, e os anos que passou se desviando de lanças (literais e metafóricas) jogadas pelo governo de ocasião o prepararam para o domínio que Deus lhe havia destinado. O mesmo se aplica à igreja. Deus está nos moldando, nas esferas individual e congregacional, para governar nesse futuro reino. Ao unir a igreja, Jesus está "montando a equipe de trabalho" de seu reino com co-herdeiros, que aprendem a governar lavando pés, trocando fraldas e resolvendo conflitos sobre o fato de certas viúvas estarem sendo negligenciadas ou não na distribuição de alimento (At 6.1-7). Nossa vida agora nos direciona para além do momento, para o reino.

Primeiro o reino

A visão do reino é necessária, antes de mais nada, para nos mostrar *o que importa*. O reino futuro nos mostra o significado de todas as outras coisas. Vemos o alfa à luz do ômega, e tanto o Alfa quanto o Ômega se resumem em Jesus Cristo (Ef 1.10). A criação e a cultura têm significado porque dizem respeito a muito mais do que forças meramente naturais. Elas seguem o padrão de um "mistério" revelado, que explica o significado de todas as outras coisas do universo. Conforme insistem alguns, existe de fato uma "lei natural" que governa nossas fronteiras, nossas possibilidades e nossos limites morais. Mas essa estrutura organizada do universo é uma palavra, um padrão de sabedoria, um *Logos*. Não se trata de uma força impessoal, mas, sim, de uma Pessoa cheia de força, aquele que passamos a conhecer como Jesus de Nazaré (Jo 1.1-14).

Logo, a criação não é temporária, porque, na pessoa de Jesus, Deus uniu o "pó da terra" na natureza humana à sua própria natureza. Isso também explica por que, por mais importante que o pensamento da "lei natural" possa ser, não se pode construir uma sociedade moral ao mesmo tempo que se evita falar sobre aquilo que distrai e chateia as pessoas: Jesus. "A natureza diz" por vezes é mais convincente para as pessoas ao nosso redor do que "a Bíblia diz" nas questões que acham mais controversas. Isso acontece porque a luz da natureza e a luz do evangelho são, lá no fundo, a mesma: a luz de Cristo. Quando a humanidade caída enxerga essa luz, nossa primeira reação é repugnância moral (Jo 3.19). Deus se importa com o universo porque o moldou de acordo com o padrão do mistério de Cristo. Deus se importa com a família porque a moldou de acordo com o padrão do mistério de Cristo. Tudo que existe, para além da sarna parasita do pecado e da maldição, testemunha da glória de Deus na pessoa de Jesus Cristo.

Buscar primeiro o reino não diminui nossa preocupação com a justiça e a retidão nas arenas social e política; pelo contrário, a aguça. Afinal, o objetivo final da história não é fugir para o céu, mas, sim, a fusão entre o céu e a terra — quando a morada de Deus transformar a criação material (Ap 21.1-4). A nova terra que nos aguarda não é apenas uma arena de adoração, mas também de justiça (ética), domínio humano (política), comunhão (sociedade) e "glória e honra das nações" (cultura). Enquanto nossa visão do fim é incompleta, vemos como em espelho e o objetivo do reino nos liberta, até certo ponto, para priorizar nossas preocupações.

Se, por exemplo, o trabalho e a criatividade humanos não são um mero meio de se alimentar entre a maternidade e a sepultura, mas, em vez disso, são parte tanto da criação original divina anterior a nós quanto da nova criação futura, precisamos reconhecer que a realização humana está atrelada a um trabalho significativo. Uma vez que Deus tem o objetivo de restaurar a criação material, não de descartá-la, não podemos abusar do mundo ao nosso redor, sem pensar nas consequências. Como desconsiderar a importância das instituições sabendo que Deus está preparando um reino — o qual é, por si só, uma instituição — de sacerdotes? Como descartar a ordem e a justiça se a Nova Jerusalém revela essas coisas? Aqueles que desejam se desengajar por completo da cultura ou da política (como se isso fosse possível) argumentam que algumas das coisas com as quais Deus se importa e deseja levar para a eternidade não valem a pena ser priorizadas. O reino mantém as prioridades, mas com perspectiva.

Um dos temas mais controversos que abordo com os cristãos não é o aborto, o casamento entre pessoas do mesmo sexo ou a política de imigração, como talvez você imagine, mas, sim, a cremação. Muitos adultos experientes das igrejas nas quais servi como pastor desejam economizar com sepultamento e funeral e me perguntam sobre a cremação. Não posso obrigá-los a concordar comigo, mas destaco que historicamente o cristianismo rejeita a cremação por ser uma imagem falsa do corpo. O sepultamento significa a esperança cristã de que o morto "dorme" e logo será "despertado" por ocasião da vinda do Senhor. A cremação representa uma perspectiva encontrada no budismo e em outras religiões, de que o corpo se consome até o nada. Percebi que o primeiro desdobramento que as pessoas extraem disso é que, de algum modo, estou sugerindo que quem foi cremado irá para o inferno. "Eu não posso ressuscitar da urna com a mesma facilidade que do caixão?", é a pergunta que fazem.

É claro que sim. Não é essa a questão. Deus pode me ressuscitar mesmo que meu corpo seja comido por jacarés, mas não vou me livrar da tia Gláucia dessa maneira, dando de ombros e perguntando: "E daí? Eu a vejo no céu". Nossa maneira de tratar o corpo é sinal daquilo em que cremos em relação ao futuro. As mulheres em volta de Jesus cuidaram do corpo dele, colocaram unguento e perfumes porque era *ele.* Elas sabiam que o corpo é importante porque fará parte da nova criação, quer a ressurreição aconteça dentro de poucos dias, quer após bilhões de anos de decomposição. Nós, cristãos, respeitamos o corpo porque acreditamos que nosso corpo material faz parte do objetivo de Deus para nós e para o universo. Ao mesmo tempo, o corpo não é nossa grande prioridade. A barriga é destruída junto com o que há dentro dela, disse Paulo às igrejas. O corpo volta ao pó. Aqueles que fazem do corpo a prioridade absoluta, como os antigos egípcios que se mumificavam a fim de transportar o corpo para a vida futura, perdem de vista o reino. E aqueles que negligenciam a importância do corpo interpretam mal que o importante em última instância não é apenas a vida espiritual, mas a vida encarnada. Isso muda nossa maneira de viver agora. As antigas heresias cristãs que classificavam o corpo como uma prisão da qual um dia escaparíamos não levaram à negação do corpo, mas, sim, à obsessão por ele. Os hereges podiam brigar, fornicar e se embriagar, pois criam que o "eu de verdade" era a pessoa espiritual por dentro, comungando docemente com Jesus em algum jardim.

O futuro do mundo, da cultura e da sociedade é, em muitos aspectos, semelhante ao futuro de nosso corpo. Jesus é, no fim das contas, o pioneiro da nova criação com um corpo ressurreto ao qual planeja amoldar o restante do universo redimido (Fp 3.20-21). Aqueles que estão envolvidos com a cultura ou a política não conseguem enxergar a descontinuidade entre este mundo e o por vir. Mas aqueles que desconsideram tais coisas tendem a ficar obcecados por elas do mesmo jeito, apenas de forma desconectada da visão de futuro que as conservaria na perspectiva correta. O mesmo se aplica, por exemplo, ao casamento. Aqueles que atribuem importância suprema ao casamento não compreenderam o reino de Deus. Foi isso que Jesus demoliu quando os saduceus tentaram fazê-lo cair em uma armadilha com o exemplo de uma mulher que ficou viúva sucessivamente de sete homens. Por rejeitarem a ideia de ressurreição, queriam que Jesus se constrangesse endossando a poligamia eterna. Jesus explicou que eles não entendiam que, na era por vir, as pessoas nem se casam, nem se dão em casamento. Ao mesmo tempo, aqueles que proíbem o casamento (1Tm 4.3) não reconhecem que o relacionamento conjugal não é um mero escape das necessidades temporais, mas, em vez disso, aponta para além de si, para algo mais permanente: a festa de casamento entre o Cordeiro e sua noiva (Ap 19.6-9). O mesmo se aplica ao nosso testemunho nas áreas da cultura e da política.

> Nossa maneira de tratar o corpo é sinal daquilo em que cremos em relação ao futuro.

Não tentamos trazer o reino de Deus à existência por meio de leis, assim como não é possível legislar a ordem singular da aliança do Israel do Antigo Testamento. Todavia, o padrão de justiça de Israel e, mais ainda, o padrão do futuro restaurado pode nos dar uma estrutura moral para questionar os pressupostos de nosso ambiente cultural. As prioridades do Rei, encontradas na restauração definitiva da criação, se tornam as prioridades da colônia do reino: a igreja.

Nosso voto para presidente do país é importante. Conforme discutiremos, prestaremos contas pelo desempenho de nossas responsabilidades de governo nesta vida. Mas nosso voto para presidente é menos importante do que nosso voto para receber novos membros pelo batismo em nossa igreja. O presidente tem mandato limitado, assim como nosso país (e todas as outras nações). Todavia, o recebimento de membros na igreja assinala os futuros reis e rainhas do universo. O rol de membros em nossa igreja diz para as pessoas que nele estão inseridas e para o mundo exterior: "São estes que acreditam que herdarão o universo como co-herdeiros em Cristo". Trata-se da prioridade de cada um, não de uma abstenção em qualquer um dos dois.

O ponto central do reinado de Cristo na presente era, na igreja, dá sentido à nossa vida. O propósito de Deus é nos amoldar à imagem de Cristo. Assim como ele, não chegamos plenamente formados. Jesus, em sua humanidade, "aprendeu a obediência por meio de seu sofrimento" (Hb 5.8). Se Deus está fazendo todas as coisas cooperarem para meu bem, então nada em minha vida é "perda de tempo". Cada faceta de minha existência, meus relacionamentos, meu emprego, minha família, meu sofrimento, tudo faz parte de um estágio para a era escatológica, preparando-me, de alguma forma, para governar com Cristo. Se o reino for aquilo que Jesus anunciou, então o que importa não é apenas o que classificamos puramente como "espiritual". Nosso chamado de vida — seja pregando o evangelho, carregando docas, colhendo abacates, escrevendo leis ou apascentando cabras — não é acidental. Da mesma maneira que ensinou nosso Senhor, Deus nos ensina a aprender, nas pequenas coisas, como estar no comando das grandes (Mt 25.14-23).

O evangelho do reino

O reino de Deus, tanto agora quanto na era por vir, diz respeito, em seu âmago, àquilo que Paulo chama de "escondido com Cristo em Deus" (Cl 3.3-4). Encontramos nossa vida e missão em Jesus, em lugar de encaixá-lo no reino que moldamos para nós mesmos. Derramamo-nos em amor, serviço e trabalho porque essas coisas são sementes das tarefas que Deus tem para nós na próxima etapa.

Ao mesmo tempo, porém, não atribuímos significado infinito a nenhuma dessas coisas. O sentido de minha vida não se encontra no breve intervalo entre o nascimento e a sepultura — em um casamento feliz, um emprego satisfatório ou no tipo de "sucesso" que os familiares do meu cônjuge reconheceriam ao redor da mesa de Natal. E, embora seja importante, nosso significado não está atrelado à ascensão ou à queda dos Estados Unidos da América, muito menos a facções ou partidos políticos dentro do país. Martinho Lutero nos ensinou a cantar: "Sim, que a palavra ficará, sabemos com certeza". Mas não graças à nação, e sim por ser a palavra de Jesus Cristo.

O reino que Jesus anunciou também nos mostra que estamos trabalhando dentro da estrutura de uma batalha espiritual e, por isso, já devemos esperar oposição e sofrimento. A estrutura do universo, as alianças com Israel, os reis, profetas e instituições do povo de Deus retratam todos, de diversas maneiras e à frente de seu tempo, a vida de Cristo Jesus. A vida da igreja retrata a mesma coisa, após o fato. Jesus reprisa a história do universo ao assumir a raça, a missão e a maldição de Adão. Ele repete a história de Israel, da unção à tentação e ao exílio. E nos diz que caminharemos da mesma maneira — da Belém de nosso novo nascimento à Jerusalém de nosso novo reino. Entre os dois, porém, nós o seguiremos no Gólgota. Carregaremos a cruz. Para ser glorificados com ele no futuro, precisamos primeiro sofrer com ele (Rm 8.17). Virar a outra face pode resultar em uma mandíbula quebrada nos dois lados, mas Jesus continua a ser Rei e ele está certo.

Anos atrás, acabei ligando a televisão e encontrando o programa de uma pregadora do "evangelho da prosperidade", com seu cabelo lilás perfeitamente arrumado, empertigada em um trono dourado cravejado de cristais, contando sobre as maravilhas de ser cristão. Mesmo que ficasse provado que o cristianismo era falso, dizia ela, ainda assim gostaria de continuar a ser cristã, porque é a melhor maneira de viver. Pensei que é fácil ter essa perspectiva em um trono dourado, aparecendo na televisão. É bem mais difícil pensar o mesmo quando se é crucificado pelos vizinhos no Sudão por se recusar a repudiar o nome de Cristo. Nesse caso, se o cristianismo não fosse verdadeiro, seria uma maneira muito louca de viver. Na verdade, o evangelho dessa mulher — e outros semelhantes — é mais parecido com uma religião cananeia da fertilidade do que com o evangelho de Jesus Cristo. E o reino que ela anuncia se parece mais com o de faraó que com o de Cristo. O trono de Davi não precisa de cristais.

Mas o evangelho da prosperidade proclamado com total ostentação no exemplo acima pode ser encontrado abertamente em formas mais refinadas e culturalmente aceitas. A ideia da respeitabilidade do testemunho cristão em um país cristão que é definido por moralidade e sucesso, e não pelo evangelho da crucificação e ressurreição, é mais um exemplo de usar Jesus para manter o melhor da vida agora. Jesus poderia ter continuado a ser amado em Nazaré se curasse algumas pessoas e fizesse cadeiras levitarem, permanecendo em silêncio sobre o caráter tão diferente de seu reino. Mas Jesus é persistente em destruir ilusões, e as que temos hoje no ocidente cristão não estão mais imunes do que as ilusões da Galileia israelita. Se enxergarmos o universo assim como a Bíblia o vê, não tentaremos "recuperar" uma era áurea perdida. Veremos um conflito invisível de reinos e um *show* de horrores satânicos ser invadido pelo reino de Cristo. Isso nos levará a reconhecer quem são nossos verdadeiros inimigos, e eles não correspondem aos prisioneiros de guerra nas áreas cultural e sexual ao nosso redor. Se buscarmos o reino, veremos o diabo. E isso nos tornará muito menos sofisticados e confortáveis com nossa nação moderna.

Logo, a visão do reino não só nos informa sobre o que deve ser alvo de nossa preocupação, mas também nos instrui acerca de como precisamos defender tais questões. Se o reino está onde Cristo está, não ousaremos assumir poder estatal para benefício da igreja, nem subordinaremos os ministérios da igreja à autoridade governamental. O reino é definido pelo evangelho, e o evangelho é definido pelo reino. Se o evangelho é abstraído do reino, então nossa missão é simplesmente o evangelismo inicial de novos crentes. Se tiramos o reino do evangelho, porém, então o reino passa a ser mera questão de moralidade e, assim, um alvo fácil do falso messias do poder estatal. O evangelho é evangelho do reino de Cristo.

Uma vez que a Bíblia fala sobre um reino que governa as nações e coloca os inimigos debaixo dos pés do povo de Deus, alguns acham que devemos unir igreja e estado, a fim de punir os transgressores espirituais com a lei civil. Mas Jesus nos contou que as ervas daninhas cresceriam junto com o trigo na seara do mundo e não devemos devastar o campo, arrancando as coisas já. A divisão entre ovelhas e bodes acontecerá no trono do juízo, ele nos contou, não no tribunal. A igreja é a embaixada do reino vindouro, não a plenitude desse reino. Nossa missão é definida nos termos do apelo do evangelho à reconciliação agora, não à derrota dos inimigos. Foi por isso que Jesus leu a palavra do rolo sobre o ano do favor de Deus, mas não leu o que vem imediatamente em seguida, sobre o "dia da ira de Deus" (Is 61.2). Existirá o dia do juízo, mas a igreja adverte quanto a ele, não o executa (1Co 5.12). Isso acontece porque esse tempo entre os tempos é definido pelo convite ao evangelho. Enquanto for "hoje", ainda é o "dia da salvação" (2Co 6.2). O evangelho em si nos apresenta uma visão do reino na qual as espadas do Espírito e do estado se mantêm separadas até o Rei aparecer para dar fim a essa suspensão de julgamento e colocar as nações debaixo do estrado de seus pés.

A batalha do reino

Assim, essa visão sobre o reino modifica nossas expectativas. A tentativa cristã de se envolver no testemunho social oscila no grande pêndulo entre otimismo exagerado e afastamento e desespero. Em um minuto, estamos "reconquistando o país para Cristo" e, no instante seguinte, pronunciamos que a cultura está "se aproximando de Gomorra". Perdemos de vista tanto o fato de que toda a história humana — a partir do Éden — é uma zona de guerra e que o triunfo do reino de Deus é provado não por nosso sucesso eleitoral ou influência cultural — por mais importante que tudo isso seja na obediência em ser "sal" e "luz" dentro de nossa cultura. Nosso triunfo é provado na ressurreição do governante legítimo do mundo.

Aprendendo a ser peregrinos (de novo)

Uma das passagens mais hilárias das Escrituras é um texto que revisito toda Páscoa, e ano após ano não consigo deixar de dar risada. Após a crucificação e o sepultamento de Jesus, Pilatos ordena aos guardas que garantam que os discípulos não roubem o corpo de Jesus para fingir que ele havia ressuscitado. Envia os soldados para o túmulo com a instrução: "Guardem o túmulo como acharem melhor" (Mt 27.65). Toda vez que leio essas palavras, inclusive agora mesmo, enquanto as digito, acabo soltando: "Tá bom! Boa sorte com isso". O avanço do reino inicia com a marcha do galileu para fora da sepultura. Deveríamos ser as últimas pessoas no planeta a recuar com medo ou apatia. E também deveríamos ser os últimos a elogiar sem restrições qualquer líder ou movimento político como se fosse isso o que estamos esperando. Precisamos de líderes e aliados, mas não de um Messias. Esse cargo já foi ocupado, e muito bem, diga-se de passagem. Não somos irracionalmente exuberantes, nem temerosamente isolados. Reconhecemos que, do Gólgota ao Armagedom, haverá tumulto — em nossa cultura, nossa comunidade e nossa mente. Lamentamos por isso e nos esforçamos para deter as consequências da maldição. Mas não nos desesperamos, como poderia acontecer com os perdedores na história. Somos futuros reis e rainhas do universo.

Ao mesmo tempo, nós nos lembramos de que somos aqueles que, longe do esforço de resgate do evangelho, também seriam exilados da presença de Deus e viveriam em confronto uns contra os outros. Reconhecemos que, a despeito de nossas disputas políticas e culturais da atualidade, a situação que não conseguimos enxergar é bem mais difícil. "Portanto, alegrem-se, ó céus, e vocês que habitam nos céus! Sobre a terra e o mar, porém, virá terror, pois o diabo desceu até vocês com grande fúria, sabendo que lhe resta pouco tempo" (Ap 12.12). Vivemos agora em um planeta assombrado por demônios, mas esperamos o conquistador de demônios que virá do céu. Alegramo-nos e gememos ao mesmo tempo. Em suma, a perspectiva pautada pelo reino pode ser resumida na letra de uma velha música da banda Grateful Dead: "É pior do que parece, mas tudo bem". Sim, somos guerreiros, porém guerreiros alegres. Não estamos nos arrastando para Gomorra, mas, sim, marchando para Sião.

É verdade que somos estrangeiros e exilados no tempo presente. Entretanto, não somos perdedores. Haverá guerras e rumores de guerras, literais e culturais, mas Jesus está em ação. Lutamos a partir do triunfo, não da derrota. Jesus, ao anunciar o reino, declarou que foi ungido. Se nos unirmos a ele, compartilharemos dessa unção (1Jo 2.20). É isso que significa ser cristãos, ser igreja.

Conclusão

Isso me traz de volta à falta de polidez acidental da cantora na Casa Branca. Imagino que parte da estranheza do momento se deveu ao desrespeito não intencional ao presidente. Mas outra parte teve a ver com o mero fato de proferir o nome de "Jesus" naquele contexto. Para quem estava acostumado ao poder, a palavra provavelmente confirmou a ideia de que ela não passava de uma jeca retrógrada e inculta de uma região esquecida do país.

O escritor Frederick Buechner escreveu, anos atrás, sobre o efeito de ver as palavras "Jesus salva!" pintadas em um viaduto. As palavras levam muitos de nós a fechar os olhos envergonhados, lembrando-nos da "religião dos velhos tempos", com tendas de reavivamento e apelos ao altar. Há mais do que isso, porém. "Existe algo no nome de 'Jesus' em si que nos embaraça quando é visto puro assim, apenas *Jesus*, sem nenhum título para aliviar o golpe."[2]

Quando li essas palavras pela primeira vez, argumentei em silêncio com o autor dentro de minha mente. Afinal, os títulos "Senhor" e "Cristo" dificilmente suavizam qualquer golpe. A palavra *Cristo* significa unção real, um título tão escandaloso que Simão Pedro precisou de coragem e revelação para confessá-lo em um dos momentos mais definidores da Bíblia (Mt 16.16-17). A multidão de Nazaré se sentiu confortável com "Jesus", mas irada diante da sugestão, mesmo que nem explícita em palavras, de que algo messiânico estava acontecendo ali.

No entanto, isso só acontece para quem investiga esse significado, em vez de simplesmente achar que se trata de um sobrenome. Buechner me convenceu ao escrever: "Parece-me que as palavras 'Cristo salva' não nos incomodariam nem a metade, porque carregam consigo um tom objetivo e teológico, ao passo que 'Jesus salva' parece dolorosamente pessoal — alguém que, dentre todos os nomes, se chamava 'Jesus', salvando alguém com o seu nome".[3]

E essa é a lição. "Cristo" também era inofensivo para a multidão de Nazaré. O que eles queriam era: o Messias tão aguardado que libertaria os cativos e anunciaria as boas-novas aos pobres e daria visão aos cegos. Mas queriam um Cristo mais distante, que cumprisse seus objetivos sociais e políticos, sem confrontá-los com a verdade de que seus problemas eram muito mais profundos e intratáveis do que a mera cultura ou política. Afinal, "Jesus" era um nome próprio relativamente comum naquela época. Mas também é uma mensagem: "Yahweh salva". José recebeu a instrução de que deveria chamar esse Cristo de "Jesus" porque ele salvaria o povo de seus pecados (Mt 1.21). Isso nos adverte de que precisamos ser salvos não só da pobreza, doença ou decadência cultural — ou de todas as coisas exteriores a nós. Também necessitamos ser salvos do que está em nosso interior. O reino é cósmico, mas é, ao mesmo tempo, pessoal. É tão pessoal que, quando Jesus se revelou a Saulo de Tarso na estrada para Damasco, ainda se identificava com sua cidade de origem. Saulo perguntou: "Quem és tu, Senhor?", e a voz de dentro da luz respondeu: "Sou Jesus, o nazareno" (At 22.8).

Um profeta não tem honra na própria terra. Mas Jesus não é um Messias sem raízes. Ele se uniu à natureza humana, à vida do mundo. E continua a usar o nome que lhe foi dado por um trabalhador comum e, por um tempo, refugiado do Oriente Médio. Ele ainda se identifica com a pequena aldeia que ninguém confundiria com um centro cosmopolita. Ele é Jesus. É de Nazaré. É o Cristo, herdeiro das promessas de Deus. E é Senhor, sentido e alvo do universo inteiro.

> Podemos aprender a ser peregrinos de novo, desconfortáveis em meio à cultura vigente, como sempre deveríamos ter permanecido.

Podemos aprender a ser peregrinos de novo, desconfortáveis em meio à cultura vigente, como sempre deveríamos ter permanecido. Mas não somos peregrinos de cara feia em redomas protetoras, aguardando o som de trombetas no céu. Fazemos parte do reino, um reino que vislumbramos à distância (Hb 11.13) e vemos se apresentar ao nosso redor em miniatura, nos pequenos entrepostos do futuro que chamamos de igreja. Quando colocamos o reino em primeiro lugar, podemos falar com a consciência formada pelo futuro para saber reconhecer o que importa — paz, justiça e retidão — e quem importa — os vulneráveis, marginalizados, pobres, cativos e destituídos. Enquanto fazemos isso nos lembramos, assim como nosso Senhor, de onde viemos e para onde vamos. Também damos a César o que é de César. Prometemos nossa lealdade sempre que possível. Mas jamais nos esquecemos de chamar Jesus de "Jesus".

4
Cultura

No início de meu ministério, de repente me encontrei no meio de uma guerra cultural, sem fazer a menor ideia de onde ficavam as trincheiras. Eu era pastor de jovens em Biloxi, minha cidade natal, de uma igreja que ficava em frente a uma base da aeronáutica. Assim como todos os outros pastores evangélicos jovens, recebia propagandas constantes de caçadores de currículos me dizendo como eu poderia ser "relevante" para os "adolescentes de hoje", normalmente por meio de uma "conexão" com eles que passava pela cultura popular. Mas eu não sabia fazer isso bem, então voltei a ser apenas eu e a pregar o evangelho da melhor maneira que conseguia.

Havia dois grupos que dividiam os jovens em Biloxi. O primeiro era formado pelos rapazes e moças da igreja, que se comportavam como era esperado em uma região cristã, e faziam profissão de fé e depois se batizavam ainda bem novos. Esses jovens conheciam o evangelho de capa a capa e sabiam dar as respostas certas a qualquer momento. O evangelho nem os surpreendia, nem os alarmava. Sabiam como aderir a um quase-evangelho suficiente apenas para permanecer dentro da tribo, sem aceitar tanto o evangelho a ponto de ter um encontro com o senhorio de Cristo.

À medida que o tempo foi passando, porém, outro grupo de adolescentes começou a se infiltrar em nossos estudos bíblicos de quarta-feira à noite. O segundo grupo era formado principalmente por rapazes e moças sem pai, alguns deles membros de gangues e todos sem qualquer familiaridade com a cultura da igreja e com a mensagem do evangelho. Alguns sem querer invalidavam a Reforma protestante e me chamavam repetidas vezes de "padre Moore", porque os únicos líderes religiosos que já haviam visto na vida eram os padres católicos nos filmes. Os momentos de pedido de oração por vezes eram desafiadores, como na vez em que uma moça pediu oração para não engravidar naquele fim de semana, já que suas pílulas anticoncepcionais haviam acabado e o namorado dela não gostava de usar camisinha. Alguns chegavam envoltos por uma nuvem de maconha. A igreja era tão estranha para eles que nem sabiam o que esconder.

A turma da igreja, por sua vez, havia aprendido o lado sombrio da cultura do Cinturão da Bíblia: como saber o nome de todos os livros da Bíblia em ordem, como responder a todas as perguntas certas nas discussões em pequeno grupo e como beber, fazer sexo e fumar maconha sem que seus pais jamais suspeitassem. Ciente de que muitos dos jovens batizados à minha volta, na verdade, eram pagãos, eu compartilhava o evangelho, mas acabava batendo em muro após muro de uma inteligência invencível.

Os jovens que não haviam crescido na igreja riam nos estudos bíblicos ao conversar sobre os programas de televisão ou músicas do momento. Não se impressionavam em nada com os vídeos produzidos pela denominação, nem com as imitações das bandas masculinas que cantavam em tom sentimental sobre as maravilhas da pureza sexual. O que chamava atenção não eram as coisas com as quais eles podiam se identificar, mas, sim, o contrário. Eram atraídos não por nossa mesmice, mas por nossa estranheza.

— Então, tipo, você acredita mesmo que esse cara morto voltou a viver? — um adolescente de quinze anos me perguntou certo dia.

— Acredito — respondi. Ao que ele indagou:

— Peraí, sério mesmo?

Ele deu uma piscadela e sussurrou:

— Cara, isso é muito louco.

Mas permaneceu ali e ouviu tudo.

A turma "da igreja" e alguns dos pais estavam indignados. Eu não sabia, perguntaram eles, que alguns daqueles adolescentes participavam de gangues, fumavam maconha e faziam sexo? Nem adiantava mencionar que quase todas aquelas coisas (menos participar de gangues) estava acontecendo entre os jovens da igreja também. A questão era que eles sabiam como se comportar. Expliquei que "como se comportar" podia ser traduzido por "como esconder os pecados" por meio de um ciclo de decadência no sábado e arrependimento no domingo. Mas isso não mudou a opinião deles. Um dos adolescentes chegou a citar para mim: "As más companhias corrompem o bom caráter" (1Co 15.33). A congregação era saudável, então a grande maioria dos pais me apoiou, bem como o pastor titular. Mas fiquei aturdido por precisar ter essa discussão.

Lidei com uma guerra cultural em miniatura. As famílias da igreja enxergavam os jovens perdidos de fora como "a cultura", exatamente o fator do qual devemos proteger nossa família. Deveríamos ser um pequeno modelo do Cinturão da Bíblia, com festas da *pizza* e valores familiares, protegendo nossos adolescentes de engravidar, viciar-se em drogas ou qualquer outra coisa que pudesse arruinar a vida deles. Não conseguiam enxergar que nós também fazemos parte dessa cultura e que a cultura contra a qual queriam guerrear estava ali mesmo, no andar de cima, dentro do quarto dos filhos. A missão não fazia sentido para eles, pois haviam esquecido quem somos. E não foram os primeiros.

As guerras culturais não são novidade

No sermão inaugural de Jesus, sua pregação não teria despertado polêmica caso ele apenas tivesse se concentrado no futuro. Os habitantes de Nazaré teriam continuado a se maravilhar "com as palavras de graça que saíam de seus lábios" (Lc 4.22). Mas Jesus parecia jamais aceitar "sim" como resposta. Ele aplicou a visão de Isaías a seus ouvintes, mostrando-lhes que eles não estavam tão prontos para a cultura do reino quanto supunham. Assim como Tiago e João posteriormente, eles queriam se assentar no epicentro do reino vindouro. Toda política é local, e queriam que Nazaré fosse bem cuidada pelo poder miraculoso daquele estranho profeta de sua terra natal.

No entanto, Jesus lhes disse que eles não ficavam ofendidos com a visão de Isaías ou com sua pregação somente porque não a entendiam. O reino de Deus, desde o princípio, tinha o objetivo de ser radicalmente global. É por isso que as Escrituras de Israel começam com Adão, a raiz de toda a raça humana. "Você fará mais que restaurar o povo de Israel para mim", Isaías escreveu em outra parte de seu livro. "Eu o farei luz para os gentios, e você levará minha salvação aos confins da terra" (Is 49.6). O reino prometido faria as nações irem correndo até Israel (Is 49.6) a fim de se reunirem perante a glória do Senhor (Is 60.3-4; 62.2). Mas entre aqueles que servem como sacerdotes e levitas se encontram forasteiros, os gentios das nações (Is 66.20-21). Jesus disse que Deus não só lhes dissera isso, mas também havia lhes mostrado ao sair do arraial e operar maravilhas em meio a viúvas gentias e leprosos sírios.

Aquilo que Jesus retratou na proclamação da sinagoga de Nazaré, ele retratou por demonstração em um cômodo alugado em Jerusalém. Chocou o sistema do povo de Deus ao reconstruir o templo de Israel com pedras que ninguém queria. Formou uma igreja composta, ao mesmo tempo, por judeus e gentios e então governou sobre essa nova colônia do reino sentado no trono de Davi. Ele anunciou o reino e então o demonstrou nas comunidades reconciliadas em paz umas com as outras e em guerra com o diabo. Nem a proclamação, nem a demonstração eram populares. A multidão da cidade natal queria que o nazareno defendesse valores nazarenos. Queriam que ele começasse uma guerra contra os de fora. Queriam projetar Nazaré para a eternidade, ao passo que Jesus insistia em trazer a eternidade para Nazaré. Jesus aplicou o reino à cultura ao mostrar para seus conterrâneos que eles não achavam o reino estranho o bastante para reconhecê-lo. Mostrou para eles, e para nós também, que toda guerra cultural genuína começa com fogo amigo.

> A renovação do testemunho cultural começa onde começou em Nazaré: com uma reconsideração de quem nós somos.

A renovação do testemunho cultural começa onde começou em Nazaré: com uma reconsideração de quem nós somos. A cultura que Jesus confrontou se sentia totalmente confortável traçando distinções entre o moral e o imoral, entre os de dentro e os de fora. Presumiam que eram herdeiros do reino por serem descendentes de Abraão, comprovadamente pela árvore genealógica ou pela marca da circuncisão embaixo de suas vestes. O testemunho profético, porém, desafiava essa perspectiva. João Batista advertiu: "Não pensem que podem dizer uns aos outros: 'Estamos a salvo, pois somos filhos de Abraão'. Isso não significa nada, pois eu lhes digo que até destas pedras Deus pode fazer surgir filhos de Abraão" (Mt 3.9). É exatamente essa a ideia. Ser descendente de Abraão claramente não bastava, uma vez que houve aqueles que morreram deserdados no deserto, mesmo com o DNA de Abraão na corrente sanguínea. Sem dúvida, a circuncisão apenas não bastava, já que Acabe e Absalão eram circuncidados, mas dificilmente foram herdeiros da promessa.

A questão jamais foi se Deus manteria sua promessa a Israel, mas, sim, quem estava em Israel. João pregou exatamente aquilo que já fora motivo de advertência no Antigo Testamento: Israel é uma videira plantada por Deus e os galhos que não dão fruto são podados (Mt 3.10). Esse é o ímpeto da mensagem do evangelho. Os gentios entre as nações, sem a lei de Moisés, são culpados. A própria consciência lhes diz isso (Rm 1—2). Isso não é ponto de disputa, nem mesmo para os gentios. O evangelho, contudo, vai além: aqueles que fazem parte do povo de Israel também são pecadores (Rm 3.9). Todo aquele que viola a lei, mesmo que em um só ponto, é transgressor da lei (Tg 2.11).

Mas então vem Jesus. Deus cumpre sua promessa a Abraão, Davi e Israel. A herança vai para a descendência de Abraão, mas se trata de um descendente no singular, não no plural (Gl 3.16). O filho de Davi de fato construiu o templo para Deus como o rei pastor, mas o fez ajuntando "outras ovelhas, que não estão neste curral" (Jo 10.16). Israel recebeu a prova de desfrutar o favor divino, exatamente como o Senhor havia prometido, por meio da ressurreição da nação e unção com o Espírito (Ez 37.1-14). Assim como no início, porém, Israel está primeiro no singular, não no plural. Somente um israelita sai da sepultura. Um israelita tem o Espírito. Esse é o mistério que Deus revelou agora nos últimos dias. O alvo do universo é Jesus Cristo. O alvo da humanidade é Jesus Cristo. O alvo de Israel é Jesus Cristo. Todas as promessas de Deus encontram nele seu "sim" e seu "amém" (2Co 1.20).

Os nazarenos ficaram felizes por ouvir sobre a libertação dos cativos e as boas-novas para os pobres porque se viam como os protagonistas óbvios desse enredo. Não percebiam que o remanescente de Israel era definido por aqueles que guardam a lei de Deus, e havia somente um israelita que cumpria essa definição. O reino invade o presente, mostrando-nos qual é nosso verdadeiro problema. Os povos foram "afastados de Cristo. Não tinham os privilégios do povo de Israel e não conheciam as promessas da aliança. Viviam no mundo sem Deus e sem esperança" (Ef 2.12). Em Cristo, porém, Deus formou uma nova humanidade, levando paz (Ef 2.14-16). Até mesmo aqueles que, no passado, estavam distantes, agora "já não são estranhos e forasteiros, mas concidadãos do povo santo e membros da família de Deus" (Ef 2.19).

Isso não deveria ser surpresa, já que Israel não veio do nada, mas, sim, da adoção de um gentio, Abraão, o qual era, ele mesmo, "sem Deus e sem esperança" quando o Senhor o encontrou. O mistério do evangelho é o próprio Cristo. Quem crê em Jesus agora se une organicamente a ele, como a cabeça ao corpo (Ef 5.29-30; 1Co 12.12-31). A igreja é um organismo, a carne e o sangue de Jesus, com a cabeça no céu e o corpo na terra.

Se você me convidar para um jantar, não perguntarei se meus dedos e rins também estão convidados. Caso você me convide, isso quer dizer tudo de mim. Caso eu falte ao jantar, mas mande meu rim em um isopor, ou um dedo amputado, você não entenderá que eu simplesmente me espalhei para ir a várias festas de uma vez. Em vez disso, sentirá repugnância, e com razão! Um rim ou dedo separado do meu corpo não sou "eu". Esse é o mistério de uma igreja formada por todas as tribos, línguas, nações e povos. Cristo e Cristo somente é herdeiro da herança de Deus — de toda ela. Aqueles que se unem a Cristo agora fazem parte dele e, por isso, são co-herdeiros com ele de todas as coisas (Rm 8.12-17; Gl 4.1-7). Paulo escreveu: "Todos que foram unidos com Cristo no batismo se revestiram de Cristo. Não há mais judeu nem gentio, escravo nem livre, homem nem mulher, pois todos vocês são um em Cristo Jesus. E agora que pertencem a Cristo, são verdadeiros filhos de Abraão, herdeiros dele segundo a promessa de Deus" (Gl 3.27-29). É isso que somos, e isso muda nossa maneira de abordar a cultura à nossa volta.

Deus e a nação

Às vezes, na época do Dia da Independência ou algum outro feriado nacional, você verá um cartaz chamando para um café de manhã de oração ou reunião com o tema "Deus e a nação". É praticamente certeza que, se você for, ouvirá, pelo menos uma vez, 2Crônicas 7.14, texto que um crítico chamou de "João 3.16 da religião civil americana". Para aqueles que não sabem, a passagem diz: "Se meu povo, que se chama pelo meu nome, humilhar-se e orar, buscar minha presença e afastar-se de seus maus caminhos, eu os ouvirei dos céus, perdoarei seus pecados e restaurarei sua terra". Em geral, o versículo é aplicado aos Estados Unidos, com a advertência de que a impiedade da nação está retendo as bênçãos de Deus e que somente um reavivamento nacional salvará o país e permitirá que Deus volte a "abençoar a América".

Não há dúvida de que devemos desejar um movimento generalizado de arrependimento e busca a Deus em nosso país. Não é esse o problema. O problema é que a aplicação dessa e de outras passagens aos Estados Unidos — ou a qualquer nação — consiste em uma confusão acerca de quem "nós" somos. Os Estados Unidos, assim como qualquer outra nação moderna, não estão em aliança com Deus. O texto de 2Crônicas 7.14 não é uma declaração geral de humilhação ou bênção, mas, sim, uma declaração do evangelho. Deus prometeu a Salomão que Deus ouviria as orações feitas no templo que o monarca havia construído, aceitaria os sacrifícios oferecidos ali e faria o rei prosperar no trono de Davi, contanto que o povo guardasse a aliança com ele.

É fácil entender por que esse erro é tão comum. Com frequência, o antigo Israel é identificado pelos leitores modernos da Bíblia como uma nação de acordo com nosso conceito moderno do que é uma nação (grupo de pessoas geopoliticamente definido). Deus, que entrou em aliança com Israel, o teria feito de forma exclusiva, ou seja, excluindo as outras nações. Todavia, quando a Bíblia é lida devidamente, enxergamos que a exclusividade da aliança com Israel era abençoar todas as nações (Gn 12.2; Zc 8.13). E, conforme já vimos, a aliança de Deus com Israel se cumpriu não por meio de um tratado geopolítico, mas, sim, em uma Pessoa, Jesus Cristo. Na crucificação e ressurreição de Jesus, veio à existência uma nova era da aliança entre Deus e seu povo. Cristãos de todas as tribos, línguas e nações seriam chamados filhos de Deus.

Quando aplicamos textos como esses à nação, sem levar em conta a história das Escrituras, fazemos exatamente o mesmo que os pregadores do evangelho da prosperidade. Afinal, os adeptos do evangelho da prosperidade se sentem atraídos a passagens de Deuteronômio e outros livros da Bíblia que prometem bênçãos materiais e físicas para quem é obediente, ao mesmo tempo que anunciam maldições físicas e materiais para os desobedientes. A mensagem é que aqueles que obedecem à Palavra de Deus terão fartura de dinheiro e saúde, ao passo que os desobedientes enfrentarão pobreza e enfermidade. Todavia, fazem uso indevido da Palavra de Deus, ao tirar Jesus Cristo das promessas de Deus. Foi Jesus que, em obediência a Deus, recebeu as bênçãos divinas. Também foi ele que, ao carregar os pecados humanos, recebeu a maldição divina (Gl 3.13). A aplicação de tais promessas diretamente a pessoas, negligenciando o papel de Cristo, equivale à pregação de um evangelho falso, no qual seria possível se aproximar de Deus sem um Mediador (1Tm 2.5). O evangelho da prosperidade aplicado à nação não é mais bíblico do que o evangelho da prosperidade aplicado a uma pessoa.

> O evangelho da prosperidade aplicado à nação não é mais bíblico do que o evangelho da prosperidade aplicado a uma pessoa.

Mas a tentação de aplicar 2Crônicas à nação em lugar de à igreja persiste, pelo mesmo motivo que leva alguns a insistirem em aplicar Gênesis 12.3 ("Abençoarei os que o abençoarem e amaldiçoarei os que o amaldiçoarem") à política externa, em lugar de aplicá-la como faz a Bíblia, a saber, ao evangelho de Jesus Cristo (Gl 3.7-14). Por que isso acontece? Porque a primeira questão cultural diz respeito à identidade, quem nós somos e onde nos encaixamos na cultura mais ampla. Muitas vezes, vemos a nação de maneira mais "real" do que o reino e consideramos nosso país mais importante do que a igreja. Mas até mesmo 2Crônicas 7.14 começa com uma afirmação de identidade: "Se meu povo, que se chama pelo meu nome". Nem este país, nem qualquer outro é chamado pelo nome de Deus. Em contrapartida, o reino de Deus é (Is 62.3-5). Não é incomum termos dificuldade em enxergar qual é nossa identidade principal. O Antigo Testamento advertiu os israelitas de maneira persistente a não assimilar o estilo de vida dos cananeus. E o Novo Testamento mantém a mesma persistência ao orientar a igreja a não apostatar na "vã maneira de viver" de nossos antepassados. Precisamos crescer e nos tornar quem realmente somos, assim como o idoso Abrão, sem filhos, não conseguia enxergar como poderia se tornar "Abraão" ou "pai de muitas nações" e da mesma maneira que o instável Simão desertor dificilmente poderia ser descrito como "Pedro" ou "a rocha". Deus dá nome aos seus e depois transforma esse nome em realidade.

Peregrinos e estrangeiros

As mudanças na cultura ocidental, talvez de maneira contraintuitiva, podem deixar isso ainda mais claro — tanto para a cultura exterior do mundo quanto para a cultura interna da igreja. A Bíblia nos conta que somos "peregrinos e estrangeiros" em relação ao mundo (1Pe 2.9-11), mas não em relação à Cidade de Deus, à comunidade de Israel, hoje situada no céu (Ef 2.13). À medida que o cristianismo histórico e apostólico se afasta cada vez mais da cultura dominante, podemos reaprender a distinção entre a igreja e o mundo. Isso não significa isolamento ou desengajamento do mundo, nem das culturas ao nosso redor.

A Bíblia nos conta que somos imigrantes na era presente. Pesquisas revelam que alguns imigrantes se isolam da cultura mais ampla, apenas repetindo os caminhos e as práticas do país de origem. Já outros imigrantes simplesmente se assimilam à sociedade como um todo, apagando, por fim, as distinções entre elas. Entre os dois extremos, porém, existe um fenômeno que alguns estudos definiram como "vantagem dos imigrantes".[1] Tais comunidades de imigrantes combinam a busca de liberdade e determinação pessoal (o motivo que os levou a deixar seu país) com uma rede social forte de companheiros imigrantes do mesmo país. Tais imigrantes conseguem, então, transitar em seu novo país com os melhores aspectos tanto da antiga terra quanto do novo lugar, aliando iniciativa individual a conexão em comunidade.

O mesmo poderia acontecer em meio a uma nação cada vez mais secular, assim como ocorreu no primeiro século. A igreja não deve se isolar da cultura mais ampla, mas, sim, conversar com ela (1Pe 2.12). Isso, porém, só pode acontecer se nós, peregrinos e estrangeiros, tivermos algo distintivo a dizer (1Pe 2.11). Somos chamados para "mostrar às pessoas como é admirável aquele que os chamou das trevas para sua maravilhosa luz", mas só podemos fazer isso se nos lembrarmos de que somos "povo escolhido, reino de sacerdotes, nação santa, propriedade exclusiva de Deus" (1Pe 2.9).

Uma colônia do reino

Isso significa enxergar a igreja em si como uma cultura — uma cultura que está se amoldando ao futuro. A igreja não é uma mera sociedade voluntária daqueles que creem na mesma teologia ou desejam unir recursos para uma missão em comum. A igreja é um *ato de guerra*.

À medida que Jesus se aproximava da cruz, seu grupo de discípulos foi abordado por gregos que foram até ali no desejo de vê-lo. Jesus pareceu mudar de assunto: "Chegou a hora de julgar o mundo", disse ele. "E, quando eu for levantado da terra, atrairei todos a mim" (Jo 12.31-32). E foi exatamente isso que ele fez. Se Jesus tivesse conversado com os gregos, seus discípulos provavelmente não teriam se incomodado. Teria sido um ato de bondade e caridade, receber estrangeiros. Mas Jesus tinha algo mais radical em mente. Ao suportar os pecados da humanidade e absorver a ira de Deus, ele desqualificou as acusações do diabo. Ao ressuscitar dos mortos, Jesus quebrou o poder de morte do maligno.

Jesus demonstra seu reinado transgressor ao convocar uma igreja escondida em sua vida. Logo, a igreja é um sinal para os líderes demoníacos da "multiforme sabedoria de Deus" (Ef 3.10, RA). Quando pessoas que antes viviam em pé de guerra agora são unidas, os poderes das trevas enxergam a realidade do que a nova cultura da igreja significa: "Nessa nova vida, não importa se você é judeu ou gentio, se é circuncidado ou incircuncidado, se é inculto ou incivilizado, se é escravo ou livre. Cristo é tudo que importa, e ele vive em todos" (Cl 3.11). Na igreja, as autoridades deste mundo veem um projeto-piloto do reino de Deus, que está preparando lado a lado o próprio império. Isso acontece porque, quando veem a igreja, não enxergam uma sociedade, mas, sim, um novo homem. Veem a videira de Deus e os ramos unidos a ele produzindo muito fruto. Enxergam o descendente de Abraão. Veem o trono de Davi, a casa de Israel. Ouvem, nos cânticos e sermões da igreja, a antiga promessa de um governante humano que esmagaria sua cabeça de réptil (Gn 3.15).

É por isso que a cultura da igreja é crucial para nosso testemunho moral e social. Jesus nos contou que o reino está presente onde ele mesmo está presente. E prometeu estar com sua igreja, por menor que seja ou por maiores as dificuldades em que se encontre (Mt 18.15-20). A igreja não se reúne com o mero propósito de alimentar o povo para uma semana de devoção individual. Em adoração, a igreja, misteriosa e espiritualmente, ascende ao monte Sião celestial, unindo-se a um culto já em andamento (Hb 12.18-19). Nossa pregação não significa apenas transmitir informações; em vez disso, é a voz de Jesus abrindo caminho para um novo regime (2Co 5.20). O batismo é um sinal do futuro, que se faz presente agora, daqueles que não precisam temer a tomada do mundo pelo fogo, pois já o suportaram em Cristo. A ceia do Senhor é símbolo da festa de vitória do reino futuro, agora entrando em nosso meio, à medida que o pão e o vinho derramado anunciam que ele venceu todos os inimigos que nos acusavam. No sabor do pão e da uva, há uma voz dizendo para os indignos de amor: "Você é amado". Ali ele nos mostra o tipo de governante que ele é e, dessa maneira, o tipo que nós devemos ser: o tipo que serve à mesa (Lc 22.27).

Logo, em nossa vida em comunhão, Deus está formando uma cultura, treinando-nos para nossas responsabilidades futuras como co-herdeiros de Cristo. O rei concede dons espirituais a sua administração futura, usados agora dentro da igreja e que serão ampliados posteriormente no reino (Ef 4.7-13; 1Co 12.4-10). Esses dons não são os que eu escolheria, caso fosse o responsável por tomar as decisões. Eu optaria por algo mais dramático diante do mundo exterior e bem mais útil para mim, como supervelocidade, talvez, ou quem sabe visão raio X. Mas o Rei Jesus concede dons que demonstram a visão da igreja como corpo espiritual que avança não por força, nem por violência, mas pelo evangelho e pelo Espírito.

A igreja é uma colônia do reino vindouro. É por isso que o Novo Testamento se engaja em guerras culturais que, se formos honestos, parecem triviais e sem objetivo. Afinal, a cultura do Israel dominado era uma bagunça e, mesmo assim, em Nazaré, Jesus resolveu abordar as atitudes dos judeus para com os forasteiros, algo que dificilmente ficaria no topo em uma triagem de preocupações. A cultura greco-romana era decadente em relação a praticamente qualquer período da história, e Paulo falou de questões que pareciam tão insignificantes, como cortar fila na ceia do Senhor e cristãos entrando na justiça uns contra os outros. Quem se importa com um processo judicial em uma cultura repleta de anarquia sexual, tráfico de pessoas e militarização imperial? Mas era importante porque a igreja é uma embaixada do reino e estava projetando uma imagem falsa: a de que Jesus é incompetente para governar o mundo. "Vocês não sabem que um dia nós, os santos, julgaremos o mundo?", escreveu Paulo. "E, uma vez que vocês julgarão o mundo, acaso não são capazes de decidir entre vocês nem mesmo essas pequenas causas?" (1Co 6.2).

As rixas e os processos judiciais na igreja de Corinto equivaliam a um candidato presidencial precisar contratar uma empresa externa de consultoria para escolher o nome concorrendo à vice-presidência porque "decisões como essa são difíceis". Os eleitores perguntariam, com toda razão: "Se você não consegue escolher seu companheiro nas eleições, como podemos confiar em você para decidir se iremos à guerra ou não?". Essa é a questão aqui. Se a igreja julgará "os anjos", quanto mais, então, os "desentendimentos corriqueiros desta vida" (1Co 6.3). Quando procuraram pessoas de fora, sem nenhuma posição na igreja, esses membros revelaram que não compreendiam o que é igreja.

É o equivalente à embaixada dos Estados Unidos na Rússia apelar a Moscou para negociar uma disputa salarial entre dois diplomatas. Isso indicaria uma embaixada que não percebe que a nação que a enviou tem jurisdição sobre essas questões, não o país para o qual foram mandados. Além disso, a igreja demonstrava que havia achado esta vida mais "real" do que a vida para a qual estavam sendo preparados. Paulo escreveu: "Por que não aceitar a injustiça sofrida? Por que não arcar com o prejuízo?" (1Co 6.7). Eles haviam esquecido quem eles eram.

A Bíblia diz não

Além disso, com toda a injustiça no mundo, Tiago, irmão de nosso Senhor, separou espaço em sua carta às igrejas e nas Escrituras canônicas de toda a igreja cristã para abordar a questão da moda e da ordem de assento dentro da igreja. Escreveu: "Se, por exemplo, alguém chegar a uma de suas reuniões vestido com roupas elegantes e usando joias caras, e também entrar um pobre com roupas sujas, e vocês derem atenção ao que está bem vestido, dizendo-lhe: 'Sente-se aqui neste lugar especial', mas disserem ao pobre: 'Fique em pé ali ou sente-se aqui no chão', essa discriminação não mostrará que agem como juízes guiados por motivos perversos?" (Tg 2.2-4). Preciso ser honesto com você: parece-me que faz total sentido aquilo que Tiago confronta na prática das igrejas nessa situação. E aposto que para você também.

Imagine, por um instante, uma igreja em dificuldades em uma das partes menos religiosas dos Estados Unidos, por exemplo, o Noroeste do Pacífico. Toda semana, a pequena congregação ajeita as cadeiras dobráveis no auditório alugado de uma escola, monta o sistema de amplificação sonora improvisado, o púlpito e a bateria. E toda semana o pequenino rebanho deposita um pequeno valor nas salvas do ofertório, uma quantidade que cobre somente o aluguel de mais uma semana. Certa manhã, porém, um executivo mundialmente famoso da área da computação, um dos empresários mais ricos do mundo inteiro, entra pela porta dos fundos. Você depara com o rosto que já viu em revistas de negócios e manuais de liderança, o mesmo que já escutou falar sobre investimentos, estratégias econômicas e filantropia global na televisão. Você não pararia o que está fazendo para cumprimentá-lo e agradecer por sua presença? Se as cadeiras estivessem lotadas com "pessoas comuns", você não pediria a alguém que abrisse mão do lugar a fim de acomodar esse homem e sua família? Isso não faria sentido? Afinal, e se ele aceitasse a Cristo?

Não seria um testemunho poderoso para sua comunidade de que o cristianismo não é coisa de perdedores ou de fracos supersticiosos? E se o multibilionário aprendesse a devolver o dízimo? Pense nos missionários que a igreja poderia enviar para os povos não alcançados! Pense nas vidas que poderiam ser salvas em nome de Cristo por meio da purificação da água e do alívio à fome! Isso faz muito sentido. Eu sei. Mas a Bíblia diz que não.

As igrejas achavam que eram politicamente estratégicas ao demonstrar parcialidade para com os ricos e poderosos, aqueles cuja influência poderia conferir posição social à igreja e talvez poupá-la de perseguição e marginalização. O problema não era serem politicamente estratégicas demais, mas, sim, não serem politicamente estratégicas o suficiente. Não conseguiam ver os próximos trilhões de anos à frente. "Não foi Deus que escolheu os pobres deste mundo para serem ricos na fé? Não são eles os herdeiros do reino prometido àqueles que o amam?" (Tg 2.5). Note que o favor de Deus não repousa sobre os pobres simplesmente porque são pobres. Eles são "ricos na fé". Todavia, os herdeiros do reino não entram ali por acidente, mas por iniciativa e pelo chamado de Deus. Paulo orientou a igreja de Corinto a se lembrar: "Onde ficam os sábios, os eruditos e os argumentadores desta era? Deus fez a sabedoria deste mundo parecer loucura" (1Co 1.20). Por que isso é importante? Porque o reino é impulsionado pelo evangelho, e o evangelho é definido pela peculiaridade. A sabedoria e o poder de Deus não são definidos pelo modo como as culturas humanas concebem sabedoria e poder. A sabedoria e o poder de Deus não são coisas que estimulam a ambição humana; na verdade, nem são coisas. A sabedoria e o poder divinos são pessoais; aliás, eles são uma Pessoa: Jesus de Nazaré (1Co 1.24), que é uma pedra de tropeço capaz de atravessar as barreiras culturais de judeus e gregos (1Co 1.23).

> Isso faz muito sentido. Eu sei. Mas a Bíblia diz que não.

Certa vez, li um livro sobre liderança escrito por um executivo no qual ele destacava a importância de sempre fazer amizade com os estagiários da firma. Sua intenção não era movida por compaixão ou bondade, mas, sim, por interesse próprio maquiavélico. Afinal, aconselhou, você não sabe para onde esses estagiários irão na vida. Um deles pode fazer uma escalada meteórica na hierarquia empresarial e ser seu chefe um dia. Você deve ser gentil com aqueles que trazem seu cafezinho porque, quando menos esperar, um deles pode estar responsável por sua avaliação anual de desempenho no trabalho.

Isso é meio insensível, preciso admitir. Mas não é tolo. E, em certo sentido, é esse o argumento de Tiago. O reino de Deus muda a cultura da igreja ao nos mostrar uma visão mais ampla de quem é importante e quem está no comando.

O reino de Deus vira de cabeça para baixo a narrativa darwinista da lei da sobrevivência do mais forte (At 17.6-7). Quando a igreja honra e se importa com os vulneráveis ao nosso redor, não estamos sendo caridosos, mas apenas reconhecendo de que modo o mundo realmente funciona, pelo menos no longo prazo. A criança com síndrome de Down nas últimas fileiras da igreja não é um "projeto de ministério", mas um futuro rei do universo. A mulher imigrante que se ajoelha todos os dias para lavar banheiro dos outros e mal sabe falar nossa língua para cantar junto com a congregação no momento de louvor não é um problema a ser resolvido. É uma futura rainha do cosmo, co-herdeira com Cristo.

O testemunho cultural mais importante que a igreja dá não é levantar diretores, escritores, artistas, empresários e políticos cristãos, muito embora devamos trabalhar para discipular pessoas de todas as arenas da vida, bem como incentivá-las. Em vez disso, nossa tarefa cultural mais importante é crucificar nosso darwinismo incipiente, no qual os líderes de dentro da colônia do reino são os mesmos do lado de fora, como se não houvesse Deus no universo. O primeiro passo para ter influência cultural não é se contextualizar ao presente, mas se contextualizar ao futuro, e o futuro é terrivelmente estranho, até mesmo para nós.

Muitos, inclusive algumas pessoas que eu respeito, tentam corrigir os erros do passado — tanto da direita quanto da esquerda — argumentando que os cristãos devem influenciar a cultura por meio do reconhecimento de como a cultura funciona, do topo para a base, mediante o trabalho de uma elite moldadora da cultura, que a filtra para as massas. Estão certas no sentido de que o mundo funciona assim e de que as tentativas do cristianismo de imitar a cultura por meio de imitações cristãs "genéricas" da cultura dominante não fazem nada para "engajar" a cultura. Com frequência, os movimentos cristãos políticos são populistas e anti-intelectuais, tentando encontrar *slogans* para a "base", em lugar de persuadir a cultura. Isso é verdade. Mas quando existe um fascínio grande demais com o engajamento em formas elitizadas de influência cultural, política ou econômica, é fácil acabar nos afastando do reino.

Não faz muito tempo, um amigo cristão de um grande centro urbano reclamou de todos os plantadores de igrejas em sua cidade que chegavam com o sotaque do sul dos Estados Unidos. Argumentou que a população cosmopolita considerava o sotaque sulista atrasado, ignorante e da roça. Pode até ser injusto, disse ele, mas é assim que as coisas são. Por isso, precisamos enviar intelectuais urbanos capazes de defender o evangelho com um nível de sofisticação e classe cultural reconhecidos pelas pessoas da região a fim de que consigam ganhar espaço.

Na esfera sociológica, isso faz muito sentido para mim. Sem dúvida, já vi plantadores de igrejas que foram para o norte do país e construíram congregações que se assemelham a uma redoma do Cinturão da Bíblia, reunindo outros sulistas para cantar hinos familiares e tomar chá gelado juntos. Todavia, por mais que seja uma boa estratégia de correção do ponto de vista sociológico, não é o que Jesus faz.

Deus se importa sim com as grandes cidades. Com o avanço do evangelho, Deus mandou a mensagem para o centro cultural e político do império — a cidade eterna de Roma. Mas o esforço de plantar igrejas em Roma foi dirigido por um pescador de cidade pequena, com o sotaque mais retrógrado possível, claramente galileu (Mt 26.73). Para alcançar a cidade filosoficamente sofisticada e culturalmente xenofóbica de Atenas, Deus não enviou um filósofo grego versado nos textos pré e pós-socráticos, mas um construtor de tendas judeu, instruído nos rolos monoteístas no judaísmo do segundo templo (At 17.16-24). O ponto central aqui é a distinção entre o gênio e o apóstolo, traçada por Søren Kierkegaard.[2] O gênio chama atenção por causa de sua influência ou de seu brilhantismo. Já o apóstolo chama atenção porque é enviado com uma mensagem que, por si só, carrega autoridade.

A igreja não é edificada sobre o alicerce rochoso de gênios e influenciadores, mas, sim, de apóstolos e profetas. Isso não deveria ser motivo de surpresa, já que o reino não é maior do que o rei e o corpo não é maior do que a cabeça. Diante do evangelho, a reação natural de qualquer cultura é: "Pode vir alguma coisa boa de Nazaré?" (Jo 1.46). Isso era verdade, pare e pense, até mesmo em Nazaré (Lc 4.24). E o contra-argumento natural da igreja é: "Venha e veja você mesmo" (Jo 1.46). O reino de Deus desponta em favelas e campos de refugiados. Isso não deveria nos surpreender. O reino chega até nós não a partir de uma sala de reuniões ou de uma sociedade literária, mas, sim, de um comedouro para animais e de um madeiro para execução.

> O reino chega até nós não a partir de uma sala de reuniões ou de uma sociedade literária, mas, sim, de um comedouro para animais e de um madeiro para execução.

Talvez a melhor maneira de conquistar influência seja perdendo-a. O mandato cultural de Gênesis (1.28) continua em vigor e se aplica a todos. Precisamos de cristãos para ser "sal" e "luz" em todos os aspectos de artes, ofícios, política e liderança de pensamento, não só nos que parecem "igrejeiros" ou "cristãos". Mas a ordem cultural estava enraizada em um templo-santuário jardim, em comunhão com Deus. O templo hoje existe dentro do corpo de Cristo, a igreja. Para os cristãos, nossa consciência e nossos padrões de pensamento são formados juntos, por meio da vida juntos na comunidade do reino. Nossas intuições morais devem então ser formadas por igrejas que reflitam as prioridades e a constituição do reino de Cristo.

Qual seria o impacto se nossas estruturas de liderança dentro da igreja não fossem tão previsíveis quanto as de qualquer outra organização? E se as imagens em nossas publicações e plataformas digitais não fossem sempre as que atendem os padrões de atração física da cultura dominante, reforçando sutilmente assim a mensagem de que as supermodelos herdarão a terra? E se, em vez disso, elas retratassem aqueles que o mundo talvez considere gordos, feios ou estranhos, mas que levam consigo um manto de maturidade espiritual? E se nossas igrejas não fossem divididas pelas mesmas categorias econômicas, raciais, políticas e geracionais que deveriam nos unir mesmo que Jesus não estivesse vivo? Qual seria o impacto, em nossa igreja, se um zelador que recebe salário mínimo mentoreasse o executivo multimilionário do restaurante onde ele limpa banheiros, porque o zelador mentor tem a sabedoria espiritual de que seu patrão mentoreado necessita? Pareceria terrivelmente estranho, mas não mais do que um nazareno crucificado governando o universo. A peculiaridade dessa realidade congregacional vivenciada pode remodelar consciências e nos transformar pela renovação de nossa mente (Rm 12.2).

A proclamação cultural está ligada à demonstração e vice-versa. Ela fala primeiramente de maneira interna à igreja, lembrando-nos de como nos conformamos ao padrão desta era, mesmo sem perceber. Os aspectos mais perigosos da cultura ao nosso redor não são os que compõem os debates mais acalorados das "guerras culturais" do momento. As questões mais perigosas são as que nem debatemos, pois sequer pensamos em desafiá-las.

Os moradores de Nazaré encontravam esperança para si nas palavras de Isaías, já que eram pobres, oprimidos e cativos. Jesus os confrontou com a realidade de que eram tão sedentos por poder quanto seus senhores incircuncisos — apenas não tinham recursos no momento para realizar suas vontades. Nosso testemunho cultural não é meramente uma forma de brigar com o mundo. Nós somos o mundo. Somos as pessoas contra quem Jesus nos advertiu. Nosso evangelho apreende primeiro a cultura, com um reino que é estranho demais para compreendermos.

Engajamento cultural centrado no reino

A cidade natal de Jesus não sabia o suficiente sobre o reino para ficar alarmada com ele. Nem eu. Nós, cristãos, tendemos a fazer exatamente o mesmo que nossos antepassados: nos alarmamos com o que deveria nos confortar e nos confortamos com o que deveria nos alarmar. A doutrina da eleição, por exemplo, é motivo de grande temor entre muitos cristãos que se perguntam se passagens sobre "predestinação" podem significar que, de algum modo, eles acabarão excluídos das promessas de Deus no último dia por causa de alguma cláusula invisível e inescrutável do Livro da Vida. Os cristãos argumentaram ao longo de quase toda a história da igreja sobre a relação entre a soberania divina e a liberdade humana, mas seja qual for o significado da doutrina da eleição, podemos ter a seguinte certeza: a doutrina da eleição divina nas Escrituras tem o objetivo de deixar as pessoas mais seguras da fidelidade divina, não mais inseguras.

Em contrapartida, muitos cristãos agem como se o Sermão do Monte fosse confortador — uma lista de máximas de sabedoria para fazer crochê e pendurar na parede. Todavia, o Sermão do Monte deveria nos aterrorizar.

Jesus articulou a retidão do reino — que tipo de pessoa devemos ser para herdá-lo. E é devastador. Ele destacou que a lei de Deus não diz respeito somente à obediência exterior, mas à direção de nossa psique. Não só aquele que trai furtivamente é adúltero, mas também quem está inflamado de desejo por quem não deveria. Não só o homicida fugitivo é assassino, mas também quem está amargo de ódio. Se entendermos de verdade o que Jesus estava dizendo, ficaremos arrasados!

As pessoas daquela época e da nossa também dão as boas-vindas ao futuro, contanto que o futuro seja uma extensão de tudo de que gostamos em nossa vida agora, apenas estendido para a eternidade, sem nada para nos deter. Contudo, foi exatamente por causa disso que a humanidade recebeu sentença de morte: para evitar uma extensão de nossa morte espiritual para sempre, como se fôssemos zumbis. A cultura do reino não é um meio de avançar nosso senhorio sobre a própria vida, mas, sim, de arruiná-lo.

A cultura do reino não é uma projeção de nossa vida atual para a eternidade. Pelo contrário, trata-se da visão de uma nova criação que nos quebra e nos prepara para nossa herança ao nos moldar agora de acordo com a vida do herdeiro da criação: o próprio Jesus. Com uma visão do reino, reconhecemos que as prioridades do sistema mundial presente diferem das da era por vir. É por isso que Jesus contrastou as práticas dos dominadores romanos com o estilo de vida do reino, no qual os últimos serão os primeiros e os primeiros, os últimos (Lc 22.24-27). E é por isso que Jesus disse, de maneira extraordinária, que são "bem-aventurados" os oprimidos, perseguidos e marginalizados desta era. Essa foi a visão do reino que ele expôs em sua cidade natal: boas-novas para os pobres, liberdade para os cativos e visão para os cegos. Não fosse essa visão telescópica da história, seríamos tentados a julgar o valor de algo ou alguém em termos de força, utilidade ou poder. Isso deve mudar nossas prioridades e reorientá-las na direção para a qual o universo está se dirigindo, em vez de deixá-las onde ele se encontra agora.

É por isso que o primeiro passo para um engajamento cultural com foco no reino é a retomada da prática da disciplina eclesiástica. O apóstolo Paulo escreveu: "Não cabe a mim julgar os de fora, mas certamente cabe a vocês julgar os que estão dentro" (1Co 5.12). É importante deixar claro que Paulo não usou a palavra *julgar* da mesma maneira que nossos contemporâneos. Não equiparava "julgamento" com discernimento moral, uma vez que, neste texto, estava discutindo o que era tolerado ou não entre os pagãos (1Co 5.1). Confrontamos os de fora com seu pecado porque é isso que a pregação do evangelho faz. Recebemos a seguinte ordem: "Não participem dos feitos inúteis do mal e da escuridão; antes, mostrem sua reprovação expondo-os à luz" (Ef 5.11). Ao falar em julgar, Paulo está dizendo que não delegamos para os de fora a disciplina do corpo (1Co 5.3-5). As várias penas de morte encontradas no Israel do Antigo Testamento não se traduzem em políticas públicas, pois a grande nação de Israel se cumpre não no estado, mas na igreja, e Jesus destituiu a igreja de qualquer domínio sobre o mundo eterno. A mesma linguagem aplicada à pena de morte do Antigo Testamento é usada no Novo para falar da excomunhão da igreja e da exclusão da ceia do Senhor (1Co 5.13; Dt 13.5). Ao incluir alguém que não havia se arrependido de seus pecados e o chamar de "irmão", a igreja estava pregando um evangelho falso. Também era culpada de uma visão defeituosa do futuro. A condição de membro, a comunhão e a reunião em torno da ceia do Senhor demonstravam a constituição do reino vindouro. Assim, a recusa a disciplinar o corpo proclamava que o imoral impenitente herdaria o reino de Deus (1Co 6.9-10). Somos responsáveis por quem está do lado de dentro e temos a missão de pregar para quem está fora com persuasão e missão.

Nossa tendência é fazer exatamente o contrário. Insultamos a cultura externa e falamos em termos apagados e ambíguos sobre o que é comum em nosso meio. Atacamos as heresias políticas e culturais de fora, mas permanecemos em silêncio diante de heresias doutrinárias do lado de dentro. Isso acontece porque estamos buscando o reino errado em primeiro lugar.

O testemunho contracultural da igreja sobre o reino não significa que a igreja é meramente uma contracultura. A igreja foi chamada para existir dentro de uma cultura. Os cristãos que chamam a igreja a um engajamento social e cultural fazem um apelo correto à ordem de Jesus de que a igreja deve ser "sal" e "luz" do mundo (Mt 5.13-16), conservando o que é bom e iluminando o que está oculto nas trevas. Muitas vezes esquecemos, porém, que essa imagem une as testemunhas interna e externa da igreja, o chamado tanto à proclamação quanto à demonstração. Israel deveria ser "luz do mundo", enviando uma luz que atrairia as nações para si, ensinando-as a andar nos caminhos do Senhor (Is 2.2-5; 49.6; 60.3). Jesus aplicou essa linguagem primeiro a si; ele é a luz do mundo (Jo 8.12; 9.5). Ele é o Israel para quem convergem as nações, trazendo consigo, assim como Isaías profetizou, ouro e incenso (Is 60.6; Mt 2.10-11). Ele é a luz que brilha das trevas da Galileia dos gentios (Is 9.1-2). Essa luz, que ilumina a Cidade de Deus para sempre, agora reside dentro da igreja. Não pode ser uma mera questão interna, não pode ser escondida debaixo de um cesto, mas precisa brilhar ao mundo exterior "para que todos as vejam e louvem seu Pai, que está no céu" (Mt 5.14-16). Isso faz a ponte entre o interno e o externo. O sal precisa ter sabor, caso contrário não tem utilidade para o mundo (Mt 5.13). E a luz da igreja é ancorada ao candeeiro entre as igrejas (Ap 1.20). A ordem doutrinária e moral interna da igreja é uma questão missionária. Sem ela, a presença de Cristo vai embora, o candeeiro é removido (Ap 2.5) e, com ele, a luz que brilha no mundo. A igreja que perde sua singularidade é uma igreja sem nada distintivo para se engajar na cultura. Uma igreja mundana não faz bem nenhum para o mundo.

A igreja é uma sociedade alternativa, uma colônia do reino, mas a igreja não é uma redoma isolada. "Procurem viver de maneira exemplar entre os que não creem. Assim, mesmo que eles os acusem de praticar o mal, verão seu comportamento correto e darão glória a Deus quando ele julgar o mundo" (1Pe 2.12).

> A igreja que perde sua singularidade é uma igreja sem nada distintivo para se engajar na cultura.

A igreja é uma família alternativa, a casa de Deus (1Tm 3.15), mas não nega a responsabilidade da família natural. Em vez disso, tanto reforça a importância da família (Ef 5.22—6.4; 1Tm 5.8), quanto limita a lealdade a ela (Mt 12.46-50; Lc 9.59-62; 12.52-53). O mesmo se aplica à igreja como cultura e cidade. Cultivamos igrejas que servem como modelo, por mais imperfeito que seja, do reino de Deus. É com base nisso que falamos ao mundo exterior sobre as prioridades desse reino. Não só defendemos a agenda do reino, como também a personificamos.

Esse tipo de engajamento necessariamente cria conflitos dentro e fora. Jesus continuou pregando até sua cidade natal passar da bajulação à ira. Então fez o mesmo com o restante da nação e do mundo. Não devemos buscar uma presença cultural nervosa e briguenta, mas tampouco devemos tentar interagir com a cultura com o tipo de evangelho que esta apreciaria caso as pessoas de fora ou nós mesmos o tivéssemos inventado. Várias tentativas de conciliar o cristianismo com a cultura externa têm a ver com o desejo de ser considerado "relevante" pela cultura nos próprios termos desta. Jamais seremos capazes de fazer isso. A cultura é uma pedra a rolar que não espera nenhum bando de cristãos que tenta imitá-la ou dissecá-la.

Alguns destacam o discurso do apóstolo Paulo em Atenas, perante o Areópago, no qual citou versos de poetas pagãos e a arquitetura de templos pagãos. Argumentam que os cristãos devem seguir Paulo e tentar "construir uma ponte" com a cultura, encontrando "elementos em comum" por meio dos quais podemos atrair seu interesse e comunicar o evangelho. Todavia, tais esforços com frequência ignoram o contexto do que aconteceu ali. Paulo não começou falando em Atenas com a ideia "em comum" de um deus genérico para depois incluir Jesus de Nazaré em seu raciocínio. Ele estava ali porque havia despertado uma controvérsia após pregar a respeito "de Jesus e da ressurreição" (At 17.18), anunciando aos filósofos gregos a mesma coisa que havia anunciado aos rabinos judeus. Ele começou e terminou com a garantia de que Deus trará juízo por meio da ressurreição de Jesus dentre os mortos (At 17.31).

Sim, Paulo reparou no altar ao desconhecido e também citou poetas pagãos. Ele o fez, porém, não a fim de construir uma ponte com aquilo que eles já sabiam, mas, sim, para lhes mostrar que até eles sabiam que suas crenças eram contraditórias. O altar ao deus desconhecido revela que eles reconheciam a existência de alguns limites para seu conhecimento do divino. Como vocês podem afirmar que os deuses moram em seus templos, perguntou ele, se até seus próprios eruditos afirmam que o divino não pode ser contido em edifícios construídos por mãos humanas?

Paulo sistematicamente questionava facetas centrais da cultura e do pensamento grego, desafiando com ousadia o orgulho desse povo, ao apontar para a ancestralidade comum da humanidade, toda ela proveniente de um só homem. Além disso, afrontou as bases culturais dos atenienses ao retomar vez após vez o tema da ressurreição corpórea. Nada era mais assustador e esquisito para o pensamento grego, fosse de vertente epicurista ou estoica, uma vez que ambas tentavam combater o temor da morte por meio da separação entre a prisão do corpo que morre e o espírito que sobrevive. Paulo, no Areópago, fez o mesmo que Jesus na sinagoga de sua cidade natal. Ambos conheciam o público e buscaram engajá-lo de maneira significativa. Jesus antecipou o que diriam e no que estavam pensando. Paulo fez o mesmo. Ambos citaram máximas e provérbios que os ouvintes reconheceriam. Contudo, não o fizeram para impedir a crise, mas, sim, para provocá-la. Ambos continuaram a falar até o público sentir total estranhamento. Nenhum deles escondeu dos ouvintes o que achariam mais esquisito culturalmente.

Aquilo que mais precisamos entender no encontro de Atos 17 é a reação dos atenienses. Lucas escreve que o que chamou a atenção dos ouvintes não foram as pontes que Paulo construiu com sua cultura, ao citar autores locais. No fim das contas, o que chamou a atenção deles foi o mesmo que os atraiu a princípio, isto é, Jesus e a ressurreição: "Quando ouviram Paulo falar da ressurreição dos mortos, alguns riram com desprezo. Outros, porém, disseram: 'Queremos ouvir mais sobre isso em outra ocasião'" (At 17.32). Muitas vezes, na raiz de nosso engajamento com a cultura, encontramos certa vergonha pela excentricidade do estranho mundo bíblico de cobras falantes, mares abertos e sepulturas vazias. Contudo, sem essas esquisitices distintivas, para que serviria o cristianismo?

Conclusão

Estou cada vez mais convencido de que a próxima geração de testemunhas cristãs será menos semelhante aos jovens do Cinturão da Bíblia com os quais convivi no início de meu ministério, que sabiam de cor a profissão de fé mas escondiam a própria rebelião. A próxima geração nos confrontará mais com o segundo tipo de perdidos, aqueles para quem o testemunho cristão — até em sua forma mais básica — parece estranho, irrelevante, antiquado e excêntrico. Jesus não escondeu as esquisitices da cultura do reino, tampouco devemos nós. Ouçamos o que a cultura está dizendo, escutando, por baixo do verniz da indiferença, o medo de um povo que sabe que o dia do juízo virá, pois isso está escrito em seu coração (Rm 2.15-16). Ouçamos por trás do cinismo e identifiquemos os anseios expressos pela cultura, os quais só podem se cumprir mediante o reinado de um rei-carpinteiro nazareno. Desconstruamos aquilo que eles e nós dizemos para nós mesmos que não faz sentido.

Mas não paremos por aí. Corramos não contra, mas em direção à excentricidade do antigo evangelho de um Messias que foi expulso da própria cidade natal, mas que, estranhamente, saiu andando da própria sepultura. De verdade!

Façamos, porém, ainda mais do que isso. Vivamos juntos em igrejas que chamam a sociedade a levar em conta a justiça e a retidão que veem demonstradas em nosso meio. Testemunhemos (mesmo que de maneira oscilante e imperfeita) sobre como o universo inteiro será um dia. Demonstremos nosso sofrimento diante de toda a destruição à nossa volta, neste mundo repleto de divórcios judiciais, clínicas de aborto e câmaras de gás, e oremos pelo dia em que todos os inimigos estarão derrotados e Cristo de fato será Senhor. Demonstremos na estrutura, no ministério e no testemunho de nossas congregações o que importa e quem importa no longo prazo. Confrontemos a cultura com o evangelho, em toda sua excentricidade, tanto dentro quanto fora da igreja. E sejamos exemplo do que acontece com a cultura quando o reino nos interrompe no meio do caminho, caso o estejamos trilhando por conta própria. Não sejamos apenas defensores de causas; em vez disso, personifiquemos um reino. Não tenhamos a aspiração de ser a maioria moral, mas, sim, uma comunidade do evangelho, que não existe para si, senão para a missão mais ampla de alcançar o mundo inteiro com o evangelho inteiro. Esse tipo de engajamento cultural que coloca o reino em primeiro lugar nos impulsiona não para dentro, mas avante.

5
Missão

Estamos acostumados a ver evangélicos e católicos reunidos do lado de fora de clínicas de aborto, orando nas calçadas em protesto. Andam pelas calçadas de cimento que marcam o caminho da forca para quem não tem voz — e o fazem juntos. O movimento pró-vida felizmente tem mobilizado um ecumenismo das trincheiras, uma vez que pessoas de perspectivas diferentes trabalham juntas em busca de proteger a vida humana.

Mas existe também uma realidade mais sombria, um ecumenismo de espécie diferente — o ecumenismo da sala de espera. Não costumamos pensar em como evangélicas e católicas estão sentadas dentro dessas mesmas clínicas de aborto, aguardando na antessala para dar fim a sua gestação. Quem trabalha nas clínicas de aborto às vezes relata que suas clientes não costumam ser feministas ativistas secularizadas, mas, sim, mulheres jovens da paróquia de São José ou do grupo de jovens da primeira igreja batista. Elas não estão ali argumentando que a vida em seu ventre é um "feto" impessoal ou um "aglomerado de tecidos celulares". Referem-se a essa vida não como algo neutro, mas como "ele" ou "ela", não como "gravidez", mas como um bebê. Provavelmente se consideram pró-vida, e é assim que votariam. Mas quando se veem grávidas e em crise, esperam, juntas, pela terrível solução cirúrgica.

Contam-me que essas jovens muitas vezes falam sobre Deus. As católicas dizem que sabem que aquele é um pecado mortal, mas irão se confessar. As evangélicas dizem que sabem que é moralmente errado, mas já oraram para aceitar a Cristo e, "uma vez salvo, salvo para sempre". Apesar de todas as diferenças em nosso conceito de salvação, que vêm desde as teses afixadas à porta da Catedral de Wittenberg, na sala de espera os dois grupos compartilham uma doutrina comum da graça: "Continuaremos pecando para que a graça aumente" (Rm 6.1, NVI). E aguardando essas mulheres estão aqueles que, com diploma de medicina e a consciência cauterizada, prometem "consertar" seus problemas, para que possam dar continuidade à vida que levavam até então — quem sabe até mesmo sentadas no mesmo banco de igreja. O centro cirúrgico estéril traz consigo uma paródia implícita sombria das palavras: "Venham a mim todos vocês que estão cansados e sobrecarregados, e eu lhes darei descanso" (Mt 11.28).

Esse cenário, assim como milhares de outros, se encontra na interseção entre retidão pessoal e justiça pública. Dentro daquelas paredes, um procedimento cirúrgico alveja tanto vidas humanas inocentes quanto consciências humanas, tudo isso coberto por narrativas que fazem a questão parecer uma boa-nova. Em um mundo de violência, ódio e opressão, um quase-evangelho e uma missão pela metade não bastam para moldar uma consciência forte o bastante para clamar com testemunho profético. O reino de Deus deve remodelar nossa visão do que importa e de quem importa, uma visão personificada nas comunidades de formação da psique conhecidas como congregações locais. Todavia, essa cultura do reino não se isola da destruição do lado de fora. A cultura do reino é impulsionada avante e para fora pela missão. A missão é uma questão de reconciliação, da humanidade para com Deus e uns para com os outros. Envolve tanto evangelho quanto justiça, tanto redenção pessoal quanto ordem social. Uma missão de redenção que não muda nosso lugar em um sistema injusto é segura demais, assim como uma missão de ativismo social que não mexe em nossa culpa perante um Deus santo. Se somos seguidores de Cristo vamos aonde quer que ele nos leve, e isso nos conduzirá a lugares conflituosos, por causa de controvérsias que surgem, em primeiro lugar, em nosso coração protetor de ídolos.

Missão centrada no evangelho

No sermão inaugural de Jesus em Nazaré, havia perguntas por toda parte, tanto expressas quanto veladas. A indagação: "Não é esse o filho de José?" (Lc 4.22) estava por trás de todo o episódio. A princípio, era uma questão de orgulho da cidade: "Dá para acreditar que um dos nossos sabe falar assim?". Mas Jesus previu os questionamentos não expressos: "Por que você não faz aqui o que fez nos outros lugares e traz bênçãos para os seus?". Jesus respondeu às perguntas confrontando-os com estrangeiros e com a estranheza de Deus. Afirmou que não havia falta de viúvas em Israel quando Deus mandou o profeta Elias para uma viúva de fora do arraial em Sidom, a fim de cuidar dela durante a fome e ressuscitar seu filho (1Rs 17.8-24). Não havia falta de leprosos em Israel quando Deus mandou o profeta Eliseu ministrar a um leproso de fora do arraial, proveniente da Síria, a fim de purificá-lo de sua enfermidade (2Rs 5.1-14). Ao citar essas histórias, extraídas das Escrituras do povo, Jesus estava fazendo as indagações dele próprio.

A missão de Cristo deparou com o mesmo tipo de questionamento repetido em todo seu ministério. Em um desses encontros, Jesus retomou com um indivíduo aquilo que tinha dito a sua congregação. Depois de enviar os discípulos, com a unção do Espírito, em uma missão às aldeias vizinhas, Jesus inseriu a missão no contexto do reino de Deus. Agora Deus estava revelando o que ficara escondido por muito tempo, e os poderes que os discípulos testemunhavam eram resultado de um triunfo mais amplo: a queda de Satanás, como relâmpago do céu (Lc 10.17-24). Em meio à multidão, um especialista na lei se levantou para interrogar o mestre. Sua primeira pergunta foi a mais importante: "Quais são as boas-novas?".

Aqui estava um homem instruído nas minúcias da lei que Deus entregou a Israel por intermédio de Moisés, no monte Sinai. Ele fez uma pergunta que, à primeira vista, parece uma questão simples de evangelismo: "Mestre, o que preciso fazer para herdar a vida eterna?" (Lc 10.25). Seria de se esperar que Jesus respondesse assim como Paulo e Silas quando ouviram a mesma indagação do carcereiro filipense: "Creia no Senhor Jesus, e você e sua família serão salvos" (At 16.31). Mas não foi isso que Jesus fez. Ele se aprofundou ainda mais no assunto de especialidade do homem, a lei, assim como havia se aprofundado, em sua cidade natal, no ponto de conhecimento dos habitantes, os profetas. O homem reconheceu que a lei poderia ser resumida da seguinte maneira: "'Ame o Senhor, seu Deus, de todo o seu coração, de toda a sua alma, de toda a sua força e de toda a sua mente' e 'Ame o seu próximo como a si mesmo'" (Lc 10.27). Jesus basicamente deu de ombros e disse: "É isso aí. Vá em frente e coloque em prática".

A diferença entre esse especialista na lei e o carcereiro filipense é uma só: o desespero. Após um terremoto no qual o poder de Deus abalou o trabalho de sua vida, o carcereiro deparou com uma crise e clamou por livramento. O especialista via a questão do evangelho como um meio para um fim. Assim como os líderes religiosos ao seu redor, ele queria "pôr Jesus à prova" (Lc 10.25). A pergunta sobre o evangelho era uma forma de levar o novo mestre a cair em uma armadilha e, dessa maneira, manter o *status quo*. No âmago da entrevista, estava a tentativa do especialista na lei de se "justificar" com suas indagações (Lc 10.29), caminho que jamais leva à vida eterna (Rm 3.20). Jesus fez, com o especialista na lei, aquilo que ele sempre faz: provocou uma crise a fim de arar um campo de ídolos e chegar à consciência.

Em seu sentido direto, a pergunta era crucial. O futuro do testemunho social cristão não pode presumir o evangelho, mas precisa articulá-lo de forma explícita e coerente, não como mera frase de efeito no fim de nosso ativismo, mas, sim, como o motivo que nos leva a praticá-lo. Uma razão que leva alguns cristãos focados no evangelho a se esquivar de ações sociais e do engajamento político é exatamente o fato de terem visto de maneira persistente na história aqueles que substituem o evangelho por moralidade pública ou justiça social.

> O futuro do testemunho social cristão não pode presumir o evangelho, mas precisa articulá-lo de forma explícita e coerente.

Algumas dessas tentativas que se afastam do evangelho em forma de ativismo na direita ou na esquerda têm consciência teológica. Por exemplo, o evangelho social dos Estados Unidos antes da Primeira Guerra Mundial falava sobre evangelismo pessoal e missões mundiais, mas somente como um meio para a finalidade de "cristianizar" um local do mundo, visando realizar uma reforma social. Muitos liberais da época acreditavam que o cristianismo monoteísta, com a ética pautada pela regra áurea de fazer aos outros como quer que façam com você, era a coluna de evolução da religião humana. Ao compartilhar o evangelho, eles "civilizariam" os "pagãos" do mundo inteiro, a fim de transformar o planeta em um lugar seguro para paz, democracia, mais políticas industriais e residenciais, e assim por diante.

O mesmo raciocínio se encontra nos grupos de direita de anos recentes, expresso por aqueles que conclamam esforços para evangelizar o mundo islâmico, com apelos mais voltados para livrar o país do terrorismo do que para ver os muçulmanos de fato conhecerem a Cristo.

O evangelho social e as várias teologias da libertação que surgiram desde então com frequência nos dizem que o cristianismo não é um mero conjunto de declarações doutrinárias — e eu concordo. Insistem, em alta voz, que o reino de Deus é muito mais do que "ir para o céu quando morrer" — e também preciso concordar.

O problema é que essas teologias minimizam a importância da culpa e conversão pessoal, a ponto de substituir o cerne das boas-novas do reino — a mensagem sobre a figura histórica de Jesus, que encarnou, realizou uma obra de expiação, ascendeu ao céu e cumpriu sua missão. Eles falam sobre o reino, mas, assim como Nicodemos, querem esconder em sussurros na calada da noite a declaração chocante: "Eu lhe digo a verdade: quem não nascer de novo, não verá o reino de Deus" (Jo 3.3).

Outros substituem as boas-novas do reino pelo mesmo tipo de evangelho social e político, não por meio do desenvolvimento de uma teologia alternativa, mas simplesmente evitando-a o máximo possível, reduzindo-a apenas à forma mínima necessária para sobreviver. O resultado é que o Jesus de esquerda começa a soar como um líder sindical, e o Jesus de direita mais parece um *viking*. Ambos os grupos caem na velha armadilha de procurar um faraó ou césar, em lugar de um Messias. E, nas duas situações, os grupos que aceitam esse evangelho distorcido acabam, vez após vez, pisoteando a antiga convicção cristã.

Não é de se espantar que as pessoas atraídas ao cristianismo, não à segurança da redoma do Cinturão da Bíblia, mas, sim, à excentricidade alarmante de um evangelho radicalmente transformador, queiram fazer tudo quanto possível para proteger o evangelho da política e da organização social. Contudo, ao fazer uma divisão contundente entre evangelho, sociedade e política, acabam correndo exatamente para aquilo que estavam tentando evitar. São semelhantes ao homem que fuma três maços de cigarro por dia para manter os pulmões limpos e não morrer de câncer de pulmão, assim como o pai. O cristianismo americano focado no evangelho e centrado na missão pode se tornar não só separatista e isolacionista, mas também igualmente idólatra na esfera política, embora em uma direção diferente, tudo isso enquanto repete para si mesmo que está evitando as guerras culturais ou o evangelho social. Essa tentação se revela na segunda pergunta feita pelo especialista na lei: "E quem é o meu próximo?".

Tanto pessoal quanto público

A pergunta não girava em torno de minúcias. Ela veio de uma consciência culpada, que lutava com toda força para se justificar. Jesus redirecionou a consciência dele para as demandas da lei, e nenhuma consciência é capaz de resistir diante de uma prestação de contas honesta nessa área. Afinal, o especialista sabia que aquele que quebra a lei em um só ponto é um transgressor (Tg 1.10-11). Ele estava à procura de uma brecha de contrato, de uma provisão que abaixasse o padrão de retidão e justiça divina a um nível que ele conseguisse alcançar. O mestre da lei desejava exatamente o mesmo que a multidão da cidade de Jesus: uma vida longa, livre dos obstáculos em seu caminho. Mas Jesus reconhecia que isso não é vida de verdade, e sim uma existência de zumbi, uma morte espiritual com um apetite crescente, sem nenhuma misericórdia em vista, exatamente a razão que levou Deus a impor a morte física por causa do pecado no princípio (Gn 3.22-24). Tanto a aldeia quanto o especialista na lei desejaram conversar com Jesus para ver se ele poderia lhes dar a vida que queriam. Mas Jesus tinha suas próprias perguntas a fazer. Ele não viera para entrar na vida que já tinham, mas para destruí-la e convidá-los a entrar na vida dele.

E Jesus fez pelo mestre da lei exatamente o mesmo que havia realizado para seus conterrâneos. Retratou a vontade de Deus representada por aqueles que estavam de fora, às margens da vida de Israel. Jesus respondeu à pergunta sobre as responsabilidades quanto ao próximo contando a história de um homem surrado por ladrões e deixado à beira da estrada de Jericó. Líderes religiosos passaram de largo, caminhando na outra direção. Eles não eram vilões, pelo menos não de forma óbvia. Estavam apenas demonstrando bom senso. A presença de um homem espancado quase até à morte era um sinal de que os salteadores assassinos podiam estar em algum lugar das cavernas ao redor. Provavelmente não se tratava de uma questão de ódio e apatia, mas, sim, de medo e autoproteção. Todavia, surge um samaritano, pertencente a um povo odiado pelos israelitas daquela época por motivos tanto históricos quanto teológicos. O samaritano não tinha nenhum motivo para se sentir responsável por aquele homem aterrorizado. O mais extraordinário é que aquele estranho não tratou o homem como se fosse um projeto, mas como alguém da família, cuidando de suas necessidades físicas e econômicas. Demonstrou misericórdia. Não se engane quanto ao que Jesus está fazendo aqui. Ele estava convencendo do pecado.

Esse é o primeiro erro daqueles que falam como se o evangelismo pessoal e a justiça pública fossem preocupações contraditórias, ou pelo menos que um faz parte da missão da igreja e o outro é uma questão secundária. Se estamos focados no evangelho, isso quer dizer que nossa missão é expor o pecado com a luz de Cristo. O pecado não é demarcado claramente em redomas rotuladas como "pessoal" ou "social". A Bíblia nos mostra, desde o início, que o escopo da maldição é holístico em sua destruição — pessoal, cósmica, social e vocacional (Gn 3—11). E também nos revela, no fim, que o evangelho é holístico em sua restauração — pessoal, cósmica, social e vocacional (Ap 21—22).

A lei de Moisés destaca o pecado em termos semelhantes. As maldições que sacerdotes levitas invocavam sobre o pecado incluem tanto coisas que a maioria consideraria "pessoais", como prostrar-se perante uma imagem de escultura ou fazer sexo com um animal, quanto coisas que a maioria consideraria "sociais" ou "políticas", como mover um marcador de fronteira da propriedade do vizinho ou perverter a justiça à qual o trabalhador, a viúva ou o órfão têm direito (Dt 27.11-26). Além disso, o testemunho profético jamais separou a retidão da justiça, nem o "pessoal" do "social". Afinal, as sociedades são feitas de pessoas. Traçar uma distinção clara nesse ponto seria o mesmo que perguntar se alguém pode ser responsabilizado por imoralidade sexual, já que envolve não uma pessoa, mas um casal (ou pelo menos um casal, devo dizer). Quando Acabe adquiriu a terra de Nabote, o problema foi uma questão de pecado pessoal ou injustiça social? Bem, foi as duas coisas! O pecado de Sodoma foi uma questão de imoralidade ou injustiça? Ambas (Gn 18.26; Ez 16.49). Isaías advertiu quanto ao julgamento divino tanto pelo pecado de adoração a ídolos (Is 2.8) quanto pela opressão dos pobres (Is 3.14-15). A culpa pronunciada sobre Israel por Jeremias ocorreu porque o povo buscava falsas profecias e também porque "toda a terra se encheu de homicídio; a cidade está repleta de injustiça" (Ez 9.9). Amós falou enfaticamente ao povo tanto por causa da imoralidade sexual quanto pelo tráfico de pobres (Am 2.6-7). Malaquias culpou o povo por se divorciar das mulheres e também por pagar salários injustos aos trabalhadores contratados (Ml 2.14-16; 3.5). Quando a nova aliança estava em seus primórdios, João Batista fez o mesmo: falou tanto contra a imoralidade pessoal quanto contra o abuso de poder, e, pelo menos em uma ocasião, sobre os dois ao mesmo tempo (Mt 14.1-12). Da ordem cultural ao Sermão do Monte, dos profetas a Jesus e Tiago, a ética cristã aborda tanto aquilo que classificamos como "pessoal", a exemplo da mentira, quanto aquilo que chamamos de "público", como dar falso testemunho no tribunal (apenas para escolher dois lados da mesma questão).

É por isso que as igrejas que tentam conscientemente evitar as questões sociais e políticas acabam se tornando, sem perceber, as mais políticas de todas. Os fundadores da minha tradição denominacional, juntamente com outros, falavam muito sobre a "espiritualidade da igreja" como motivo para evitar as questões "políticas". Até certo ponto, estavam certos. A igreja não empunha a espada que foi dada ao estado. Ela avança por meios espirituais, não carnais. Mas a "espiritualidade da igreja" era uma doutrina conveniente.

Minha denominação foi fundada no século 19 por defensores da escravidão humana, que queriam manter a consciência, o voto e a carteira distantes de uma mensagem transcendente que falasse contra a injustiça pecaminosa de um regime de sequestro, estupro, e contra seres humanos que perversamente se dignavam a comprar e vender outros seres humanos criados à imagem de Deus. Argumentavam vergonhosamente que a escravidão era uma questão "política" que não deveria distrair a igreja de sua missão: evangelismo e discipulado. Essa prática dava poder não só à injustiça social (que, por si só, já seria péssimo), mas também ao pecado pessoal. Quando as igrejas que se caracterizavam como "pregadoras do evangelho simples", no Alabama de 1856 ou no Mississippi de 1925, chamavam os pecadores ao arrependimento por fornicar ou se envolver em jogos de azar, mas não por ter escravos ou praticar linchamento de negros, elas podem ser muitas coisas, mas não apolíticas. Ao não abordar tais questões eles já as abordam, declarando implicitamente que não são dignas de escrutínio moral por parte da igreja e que não serão pontos a ser reportados diante do trono do juízo de Cristo. Assim tais igrejas dão sua bênção ao *status quo*, com toda a vassalagem de um capelão do rei. O mesmo se aplica a uma igreja do século 21 que não fala sobre questões prementes de justiça e retidão em nosso meio, como o horror do aborto e os pecados persistentes de injustiça racial.

A verdade é que o chamado ao arrependimento é uma mensagem necessária a fim de interromper nossa corrida rumo ao que parece certo diante de nossos olhos, um estilo de vida que leva à morte. Isso se revela tanto em nossos atos particulares quanto nas decisões corporativas. Mostra-se em sistemas que colocamos em ação para perpetuar nosso pecado, a fim de não precisarmos pensar conscientemente sobre essas coisas. Sempre haverá aqueles que enxergam a ética social como um desafio ao evangelho da justificação. No entanto, o evangelho não nos dá uma fé separada do arrependimento. Aqueles que se prostram perante ídolos não herdarão o reino de Deus sem aceitar a Cristo. Aqueles que violaram os limites sexuais estabelecidos por Deus não herdarão o reino de Deus sem aceitar a Cristo. E o mesmo se aplica a quem abusou dos pobres, a quem destruiu casamentos, a quem maltratou estrangeiros, viúvas ou pobres e quem roubou dos outros sua terra, herança ou futuro. A Palavra de Deus expõe a consciência a fim de conduzi-la à bondade das boas-novas, até mesmo naquelas questões que a consciência quer argumentar que a Palavra de Deus não deve ter jurisdição.

Se há pecado, não importa de que forma, o evangelho tem uma mensagem a anunciar. Por isso, a igreja precisa de uma abordagem do tipo "não só, como também", reconhecendo os aspectos horizontais e verticais do pecado, em suas facetas tanto pessoais quanto sociais.

Uma missão holística

O mandamento de amar a Deus e ao próximo diz respeito não só à exposição do pecado, mas também ao que significa agradar a Deus ao expressar tal amor. O mestre da lei subentendeu que amava a Deus e ao próximo, contanto que tivesse permissão para definir os termos. E ele tinha um motivo para isso. As Escrituras usam o termo "próximo" de maneira que pode ser interpretada como algo semelhante a "irmão", ou seja, aqueles que faziam parte da casa de Israel (Lc 19.17-18). Mas Jesus inverteu a questão. O mestre da lei presumiu, assim como todos nós tendemos a fazer, que ele era a figura central em seu drama de vida e os outros à sua volta desempenhavam papéis coadjuvantes. Eram, pelo menos alguns deles, "próximos". Mas Jesus perguntou: "Qual desses três você diria que foi o próximo do homem atacado pelos bandidos?" (Lc 10.36). O especialista na lei estava entrando na história de vida de outra pessoa e a pergunta era se, nesse caso, seus atos seriam moldados pela misericórdia de Deus.

Ao fazer isso, Jesus definiu o amor em termos holísticos, assim como fizera o testemunho da lei e dos profetas no passado. Não devemos apenas amar o próximo, mas amá-lo como a nós mesmos. No exemplo que Jesus nos deu, não se tratava de um ministério meramente "espiritual". O próximo samaritano cuidou do homem espancado de forma holística, estendendo-lhe misericórdia nas esferas física, econômica e social — transcendendo hostilidades tribais e a impureza cerimonial de se aproximar do sangue ou de cadáveres. Agiu com o estranho da maneira que agiria consigo mesmo. A definição bíblica de amor por si próprio não é ter sentimentos ternos, mas, sim, cuidado ativo. Como diz o apóstolo Paulo: "Ninguém odeia o próprio corpo, mas o alimenta e cuida dele" (Ef 5.29). Nós não nos amamos meramente de "maneiras espirituais", mas, sim, holísticas. E também não nos amamos apenas no aspecto "material". Afinal, nem só de pão o homem viverá (Dt 8.3; Mt 4.4). É essa preocupação com o indivíduo inteiro, tanto o corpo quanto a alma, que leva João a não deixar que a igreja defina amor em termos meramente espirituais. O apóstolo advertiu: "Se alguém tem recursos suficientes para viver bem e vê um irmão em necessidade, mas não mostra compaixão, como pode estar nele o amor de Deus? Filhinhos, não nos limitemos a dizer que amamos uns aos outros; demonstremos a verdade por meio de nossas ações" (1Jo 3.17-18). Tiago advertiu de igual maneira: "Se um irmão ou uma irmã necessitar de alimento ou de roupa, e vocês disserem: 'Até logo e tenha um bom dia; aqueça-se e coma bem', mas não lhe derem alimento nem roupa, em que isso ajuda?" (Tg 2.15-16).

Alguns provavelmente parariam por aí, a fim de destacar que essa preocupação com a pessoa toda se dirige especificamente aos irmãos e irmãs, ou seja, àqueles que compartilham da mesma fé em Cristo. Mas foi exatamente esse o movimento retórico que o mestre da lei tentou fazer. Sim, existe uma obrigação especial de que a igreja cuide uns dos outros dentro da família da fé, assim como existe a obrigação especial de cuidar dos próprios familiares (1Tm 5.8). Foi por isso que as igrejas de Jerusalém se organizaram para alimentar as viúvas pobres em seu meio (At 6.1-7). Mas a lição é que Deus ordenou o amor ao próximo, e as Escrituras definem esse amor em termos notavelmente holísticos. Paulo disse para a igreja da Galácia que nosso amor ativo ao próximo começa dentro da igreja, mas não para por aí: "Por isso, sempre que tivermos oportunidade, façamos o bem a todos, especialmente aos da família da fé" (Gl 6.10).

Voltando à sinagoga de Nazaré, Jesus falou desse conceito holístico de amor ao próximo exatamente nos mesmos termos, ao mencionar Elias e a viúva de Sidom, bem como Eliseu e o leproso da Síria. Assim como o bom samaritano, os profetas cruzaram barreiras de amor ativo. Elias providenciou azeite e farinha, que significou o sustento da viúva, e ressuscitou seu filho. Por causa disso, a mulher anunciou: "Agora tenho certeza de que você é um homem de Deus, e de que o SENHOR verdadeiramente fala por seu intermédio!" (1Rs 17.24). Eliseu se aproximou de um homem com uma doença infecciosa a fim de restaurar sua saúde física (2Rs 5.1-14).

Isso é totalmente consistente com o avanço da igreja da nova aliança. Mesmo após o ministério público de Jesus, sua igreja continuou a pregar uma mensagem tanto de justificação pessoal quanto de justiça interpessoal. Tiago, ao dirigir a igreja em Jerusalém, orientou as igrejas da diáspora tanto em termos de questões "pessoais", como o uso de línguas (Tg 3.1-12), quanto em questões "sociais", como os salários pagos aos trabalhadores dos campos (Tg 5.1-6). Definiu "religião pura e verdadeira" como aquela que "não se deixar corromper pelo mundo" ao mesmo tempo que cuida "dos órfãos e das viúvas em suas dificuldades" (Tg 1.27). É

> Para aqueles que tentam colocar Tiago ou Jesus contra Paulo, o Novo Testamento não permite esse tipo de cisão que leva a escolher entre redenção pessoal ou ministério aos vulneráveis.

claro que ele o fez. Afinal, seu irmão e Senhor já o fizera, ao ensinar que a fé que nos salva por meio do conhecimento de sua pessoa é também a fé que reconhece sua presença misteriosa nos feridos, fracos, vulneráveis, destituídos e encarcerados (Mt 25.31-46).

Para aqueles que tentam colocar Tiago ou Jesus contra Paulo, o Novo Testamento não permite esse tipo de cisão que leva a escolher entre redenção pessoal ou ministério aos vulneráveis. Quando as colunas da igreja, aqueles que haviam visto o Cristo ressurreto e aprendido com ele, encontraram Paulo pela primeira vez, suspeitaram dele e de suas intenções. E com razão. Ele havia sido um terrorista, que tentara destruir a igreja na Síria com violência e assassinar os cristãos que moravam ali. O próprio Paulo conta que, quando o receberam, os discípulos examinaram sua doutrina e experiência, para ver se ele aceitara e proclamava o evangelho correto, mas também se ele se lembrava dos pobres. Paulo conta que isso ele sempre fez "com dedicação" (Gl 2.10).

Após definir "próximo" e "amor", Jesus respondeu ao questionamento implícito por trás dos outros: "Qual é nossa missão?". A resposta à pergunta sobre quem era o próximo do homem vulnerável era óbvia: "Aquele que teve misericórdia dele". E a resposta de Jesus foi: "Vá e faça o mesmo" (Lc 10.37). A missão de Cristo não começa com a Grande Comissão ou com o derramamento do Espírito Santo no Pentecostes. Em vez disso, nessas ocasiões a igreja se uniu a uma missão preexistente. Jesus enviou a igreja porque ele já fora enviado (Jo 20.21). Por meio da Grande Comissão, Jesus enviou a igreja ao mundo com a autoridade que ele já tinha (Mt 28.18). E, no Pentecostes, Jesus derramou sobre a igreja o poder para cumprir a comissão, ao derramar sobre os seus o Espírito de unção que repousava sobre ele (At 1.8). O conteúdo dessa missão de fato é o evangelismo, chamando os pecadores a se arrepender do pecado e da verdade em Cristo por meio do novo nascimento. Todavia, não se trata apenas de fazer discípulos, mas também de ensiná-los a "a obedecerem a todas as ordens que eu lhes dei" (Mt 28.20).

Quando Jesus partiu de Nazaré, seu ministério abordou todos os aspectos da existência humana: pregação, ensino, cura, alimentação e assim por diante. Isso não quer dizer que os cristãos cumprem a missão de Cristo exatamente como Jesus. Por exemplo, não fazemos evangelismo pessoal exatamente da mesma maneira. Afinal, Jesus conhecia o interior do coração e, com frequência, pôde dizer: "Seus pecados estão perdoados" sem investigar muita coisa. E, ao contrário de nós, ele pronuncia o perdão de maneira pessoal, uma vez que é contra ele que as pessoas pecam (Lc 5.21-24). Mas ainda assim nos unimos à missão de Jesus de anunciar o perdão dos pecados àqueles que se arrependem e creem. Da mesma maneira, a igreja não desempenha um ministério holístico exatamente igual ("pegue sua cama e ande"), mas nossa missão, que nos foi entregue por Jesus, se preocupa com aquilo com que Jesus se preocupava: o indivíduo todo e a vida toda.

É por isso que, assim como Jesus, gememos pelo Espírito (Rm 8.23) ao ver a destruição causada pela maldição em todas as suas formas. Sempre que presenciamos doença, injustiça, opressão, impiedade, hostilidade, destruição familiar, guerra, genocídio, escravidão ou alienação espiritual, nossa reação é reconhecer: "Um inimigo fez isso" (Mt 13.28). O evangelho nos ensina a diferenciar entre o "muito bom" da criação original de Deus juntamente com o "melhor ainda" de sua nova criação vindoura e a dor e o sofrimento causados pelo pecado e a maldição.

É por isso que a Grande Comissão não diz respeito somente ao que consideramos adequadamente "espiritual", nem apenas a fazer conversos, mas engloba ensinar esses discípulos "a obedecerem a todas as ordens que eu lhes dei" (Mt 28.20). Em nossas tentativas de impedir que o evangelho se torne grande demais, precisamos não acabar com um evangelho pequeno demais para fazer o que Jesus nos ordenou. E isso quer dizer que, com frequência, aquilo que abordarmos com base em uma estrutura do evangelho serão coisas consideradas "sociais" ou "políticas". O avanço do movimento de missões modernas na Índia não aconteceu para lidar com a injustiça do infanticídio ou da queima de viúvas na pira funerária do marido falecido. Os missionários foram para lá a fim de alcançar as pessoas com o evangelho. Mas o evangelho trata da honra à vida, e obedecer a Jesus significa afastar-se de práticas injustas, opressoras e assassinas, mesmo quando tais práticas estão inseridas na cultura e reconhecidas pela lei.

> Em nossas tentativas de impedir que o evangelho se torne grande demais, precisamos não acabar com um evangelho pequeno demais para fazer o que Jesus nos ordenou.

Qual: evangelismo ou justiça?

Alguns se perguntam então como a igreja pode "equilibrar" a preocupação com evangelismo e discipulado com a busca por justiça. De muitas maneiras, essa pergunta poderia facilmente ter sido levantada pelo mestre da lei que encontrou Jesus ou pelos sacerdotes e levitas da história. Como "equilibrar" o cuidado pelas pessoas feridas às margens da estrada com nossos deveres sacerdotais de cumprir a lei de Deus? Andar do outro lado da via poderia muito bem fazer sentido como forma de manter as prioridades no lugar. A verdade é que já sabemos como equilibrar tais coisas, e já o fazemos. O real questionamento é o que os apóstolos Paulo e Tiago abordaram na relação existente entre fé e obras.

É claro que existem igrejas e movimentos que enfatizaram a justiça pública sem um chamado claro à conversão pessoal. Tais igrejas abandonaram o evangelho. Mas esse problema não se restringe à ação social. Existem igrejas que enfatizam a retidão pessoal sem ênfase clara no evangelho.

Lembro-me de ser abordado, certa vez, por uma mulher que havia se convencido de que Jesus realmente ressuscitara dos mortos, mas tinha alguns adendos a fazer. Ela disse que queria "fazer sexo com os namorados que eu tiver, fumar maconha aos finais de semana, ficar bêbada de vez em quando e ainda assim ir para o céu". Eu não aceitei batizá-la porque ela não queria se sujeitar a Cristo e, sem arrependimento, ela não podia herdar o reino de Deus. Não havia espaço para negociação a esse respeito. No entanto, minha reação a ela foi bem diferente do que se ela houvesse me procurado para destacar sua moralidade sexual e sobriedade, esperando que, de algum modo, a observância da lei lhe garantiria a vida eterna. Em ambos os casos, haveria recusa em entender o evangelho que chega até nós pela graça, sem influência de obras humanas (Rm 4.5), mas que opera em obediência confiante a Cristo (Tg 2.14-26). Não confrontamos o legalismo na esfera da moralidade pessoal com licenciosidade, nem vice-versa. E não reagimos a persistentes teologias sociais e políticas fingindo que Jesus não nos chama a agir em prol dos pobres, estrangeiros, órfãos, vulneráveis, famintos, traficados, nascituros e enfermos. Agimos dentro da estrutura do evangelho — nunca fora dela — tanto na proclamação verbal quanto em demonstração ativa. Não damos de ombros e concluímos que meio evangelho é melhor do que nenhum.

A resposta curta de como devemos "equilibrar" tais coisas é simples: seguindo a Jesus. Nós somos cristãos. Isso significa que, à medida que crescemos em semelhança a Cristo, preocupamo-nos com as mesmas coisas que o preocupam. Jesus é o rei de seu reino e ama as pessoas inteiras — o corpo assim como a alma. Cristo Jesus nunca manda o faminto embora dizendo: "Aqueça-se e coma bem" (Tg 2.16). Em vez disso, ele nos direciona para o amor tanto a Deus quanto ao próximo, a fim de cuidarmos da alma e do corpo com as palavras: "Vá e faça o mesmo" (Lc 10.37). Isso me parece missão.

Tal atitude não leva a uma igreja capacitada para falar sobre todas as questões políticas e morais. Mas isso também se aplica à área da moralidade pessoal.

Se um homem em sua igreja mencionar, na hora dos pedidos de oração, que é grato pelo alívio de estresse que sente em cada uma de suas visitas mensais a um bordel em Nevada, você terá uma mensagem clara do Senhor a esse respeito. Mas caso diga que está pensando se deve ir a Las Vegas em uma viagem de negócios, por causa de todas as tentações que terá lá, será necessário dar um conselho bem mais individual e cheio de nuances, como o encontrado em Romanos 14.1-23. Você não tem autoridade nenhuma para dizer à congregação inteira que todos os cristãos devem fazer um boicote ao estado de Nevada.

A mesma dinâmica está em ação no que diz respeito às arenas social e política. A Bíblia não apresenta uma diretriz específica de como os cristãos devem abordar as mudanças climáticas. Por isso os cristãos podem discordar, com base em seu próprio bom senso, se um programa de limitação do total de emissão de carbono é a melhor forma de cuidar do planeta. Um membro de igreja que escoa lixo tóxico, com substâncias cancerígenas, na fonte de água potável do vizinho não deve ser ignorado porque está errando em uma questão "ambiental", pois ele tem um pecado a ser confrontado. Eu tenho minha opinião sobre porte de armas, mas não acho que seja uma questão de revelação divina, por isso me sinto bem em me assentar à mesa do Senhor tanto com membros vitalícios da Associação Nacional de Rifles quanto com quem pensa que as armas de fogo precisam ser licenciadas e restringidas para garantir a segurança pública. Tais questões não são argumentos ligados ao evangelho, mas assuntos de discernimento pessoal sobre como deve funcionar o controle das armas de fogo e o que a constituição do país garante. Todavia, se um membro de nossa igreja argumentar que atirar em pessoas inocentes é aceitável em algumas situações, precisamos intervir com repreensão, disciplina e, provavelmente, aconselhamento.

Em algumas questões, tanto de moralidade pessoal quanto de justiça pública, a igreja fala de maneira definitiva e com autoridade clara, delineando os limites da obediência e desobediência. Em outros assuntos, falamos de maneira que forma a consciência em tom de sabedoria, mas sem um direcionamento claro fundamentado na revelação divina.

Por exemplo, fico assustado ao ver quantos pais cristãos permitem que os filhos novos tenham aparelhos tecnológicos que lhes dão acesso à internet sem filtro. Vejo isso como negligência na criação dos filhos, dadas as tentações esmagadoras e os perigos que acompanham essa questão. Falo sobre o assunto periodicamente em meus ensinos e sermões, a fim de despertar questionamentos que levem as famílias a pensar sobre isso. No entanto, não recomendaria a exclusão do rol de membros de uma família que permite que o filho pré-adolescente tenha acesso à internet.

Em contrapartida, se um pai levar o filho a um clube de *strip-tease* a fim de comemorar o aniversário do rapaz, preciso começar imediatamente o processo de Mateus 18. E seguimos essa conduta o tempo inteiro. A Bíblia repreende os casados que negligenciam a intimidade conjugal um com o outro, mas isso não quer dizer que devemos definir uma agenda sexual para o casal, com quotas semanais a ser cumpridas.

Um pastor não precisa ser especialista em fundos de investimento, nem pregar uma série sobre "investimento financeiro bíblico", cheio de estratégias e alvos financeiros. Em vez disso, ele prega sobre integridade, honestidade, amor ao próximo, o erro do roubo e das fraudes e assim por diante, a fim de moldar a consciência do administrador de fundos de investimento dentro da igreja. Caso se descubra que este está logrando seus clientes, torna-se uma questão que precisa ser diretamente tratada pela igreja.

A líder de pequeno grupo que conduz o estudo bíblico não precisa ser especialista em arqueologia a fim de ensinar a Bíblia ou discipular o arqueólogo que participa do grupo. Caso, porém, o arqueólogo afirme que o reino davídico jamais existiu e que os ossos de Jesus provavelmente estão atrás de algum posto de gasolina na cidade de Jerusalém, torna-se uma questão que precisa ser diretamente tratada pela igreja.

A igreja não deve controlar a criatividade artística de um membro além de moldar sua consciência em relação ao que é belo, verdadeiro e sábio. Porém, se sua música preferida for "Ainda bem que Jesus morreu e assim não pode me dizer o que fazer" ou "Como é legal torturar estrangeiros", a igreja precisa se levantar inequivocamente em repreensão.

Engajamento cultural e missão

Alguns argumentam que devemos nos desengajar de questões sociais ou políticas porque é isso que o Novo Testamento parece fazer. Ao contrário dos profetas de Israel e das nações vizinhas, Jesus e o apóstolos parecem relativamente impassíveis diante da atmosfera moral do império romano. Não vemos a igreja engajada em proibir a escravidão, a luta entre gladiadores ou a construção de impérios. É claro que não. Afinal, Roma era governada por um imperador, e o povo de Deus não tinha nenhuma influência nas decisões tomadas pelo poder imperial. As epístolas pastorais não abordam as igrejas diretamente em temas políticos pelo mesmo motivo que o apóstolo Filipe não deu orientações sobre casamento ou moralidade sexual para o eunuco etíope. O evangelho diz respeito a todos os chamados e todas as vocações cristãs. Assim, esperava-se que os casados vivessem como marido e mulher com base na ordem do evangelho. Os pais deviam cuidar dos filhos de acordo com a ética cristã. A igreja primitiva, porém, era composta, em primeiro lugar, por pessoas destituídas de poder (1Co 1.26), que não tinham nenhuma responsabilidade pelas decisões tomadas nas esferas cultural e política. Ainda assim, vemos o Novo Testamento nos mostrando questões informadas pelo evangelho até mesmo dentro do que poderíamos classificar como "político".

João Batista chamava as multidões ao arrependimento. O bêbado que chegasse para ser batizado seria instruído a se arrepender da embriaguez. O adúltero seria orientado a prosseguir em fidelidade: "Vá e não peque mais" (Jo 8.11). Alguns aceitaram a pregação de João, sobretudo cobradores de impostos e soldados, ambos funcionários do governo de César. Perguntaram ao profeta: "O que devemos fazer?" (Lc 3.10). A resposta de João não foi diferenciar entre a obediência "pessoal" e a "política". Disse aos publicanos: "Não cobrem impostos além daquilo que é exigido" (Lc 3.13). E aos soldados: "Não pratiquem extorsão nem façam acusações falsas. Contentem-se com seu salário" (Lc 3.14). Eram questões tanto de arrependimento pessoal quanto de justiça pública.

Com frequência, nós, cristãos, não nos damos conta de que somos mais como os cobradores de impostos e soldados — a despeito da profissão específica — do que como os povos colonizados do império. Paulo escreveu para a igreja de Roma que a espada de César é dada por Deus a fim de ser exercida com prestação de contas a ele em relação às responsabilidades e aos limites derivados da autoridade delegada por Deus. Em uma república democrática, a autoridade final por tomar decisões de estado (empunhar a espada) repousa sobre o povo. Ao votar, delegamos a outros como empunhar a espada da justiça pública em nosso lugar. Uma igreja que não forma consciências para esse chamado só garante que estas sejam moldadas por outra entidade que não o evangelho.

Ao contrário do que alguns possam pensar, o novo nascimento em si não é o único remédio para a obra de retidão e justiça. Não podemos simplesmente presumir que "pessoas transformadas transformarão o mundo". As estruturas políticas e as práticas culturais são sistemas complexos que existem por muito mais tempo que a vida de seus criadores e, com frequência, moldam o que parece possível para aqueles que crescem dentro delas. A espiritualidade pessoal deve nos alertar quanto a questões de injustiça sistêmica, mas não podemos supor que sempre o fará. Se o novo nascimento conferisse sabedoria e iluminação imediatas, não precisaríamos de orientações sobre como viver, apresentadas repetidas vezes em ambos os Testamentos. Mesmo que um despertamento global levasse à conversão do mundo inteiro, ainda precisaríamos nos perguntar como vamos trabalhar juntos — social e politicamente — para orientar a cultura e resolver as disputas em nosso meio.

> Uma igreja que não forma consciências para esse chamado só garante que estas sejam moldadas por outra entidade que não o evangelho.

Alguns argumentam que só devemos falar para quem está "dentro" da igreja em relação a essas questões, e não ao mundo exterior. A motivação dessas pessoas é parcialmente correta. Em termos de prestação de contas disciplinar, conforme já vimos, estabelecemos uma forte distinção entre os "de dentro" e os "de fora". Mas essa distinção é bastante equivocada no que diz respeito a dar testemunho. Certa vez, ouvi um pregador dizer que não importava para ele se seu vizinho ia para o inferno depois de levar a vida como policial ou assassino em série; de todo modo, ele iria para o inferno. Acho que o pregador era bem-intencionado, mas, para ser bem franco, estava mentindo.

É claro que importa para ele se o vizinho for para o inferno por ser um assassino em série, uma vez que o pregador não reagiria ao assassinato dos próprios filhos balançando os ombros e dizendo: "Bem, eles eram cristãos, então estão no céu mesmo. Sem problemas!".

João Batista confrontou a autoridade política "exterior" à comunidade de regeneração sem hesitar. Herodes tomou a esposa do irmão e fez promessas induzidas pelos hormônios diante da dança da filha de sua mulher. Tudo isso revelava mais do que apenas a condição de sua alma. O rei não estava somente usando suas partes íntimas de forma imoral, mas desempenhando com injustiça seu cargo público (Mt 14.1-13). A Palavra de Deus aborda os dois casos.

A missão moldada pela cruz

Jesus não só falou ao homem surrado às margens da estrada, como também praticamente começou seu ministério nessa condição. "Quando ouviram isso, aqueles que estavam na sinagoga ficaram furiosos", relata Lucas. "Levantaram-se, expulsaram Jesus da cidade e o arrastaram até a beira do monte sobre o qual a cidade tinha sido construída. Pretendiam empurrá-lo precipício abaixo" (Lc 4.28-29). Quando Jesus expressou sua mensagem com clareza, a reação foi ira assassina. A parte mais surpreendente do relato, porém, é seu fim anticlimático. "Mas ele passou por entre a multidão e seguiu seu caminho" (Lc 4.30). Jesus pareceu um covarde, esquivando-se de uma briga que ele havia começado. Jesus, porém, não estava se afastando do perigo, mas, sim, andando em direção a ele. Iniciou uma missão que o levaria das colinas galileias até Jerusalém, no Gólgota. A execução que a pequena aldeia planejou para seu profeta nativo seria realizada pelo império romano. Sua hora ainda não havia chegado.

A natureza dessa missão moldada pela cruz já era evidente na recusa de Jesus, antes do sermão em sua cidade natal, de aceitar do diabo as rédeas do governo do universo. Satanás estava disposto a entregar sua autoridade sobre todos os reinos do mundo em troca de um momento de adoração. Um universo governado por Cristo refletiria os valores e a ética de Jesus. Contudo, haveria um Messias para governar o mundo, mas não um sacrifício sem pecado que o expiasse. O diabo reconhecia que seu reino só poderia cair definitivamente por meio do evangelho. O inimigo não temia moralismo sem sangue. A única coisa que o fazia temer era o sangue.

O evangelho do cristianismo histórico é cósmico. "Por meio do sangue do Filho na cruz, o Pai fez as pazes com todas as coisas, tanto nos céus como na terra" (Cl 1.20). O evangelho também é social, reconciliando as pessoas umas com as outras e as motivando a cuidar do desenvolvimento e sofrimento humano. Mas o evangelho de Jesus Cristo é, antes de mais nada, pessoal. Amamos os outros seres humanos e os servimos exatamente por crer que Deus ama não a "humanidade", mas os seres humanos de forma individual. Acreditamos que Jesus morreu pelas pessoas, que a ira de Deus faz propiciação pelas pessoas e que pessoas serão levantadas, tanto individual quanto coletivamente, em corpo e alma, no último dia, ou para a vida eterna ou para a condenação eterna.

Qualquer testemunho cristão que não comece e termine com o evangelho é indescritivelmente cruel e, na verdade, demoníaco. O diabo trabalha de duas maneiras: por meio do engano: "É claro que vocês não morrerão!" (Gn 3.4), e da acusação: "Aquele que dia e noite os acusa diante de nosso Deus" (Ap 12.10). O diabo quer garantir para algumas pessoas que não há necessidade de se arrepender e, para outras, que não há esperança de misericórdia. Alguns são enganados e pensam que são bons demais para o evangelho, ao passo que outros são acusados e acham que são maus demais para o evangelho. Ninguém é mais pró-escolha do que o diabo a caminho da clínica de aborto, nem mais pró-vida do que ele próprio na saída da clínica de aborto. O evangelho de Jesus Cristo derruba essas duas estratégias.

O mundo lá fora odeia o chamado claro ao arrependimento feito pelo evangelho. E o evangelho também faz um chamado claro à misericórdia pela fé no sangue de Cristo, mesmo quando não conseguimos acreditar que podemos ser aceitos. Em nossos dias, o aspecto pessoal do evangelho que mais causa controvérsias provavelmente é a questão da moralidade sexual. Alguns sugerem que nós fazemos o mesmo que os antigos universalistas em relação ao julgamento divino do pecado. No entanto, em vez de um universalismo abrangente, aconselham um universalismo focado, que não mexa com apenas uma área de pecado. Mas isso não só é infiel a Deus, como também desconsidera o próximo, pois deixa aqueles que necessitam de misericórdia aterrorizados pela própria consciência. Damos poder às trevas quando nos recusamos a advertir do juízo. O evangelho expõe nosso pecado, mas não da mesma forma que o diabo o faz. O evangelho expõe o pecado não para condenar, mas, sim, para reconciliar.

O evangelho também informa o tom de nosso engajamento. Não somos promotores que tentam acusar do pecado nossos oponentes. O diabo já faz isso muito bem sozinho. Somos advogados de defesa, ou, usando os termos da Bíblia, somos "embaixadores de Cristo", que "nos encarregou de reconciliar outros com ele" (2Co 5.18,20). O advogado de defesa precisa ser extremamente preciso quanto às evidências de culpa, a fim de convencer o cliente, em primeiro lugar, de que ele necessita de representação e, depois, para ajudá-lo a se apresentar da melhor maneira a fim de despertar misericórdia do tribunal. Falamos do pecado e advertimos quanto ao juízo, mas com o objetivo de ver as pessoas em paz com Deus, não para destilar nosso veneno. Não nos posicionamos transversalmente à história gritando: "Arrependam-se!". Assim como João antes de nós, apontamos para Cristo e anunciamos: "Eis o Cordeiro de Deus que tira o pecado do mundo".

Qualquer "evangelho" que esvazie a cruz do juízo contra o pecado, que aliene o evangelho da reconciliação pessoal com Deus e com os outros é algo diferente do evangelho de Jesus Cristo. E qualquer cristianismo que nos afaste das verdades que nos foram entregues por Jesus — sua divindade, sua humanidade, seus milagres, sua morte expiatória, sua ressurreição corpórea, seu retorno futuro, sua autoridade nas Escrituras, sua edificação da igreja — nos aponta para um Messias diferente.

Conclusão

Seja na história da sarjeta de Jericó, seja em uma carta escrita na prisão de Birmingham, precisamos nos lembrar de que servimos um Deus de justiça bem como de justificação, e não devemos colocar uma dessas facetas contra a outra. Nossa missão está fundamentada em um evangelho que nos conta com honestidade tanto a má notícia de nosso pecado quanto a boa-nova da graça de Deus. Nossa missão reconcilia os pecadores com Deus, mas também as pessoas umas com as outras, comunidade com comunidade e a humanidade com a natureza. Devemos falar a verdade com poder, assim como fez João Batista com o rei Herodes (e, às vezes, sofrer as mesmas consequências). Alimentemos os pobres, abriguemos os sem-teto, recebamos a viúva, adotemos o órfão, defendamos o nascituro e cuidemos do meio ambiente. Contudo, enquanto fazemos isso, realizemos a obra mais importante de pregar paz e justiça, para as pessoas de maneira individual e para o mundo inteiro, encontradas na cruz ensanguentada e no túmulo vazio de Jesus. À medida que a cultura achar o cristianismo cada vez mais estranho, descobriremos que o mais estranho que temos para dizer é: "Jesus salva".

6
Dignidade humana

Em uma prateleira a meu lado está uma das minhas fotos preferidas. É a fotografia em preto e branco de uma fileira de defensores dos direitos civis, protestando no calor da era marcada pelas leis de segregação racial. Estão de pé lado a lado, todos com a mesma placa. Em letras grandes se encontram as palavras: "Eu sou um homem". Amo essa imagem por sua simplicidade e também pela coragem e verdade reveladoras apresentadas ali. Ao mesmo tempo, ela me faz tremer ao pensar que algo desse tipo precisou e ainda precisa ser dito.

Não cresci na época da segregação. Quando nasci, as escolas já eram integradas e a maioria dos direitos civis e de voto mais significativos já haviam sido implementados. Mas eu me lembro da escola dominical.

Na época, como acontecia na maioria das igrejas de minha denominação, nós, crianças, íamos para a igreja toda semana levando pequenos envelopes com nossas ofertas para as missões mundiais. Certa semana, quando eu tinha uns quatro ou cinco anos, estava inquieto durante a lição e tirei uma moeda de meu envelope. De alguma forma, ela acabou parando na minha boca. A mulher que estava passando a lição naquele dia percebeu e, com certeza, não queria que eu engasgasse com a moeda, por isso tentou me motivar a nunca mais fazer algo desse tipo de novo. Em uma lembrança clara que permanece comigo até hoje, ela disse: "Que nojo! Você não sabe se um negro já segurou essa moeda!".

Veja bem, essa mulher não fazia parte da Ku Klux Klan. Provavelmente não se considerava defensora da supremacia branca. Mas a questão é que ela não pensava em nada disso. Não percebia que sua frase representava exatamente a cultura que o movimento dos direitos civis confrontava: a ideia de que os afro-americanos eram sujos, algo não exatamente humano.

Pode ser minha imaginação pregando peças, mas me parece que, após essa declaração, ela reuniu a turma para cantar "Cristo ama as criancinhas". Suas palavras, momentos antes, provavelmente não lhe pareceram e talvez não nos pareçam contraditórias com cantar: "Não importa raça ou cor, ele as quer com muito amor, bênçãos mil a todas elas Cristo dá!". Jesus ama os negros; é por isso que levávamos moedas para enviar missionários à África. Mas aquilo que eles tocavam podia nos deixar imundos. Ela não percebia que eram dois evangelhos bem diferentes, e somente um poderia ser verdadeiro. Suponho que, se você perguntasse porque ela estava perpetuando o preconceito em sua classe dominical, ela poderia dizer que tal questionamento era "político". A tarefa dela não era falar sobre tensões raciais ou questões dos direitos civis. Sua tarefa era ensinar a Bíblia para as crianças e motivá-las a levar o evangelho ao mundo. Poderia desconsiderar todo o diálogo como uma questão de política social, que não dizia respeito a nossa missão. Mas estaria equivocada.

Uma antiga ameaça

As ameaças à dignidade humana sempre existiram, desde o racismo e a escravidão até o aborto e a tortura. Ao longo dos últimos cinquenta anos, muitos cristãos se mobilizaram no movimento pró-vida em resposta à legalização do aborto pela decisão da Suprema Corte em 1973. No entanto, o movimento pró-vida não foi uma mera postura reacionária alimentada por guerras culturais. Tampouco foi um "divisor de águas" para distinguir conservadores sociais da revolução sexual. O movimento pró-vida estava intrinsecamente ligado ao testemunho da igreja em relação à dignidade humana, remontando a seu surgimento em Jerusalém no primeiro século. Os cristãos contrários à violência do aborto dão continuidade à longa tradição do ensino cristão contra a opressão dos vulneráveis e a descartabilidade da vida humana. A igreja, formada por pecadores caídos, tem agido de forma imperfeita, e alguns, usando o nome de Cristo, já se posicionaram do lado contrário à dignidade humana, mas os grandes movimentos que combatem o derramamento de sangue, a escravidão e a exploração com frequência são fundamentados moral e profeticamente no evangelho de Jesus Cristo.

Além disso, o movimento pró-vida, assim como os movimentos abolicionista e de direitos civis, é muito mais do que um movimento político (embora o seja também). De todas as incursões recentes dos cristãos no engajamento público, o movimento pró-vida é o mais holístico em sua obra, enxergando a necessidade de leis para proteger os nascituros, mas também de testemunho cultural para convencer as mulheres a não abortar, os homens a não abandonar os filhos e a sociedade a ver a bondade e o valor de cada ser humano, mesmo quando oculto da visão dentro do útero ou quando acometido de enfermidade ou deficiência física ou mental. Pautando-se por essas questões, surgiu o ministério, baseado em igrejas e organizações comunitárias, que capacita as mães a escolher vida para os filhos, oferecendo formação profissional, aconselhamento e abrigo em situações de abuso doméstico. Os horrores do aborto chacoalharam muitas igrejas, levando-as a prestar atenção ao dever expresso em Tiago 1.27, de cuidar das viúvas e dos órfãos em suas aflições, assim como a igreja mobiliza a adoção de crianças que necessitam de família, lares receptivos para quem precisa de cuidado provisório e acolhimento para grávidas em crise. Ao mesmo tempo, o aborto despertou em muitos a consciência cristã de ouvir os clamores dos "pequeninos", dentro ou fora do útero — levando a ministérios de justiça e misericórdia aos pobres, desabrigados, traficados e viciados. Embora ainda haja um longo caminho a ser percorrido em um testemunho pró-vida e da vida plena, a igreja não personifica a caricatura daqueles que, nas palavras de um crítico, creem que a vida "começa na concepção e termina no nascimento".

Ao mesmo tempo, o movimento pró-vida, assim como o abolicionista e de direitos civis, engloba necessariamente uma visão teológica. A pergunta central por trás do debate do aborto é: "O feto é meu próximo?". A articulação cristã da realidade precisava, necessariamente, considerar o que significa ser pessoa e por que isso importa. Isso é verdade sobretudo em uma época na qual as questões ligadas à dignidade humana se tornaram bem mais complexas, graças à tecnologia, depois de entrarem no âmbito das pesquisas embrionárias, das tecnologias de reprodução, do mapeamento genético e da clonagem humana. A visão teológica por trás dessas questões se aplica a assuntos bem distantes das placas de Petri ou dos berços nas maternidades. Quem desenvolve a percepção de que a dignidade humana se encaixa no significado mais amplo do universo tem uma consciência que pode ser treinada para ver a correlação entre questões como reconciliação racial, eutanásia, guerra e paz, o tratamento dispensado a imigrantes e trabalhadores, pena de morte e condições penitenciárias, bem como os desafios em rápida mutação da singularidade humana proposta por tecnologias que prometem ampliar a vida e até o desenvolvimento de inteligências artificiais.

Tais temas não dizem respeito apenas a capacitar os cristãos a fazer o que é certo nas arenas da política e da cultura pública. O cristianismo que não fala profeticamente em prol da dignidade humana é um cristianismo que perdeu tudo que há de distintivo para se dizer. Afinal, o evangelho está fundamentado na singularidade da raça humana na criação, redenção e consumação. Por trás da questão se devemos abortar bebês, torturar prisioneiros, maltratar imigrantes ou comprar escravos, há uma pergunta mais ampla: "Quem é o Cristo, o Filho do Deus vivo?". Se Jesus compartilha a humanidade conosco e se o objetivo do reino é a humanidade em Cristo, então a vida precisa importar para a igreja. A igreja deve proclamar em seus ensinos e incorporar em suas práticas o amor e a justiça por aqueles que o mundo exterior deseja silenciar ou matar. E a missão da igreja deve ser proclamar vida eterna e trabalhar para honrar toda vida criada à imagem de Deus, seja dentro seja fora do povo de Deus. O conceito de dignidade pode existir dentro das estruturas de graça comum do mundo, mas uma visão distintamente cristã que explique por que a humanidade precisa ser protegida deve emergir de uma estrutura mais ampla do reino, da cultura e da missão.

> O cristianismo que não fala profeticamente em prol da dignidade humana é um cristianismo que perdeu tudo que há de distintivo para se dizer.

Em um domingo de janeiro, provavelmente de qualquer ano em que você ler este livro (pelo menos enquanto eu estiver vivo), estarei pregando em alguma igreja no "Domingo da santidade da vida humana". E preciso confessar uma coisa: *eu odeio*.

Não me entenda mal. Eu amo pregar a Palavra. E amo falar sobre a imagem de Deus e a proteção de toda vida humana. Odeio esse domingo não por aquilo que precisamos dizer, mas pelo simples fato de ser necessário abordar esse assunto. A ideia de abortar um bebê que ainda não nasceu, abusar de uma criança, deixar um idoso passar fome, torturar um inimigo em combate ou gritar com uma família de imigrantes deveria ser tão obviamente errada que um "Domingo da santidade da vida humana" seria tão desnecessário quanto um "Domingo da realidade da lei da gravidade". Não deveríamos precisar dizer aos pais que eles não devem abortar os filhos, ou que os homens não devem abandonar a mãe de seus filhos, nem que a vida humana tem valor a despeito da idade, cor de pele, doença ou condição econômica. Parte de meu pensamento a esse respeito, espero eu, é sinal da graça divina, um gemido do Espírito diante desse mundo com clínicas de aborto e câmaras de tortura (Rm 8.22-23). Mas parte envolve minha incapacidade de enxergar a zona de combate espiritual deste mundo, desde o Éden. A terrível realidade atual não começou no sul dos Estados Unidos no início do século 20, nem com o estado bélico moderno, tampouco após a decisão da Suprema Corte de legalizar o aborto. A dignidade humana diz respeito ao reino de Deus e significa que, em todos os lugares e em todas as culturas, a dignidade humana é contestada.

Até aqueles que rejeitam a doutrina cristã ou mesmo qualquer tipo de ensino religioso podem reconhecer que algo parece errado no mundo. Crueldade, violência e injustiça parecem estar ligadas a mais do que meros comportamentos aprendidos, uma vez que se revelam praticamente entranhados na natureza humana. As pessoas enxergam a ocasião e os motivos por trás dessa "queda" de diferentes formas — o aumento da economia industrial, o fim de algum matriarcado pré-histórico ou milhares de outros cenários. Mas o relato cristão sobre a humanidade, em continuidade com as Escrituras hebraicas, ensina que, em algum momento de nosso passado primitivo, a humanidade entrou em contato com uma realidade sombria, misteriosa e pessoal que era brutal, inteligente, poderosa e revoltada contra o Criador. Tais inteligências foram identificadas por diferentes nomes nas várias culturas — espíritos, observadores, poderes ou demônios. Não importa o título, essas forças parecem dedicar atenção especial à humanidade e a reestruturar como as pessoas deveriam enxergar a si mesmas.

Os elementos demoníacos do universo desejam que nos vejamos como mais ou menos do que somos. Querem que nos vejamos como animais selvagens, impelidos somente por apetites e instintos, sem precisar prestar contas a Deus. Ou então como deuses, sem barreiras éticas além das que impomos sobre nós mesmos e, por isso, sem precisar prestar contas a Deus. A busca por divinizar a humanidade e nos tirar da condição de criaturas sempre leva à degradação do humano, não à sua exaltação. É por isso que a visão apocalíptica da Bíblia envolve uma humanidade que exige ser adorada como deus e se levanta como uma besta que vem do mar (Ap 13.1).

Universo centrado nos seres humanos

A fim de entender por que a dignidade humana importa e por que ela sempre é contestada, precisamos entender que o reino de Deus se concentra na humanidade. O universo é centrado nas pessoas. Enquanto escrevo isso, posso imaginar o incômodo de alguns, especialmente dos que são mais teologicamente ortodoxos e articulados. Dizer que o universo é centrado no humano parece o tipo de heresia que costumamos ouvir daqueles que desejam redefinir Deus ou suas obras em termos de expectativas e categorias humanas. No entanto, o que quero dizer é que o universo foi criado para ser governado, debaixo da autoridade de Deus, por portadores humanos de sua imagem. O universo foi chamado à existência como herança para Jesus, a fim de que em todas as coisas ele tivesse preeminência (Cl 1.18).

> O universo foi chamado à existência como herança para Jesus, a fim de que em todas as coisas ele tivesse preeminência.

O Antigo Testamento nos conta que o universo não se formou de maneira arbitrária, mas pela Palavra de Deus (Gn 1.3), Palavra essa que o Novo Testamento nos informa que não é uma coisa, mas uma pessoa (Jo 1.1). As Escrituras afirmam que o sentido de toda a realidade se resume a algo que o apóstolo Paulo denominou o "mistério de Cristo" (Ef 3.4). Esse mistério é que, em Cristo, tudo se concentra — não só a soma de todas as almas, mas "tudo que existe nos céus e na terra" (Ef 1.10) na pessoa de Jesus encarnado, crucificado e ressurreto. A ordem e a harmonia do universo são descritas no relato de Gênesis, por exemplo, da regularidade das épocas e estações do ano. Essa ordem é caracterizada em termos da sabedoria múltipla de Deus, pelos Salmos e em outras partes das Escrituras hebraicas, e se encaixa, dentro do pensamento não hebraico, no conceito de *Logos* ou *Tao*, que ordena a harmonia do cosmo. No mistério de Cristo, o pó da terra — a substância que formou a humanidade — se une à natureza eterna do próprio Deus, de tal maneira que o mundo material se conecta sem confusão, mas também sem separação com o próprio Deus.

Em Cristo Jesus, Deus une a divindade à humanidade, em caráter permanente, no herdeiro humano do universo. Não que Jesus *foi* humano, mas que ele *é* humano. Logo, os propósitos de Deus em Cristo explicam por que as Escrituras levam tão a sério a dignidade da raça humana criada à imagem de Deus (Gn 1.27). A humanidade, desde o princípio, se distingue do restante da natureza, inclusive do restante das criaturas vivas, por esse mistério da imagem e semelhança. Tal conceito é debatido entre os cristãos há milênios.

A imagem seria, antes de mais nada, a racionalidade (embora os anjos, sem dúvida, sejam racionais, mas não carregam consigo a imagem de Deus)?

Seria, em primeiro plano, a responsabilidade moral (embora novamente os anjos também precisem prestar contas de sua responsabilidade moral)? A principal função da humanidade é cumprir a vontade de Deus?

Tal debate me parece desnecessário. De acordo com a Bíblia, a imagem de Deus é uma realidade misteriosa na qual o mundo invisível e até mesmo a natureza inanimada parecem reconhecer na humanidade a marca distintiva de nosso Criador (Rm 8.19-23). Essa imagem diz respeito a quem nós somos, não só ao que fazemos, mas fica claro que a imagem de Deus nos define e capacita a cumprir a missão divina, governando debaixo de sua autoridade e em nome dele sobre o restante da criação. Esse é o resultado final da redenção — a humanidade mais uma vez, sujeita a Deus, no trono do cosmo.

Guerra e a imagem de Deus

É por isso que as discussões em relação à dignidade humana fazem parte de um antigo confronto entre reinos, muito antes de serem culturais ou políticas. A exploração e o assassinato de uma vida humana inocente foi uma das primeiras manifestações da maldade no universo caído, sem a proteção de uma liderança humana dirigida pela Palavra. A queda da humanidade foi imediatamente sucedida por fratricídio (Gn 4.8-16) e pela celebração da morte por vingança em uma música. A aliança de Deus com a criação após o dilúvio nos tempos de Noé inclui uma advertência contra o derramamento de sangue, baseada no contexto da dignidade do ser humano como portador da imagem divina (Gn 9.6-7). À medida que os filhos de Abraão prosseguiam em busca da primeira parte de nossa herança, Deus os proibiu de se envolver com a idolatria dos cananeus, denunciando por nome o deus Moloque, que exigia o sacrifício violento de bebês humanos (Lv 20.1-8). Os próprios israelitas foram ameaçados de morte quando o faraó tentou sufocar o povo da promessa no berço, com um decreto de assassinato em massa.

Esse mesmo espírito estava em operação no despontar de uma nova aliança, quando outro rei destruiu vidas de crianças inocentes ao se ver diante da ameaça de ceder seu governo a um bebê profetizado da casa de Davi (Mt 2.1-18). Em todos os lugares e períodos intermediários, Deus ordenou não só a preservação da vida humana como também a proteção dos vulneráveis — os pobres, os forasteiros, as viúvas, os órfãos e os enfermos.

Essa ameaça ao longo das Escrituras não é incidental. Não eram apenas o faraó e Herodes assassinando inocentes. O evangelho é confrontado por um espírito contínuo do anticristo (1Jo 2.18), que direciona sua ira contra o reino e busca erguer o próprio império espelhado em si mesmo.

Essa ira contrária ao evangelho é assassina (Jo 8.44; 1Jo 3.8,11-15). O Cristo que ascendeu ao céu explicou esse rastro de sangue de forma metafórica em uma visão para o apóstolo João como uma guerra contínua entre a serpente e o povo do Messias (Ap 12.1-12). Não deveríamos ficar surpresos em saber que, a cada era, existe um confronto entre Cristo e os poderes vigentes. Não deveríamos ficar surpresos ao perceber que, quando os apetites humanos não se restringem mais aos propósitos de sua criação, podem se tornar assassinos (Tg 4.2). E não deveríamos ficar surpresos pelo fato de que o espírito de cada era tenta definir o valor humano em termos de poder e utilidade, ao passo que o evangelho do reino define a dignidade humana em termos extraordinariamente diferentes, assim como o próprio Cristo se identifica não com os poderosos, mas com os vulneráveis. O universo caído tenta eliminar a vida humana vulnerável exatamente porque ela traz em si a marca inconfundível daquele que vence não por força, nem por violência, mas por seu sangue. Por trás da hostilidade aos fracos existe uma insurreição misteriosa muito mais antiga, em guerrilha contra a criança humana que, conforme prometido, esmagaria a cabeça da serpente (Gn 3.15).

Há vários anos, ouvi um palestrante falar sobre os ministérios de compaixão aos pobres e vulneráveis nas igrejas. O público, totalmente formado por cristãos evangélicos, parecia estar de acordo com o palestrante porque, conforme comentou um deles, os ministérios sociais nos dão a oportunidade de compartilhar o evangelho e conferem credibilidade a nossa proclamação verbal. O palestrante concordou, mas depois parou e contou sobre um lar para crianças com deficiência cognitiva severa que havia perto de sua igreja. A congregação daquele palestrante visita o lar todos os dias para pentear o cabelo das crianças, cantar para elas e, às vezes, só sentar em silêncio segurando a mão delas. Explicou que as crianças provavelmente nem estavam cientes da presença deles. "Elas não podem ouvir, nem responder ao evangelho", afirmou. "Então nosso ministério por essas crianças vale a pena?" É claro que sim! Esse ministério "vale a pena" pelo mesmo motivo que "valeu a pena" os amigos de Jesus lavarem e ungirem seu corpo após sua crucificação. Era uma forma de honrá-lo, amá-lo e reconhecê-lo. E ele nos diz que, quando nos colocamos ao lado dos marginalizados — os pobres, os nascituros, os órfãos, as viúvas, os enfermos, os abandonados, os deficientes, os pobres, os idosos —, estamos nos posicionando em prol dos "pequeninos" a quem ele chama de irmãos (Mt 25.45). E Jesus nos explica que, quando cuidamos de seus irmãos, nós também o reconhecemos ali.

A presença de pessoas frágeis, vulneráveis e dependentes é uma questão de batalha espiritual. O útero nos lembra de que não existimos por conta própria. Ninguém se torna "viável" independentemente dos outros e do ecossistema que Deus construiu à nossa volta. O bebê no útero de fato depende da mãe e não consegue sobreviver sem ela. Mas isso não é exclusivo do estágio fetal de desenvolvimento. Um recém-nascido é igualmente dependente dos cuidados da mãe. É por isso que o salmista fala sobre aprender a confiar em Deus desde o seio da mãe (Sl 22.9). Jesus citou um verso desse mesmo salmo quando estava sendo crucificado, momento em que olhava para sua mãe, aquela que o amamentara quando bebê. Não somos deuses autoexistentes. Cuidar de quem não parece "importante" requer um tipo de compaixão que nos mostra que a vida não se resume a instinto, preservação de genes e força de vontade. Não somos animais.

> A presença de pessoas frágeis, vulneráveis e dependentes é uma questão de batalha espiritual.

Aborto, tortura, eutanásia, guerras censuráveis, injustiça racial, assédio de imigrantes — tais coisas não são apenas "más" (embora o sejam também). Elas fazem parte de uma guerrilha em andamento, de uma insurreição contra a imagem de Deus resumida em Jesus de Nazaré. Jesus se identificou com a humanidade, em toda nossa fraqueza e fragilidade. Ele não chegou totalmente maduro, montado em um cavalo branco em Jerusalém. Assumiu a natureza humana em todas as etapas do desenvolvimento — de "embrião" a "feto", depois a bebê, criança e homem. Foi concebido órfão, inicialmente sem pai humano, e desde o início de sua vida dependeu de um pai adotivo disposto a sacrificar os próprios planos de vida a fim de protegê-lo e sustentá-lo (Mt 2.13-15). Viveu como refugiado imigrante em uma terra estrangeira, hostil à sua por muitos e muitos anos. Morreu indefeso convulsionando em uma cruz, dependendo de outros para se hidratar. Até na morte, Jesus foi contado entre ladrões e enterrado em um túmulo emprestado. Em sua humanidade, Jesus também não foi "viável" por conta própria.

A cultura da morte e o reino de Deus

À medida que buscamos o reino de Deus, nossa intuição é moldada para ansiar pelo triunfo definitivo da vida sobre a morte (Is 25.7-8; 1Co 15.26). O reino nos diz o que importa e quem importa. Também revela que os critérios para isso são absolutamente diferentes dos valores darwinistas sociais de sucesso, poder, utilidade ou força. Se o reino messiânico é governado por co-herdeiros, cujo "valor" não é determinado por conceitos passageiros de poder, então a igreja precisa reconhecer o mesmo. Se o reino de Cristo se distingue pela "compaixão do fraco e do necessitado" cuja vida é ameaçada por causa "da opressão e da violência" (Sl 72.13-14), então as pessoas do reino não podem ignorar os clamores silenciosos de "embriões" congelados em clínicas de fertilidade, "fetos" desmembrados em hospitais antissépticos, "filhos indesejados" definhando em instituições, "imigrantes ilegais" explorados por cartéis e comércios, ou "inválidos" à míngua em asilos solitários. Se o reino é governado por gente de toda tribo e nação (Ap 5.9-10), então como a comunidade cristã se cala enquanto alguns dos futuros governantes do cosmo não têm acesso à justiça por causa da cor de sua pele? Deveríamos estar atentos àqueles que o sistema mundial quer desvalorizar e degradar, na maioria das vezes primeiro com palavras, para que saibamos em prol de quem devemos nos posicionar e falar.

O papa João Paulo II denominou corretamente as questões da dignidade humana que nos assolam como uma "cultura de morte" que se choca com uma "cultura de vida". Ele estava certo. Tais questões não dizem respeito, em última instância, a práticas e políticas públicas, embora elas também se manifestem. A questão básica é a estrutura cultural do que e de quem importa, enraizada em uma história teológica contrária à que Deus conta. Às vezes, isso fica explícito, como nas distorções nocivas e hereges da Bíblia feitas pelos defensores da supremacia branca a fim de tentar comprovar a inferioridade negra. Às vezes, essa cultura é muito mais implícita, permitindo que as pessoas degradem a dignidade humana sem nem se dar conta de que estão fazendo isso. Nós, povo de Deus, temos a tarefa de reconhecer essa cultura em qualquer lugar, saber de onde ela vem e contar uma história diferente.

A cultura de morte tenta desconectar a humanidade da natureza, do corpo e da alma. A desconexão entre humanidade e natureza se vê em nosso conceito de domínio humano. Alguns, porém, sugerem que o conceito cristão de "domínio" encontrado nos primeiros textos bíblicos de Gênesis é perigoso e subversivo, citando a ideia de cristãos teocráticos que podem tentar impor sua vontade sobre a sociedade ou de cristãos destruidores do planeta, os quais creem que asfaltar o último centímetro de solo é da vontade de Deus. Embora alguns indivíduos identificados com o cristianismo possam ter defendido esse tipo de ponto de vista, eles não representam os ensinos da Bíblia, nem a estrutura do reino de Cristo.

O domínio bíblico não se identifica com a voracidade de César, mas, sim, com o cuidado de Cristo. Domínio está inserido no contexto bíblico de cultivar a terra, que requer conservação e cuidado, bem como a ordem de ser fecundo e multiplicar-se. Domínio é herança, administrar com as gerações futuras em mente. Logo, o domínio humano não é predatório. A singularidade humana não diz respeito a causar dano a outras criaturas, nem a cuidar mal da natureza, mas, sim, a cultivá-la, um cultivo que inclui descanso do solo e proteção das outras criaturas. A humanidade não está separada do restante da natureza. Não somos feitos de éter, mas de pó, com o sopro do Espírito. Viemos da terra e precisamos receber dela aquilo de que precisamos para sobreviver e prosperar. Temos domínio sobre o mundo ao nosso redor, mas não temos domínio sobre outros seres humanos. Por isso, não temos autoridade para decidir quem irá viver, morrer ou ser livremente explorado para satisfazer os apetites de outros seres humanos. Todas as pessoas reconhecem algum aspecto do domínio humano — até mesmo aquelas que sugerem que os seres humanos não passam de outra espécie ou parasitas do planeta. Afinal, tais pessoas expressam suas ideias em termos morais, não para insetos, cães ou mesmo outros primatas, mas para seres humanos, reconhecendo que eles têm algo de singular para oferecer ao mundo.

A cultura da morte também se revela na desconexão nada natural e antibíblica entre corpo e alma. É trágico constatar que os cristãos da minha denominação não se opuseram inicialmente à cultura do aborto pelo mesmo motivo que alguns não se opuseram inicialmente à cultura da escravidão ou da segregação racial. Eles entendiam que "alma" é a "parte" da humanidade que diz respeito ao evangelho. A criança poderia estar biologicamente presente no útero, mas, de algum modo, ser humana sem alma. Essa teologia falha também estava presente em meio àqueles que achavam ser possível evangelizar a "alma" dos escravos ao mesmo tempo que "possuíam" o corpo deles para o trabalho braçal. Esse sistema sempre termina em morte.

As ameaças à dignidade humana não costumam começar com o sentimento de ódio, mas, sim, com a tentativa de "consertar" o que está errado com a humanidade. Uma vez que dados e raciocínios abstratos substituem o mistério da existência humana, o resultado de tal racionalismo não é uma imparcialidade interessante, mas, sim, hedonismo e violência.

Se os escravos são valorizados por seu poder econômico, então eles "valem" mais para os poderes instituídos dentro da escravidão do que fora dela.

Se os bebês não têm consciência e se é a consciência que define a humanidade, então o que são eles? Quando não se sabe o que significa ser pessoa, é possível matar sem se sentir sanguinário, ou mesmo como se estivesse salvando o mundo.

A anarquia ética à nossa volta é resultado de uma sociedade que acha possível separar a vida do corpo da vida da alma (se, de fato, existe alma). É consequência de uma sociedade que acha possível eliminar o medo da morte com medicações, porque pensa que a existência humana é apenas a soma das sinapses entre os neurônios. É por isso que defensores do aborto legal e da eutanásia não argumentam mais que a vida intrauterina não é humana. Eles só precisam defender que tal vida não é feliz e que existem pessoas capazes de "consertar" essa infelicidade com um comprimido ou um bisturi.

O poder e os fragilizados

Junto com essa confusão cultural sobre o significado da humanidade há outro elemento: o dinheiro duro e frio. O regime escravocrata perverso girava em torno de traficar pessoas para benefício econômico próprio. As leis de segregação, de igual maneira, impulsionavam um regime de latifúndios que usava pessoas para conquistar poder econômico. O tráfico de meninas e mulheres ao redor do mundo é motivado pelo lucro de cartéis de pornografia e prostituição. O militarismo é, muitas vezes, estimulado pelo lucro que fabricantes de armas e outros podem obter. E a cultura do aborto usa termos consumistas ocidentais como "escolha" e "empoderamento", quando, na verdade, o que está em jogo são bilhões de dólares. A cultura da morte é sustentada por mais do que simplesmente a penumbra e os desdobramentos de uma antiga decisão da Suprema Corte. É por isso que, apesar de falar na adoção como uma "escolha", a indústria do aborto raramente conduz as mulheres pelo processo de adoção, em comparação com a frequência da promessa de "consertar" por meio do "término gestacional".

Nada disso deveria nos surpreender. O dinheiro e o poder, quando abstraídos do reinado de Cristo, sempre conduzem à violência. O faraó ordenou a execução de crianças hebraicas porque elas ameaçavam seu esquema econômico piramidal na elite dos 1% mais ricos do mundo antigo. Herodes decretou a mesma coisa porque queria proteger seu reino, que envolvia o apoio financeiro generoso do império romano. Jesus nos ensinou que ninguém é capaz de servir Deus e Mamom ao mesmo tempo. Ao fazer isso, Jesus personalizou o dinheiro de maneira incômoda. Quando o capital se torna deus, ele deixa de ser apenas *algo* para se tornar *alguém*. A força demoníaca da voracidade distorce tanto a alma que, quando é ameaçada, alguém vai ser explorado e alguém vai morrer.

A igreja e a dignidade humana

A cultura eclesiástica pautada pelo reino de Deus precisa começar nesse ponto. Se somos pró-vida, primeiro precisamos jogar fora nossos ídolos. A marginalização da igreja em uma sociedade secularizada pode nos dar abertura para isso. Após uma geração de igrejas cristãs que enfatizaram, de forma às vezes explícita e às vezes implícita, a prosperidade financeira, social e política, é de se espantar que, quando ser pró-vida sai da esfera de escolher candidatos para votar e passa para lidar com uma gravidez indesejada, tantos membros da igreja se dirijam ao anonimato da cidade grande mais próxima com a consciência culpada e um envelope cheio de dinheiro?

Mamom é um deus ciumento e está armado até os dentes. Precisamos criar uma cultura moldada pelo reino dentro de nossas igrejas que faça brilhar a luz de Cristo constantemente, sempre que existirem deuses falsos em nossas afeições. E então precisamos demonstrar o que significa crer que a vida do ser humano consiste em mais do que a quantidade de suas posses.

Fazemos isso, a princípio, ao reconhecer que a luta pela vida não é meramente uma questão da igreja contra o mundo, mas, sim, de Cristo contra a igreja. Devemos nos arrepender das ocasiões em que valorizamos os poderosos em detrimento dos destituídos, mesmo sem o saber. Paremos de dar destaque em nossas igrejas para testemunhos e publicações sobre como Deus "abençoa" o milionário que devolve o dízimo. Paremos de alardear os grandes atletas e as vencedoras de concursos de beleza como evidências das bênçãos de Deus. Mostremos que Deus tem nos abençoado em um Cristo que jamais teve uma carreira de sucesso, nem uma conta bancária recheada, mas foi agraciado por Deus com a vida e com filhos que ninguém é capaz de contar, de toda tribo, língua, nação e povo. Qual seria o impacto para seu testemunho pró-vida caso sua congregação local fosse atendida por um diácono ou ministro de louvor com síndrome de Down?

> Devemos nos arrepender das ocasiões em que valorizamos os poderosos em detrimento dos destituídos, mesmo sem o saber.

Qual seria o impacto para seu testemunho pró-vida caso a pessoa que ler a Bíblia no próximo domingo não tiver voz de locutor, mas for uma mulher idosa que gagueja e estiver começando a sofrer de esclerose múltipla? Revelaria que a vida é mais do que mera utilidade reconhecida pelos outros.

Precisamos capacitar as igrejas a aconselhar as famílias por meio de decisões éticas difíceis e, muitas vezes, escondidas. O aborto é moral no caso de uma gravidez ectópica? Um casal infértil pode deixar de lado a união em uma só carne para buscar a reprodução por meio de tecnologias reprodutivas avançadas? Há algum caso em que é ético permitir que os médicos "desliguem os aparelhos" de um ente querido à beira da morte? Como as igrejas devem reagir aos imigrantes ilegais em suas congregações? Como famílias ricas podem se relacionar com os mais pobres, não para fazer "serviço comunitário", mas pela necessidade de formar um vínculo com o restante do corpo de Cristo? Antes de responder a todas essas perguntas nas esferas social e política, é necessário moldar a consciência pelo ensino e, além disso, formar a intuição ao ver tais realidades serem vividas à sua volta na igreja.

Nas questões do direito à vida e dos direitos civis, presumimos que estamos "ganhando" ou que já "vencemos". É um pressuposto perigoso. Sim, grandes passos já foram dados rumo à justiça racial, mas a ideia de que essa luta já foi "vencida" e que podemos passar agora à negligência benigna de uma sociedade que não liga para a cor da pele ignora os problemas raciais em andamento neste país e no mundo inteiro. Da mesma maneira, na questão do aborto, é verdade que as pesquisas de opinião revelam que cada vez mais pessoas se identificam como "pró-vida". Mas isso não quer dizer que estamos vencendo.

Lembro-me de conversar com alguns amigos em uma cafeteria, certa vez, sobre qual seria nosso posicionamento em relação à guerra do Vietnã caso estivéssemos vivos na década de 1960. Foi um diálogo praticamente inútil, já que não dá para saber a resposta. Nenhum de nós recebeu uma carta de recrutamento pelo correio. Ninguém está assentado na sala de conferências da Casa Branca onde são processadas as informações mais sensíveis, indagando se a queda de Saigon significaria o avanço da União Soviética rumo à dominação mundial e ao holocausto nuclear. Nenhum de nós é um agricultor cambojano, nem um pescador de camarões do Vietnã do Sul correndo o risco de ser assassinado pelo Khmer Rouge ou o Vietcong. Certa vez, uma líder feminista disse que a maioria das pessoas é pró-vida, com três exceções: estupro, incesto e "meu caso". Temo admitir que ela está certa demais. O faraó era pró-imigração até os israelitas ameaçarem a economia. A primeira administração de Herodes era pró-Messias até o Messias de fato aparecer. A segunda administração de Herodes não tinha problema nenhum com profetas do deserto até um deles se intrometer em seus "prazeres adultos". A maioria das pessoas é pró-vida e pró-bebê até que a vida deste se torne um inconveniente pessoal.

Nossas congregações precisam ser culturas de dignidade e prosperidade humana, oficinas de reconciliação do reino onde pessoas de diferentes cores de pele, níveis de renda, nacionalidades e graus de habilidade ou deficiência amam e servem umas às outras. A congregação que exclui pessoas do tanque batismal por causa da etnia (e não se engane achando que isso não acontece mais) não é apenas "atrasada", mas é uma igreja anticristã, sem seu candeeiro. Precisamos ter coragem de dizer esse tipo de coisa — e convocar essas igrejas ao arrependimento ou a deixar nossa comunhão. O próximo século trará desafios à dignidade humana na arena pública e em nossas igrejas que testarão nossa resolução de maneiras não vistas desde as guerras culturais da escravidão e segregação — nas quais um número elevado demais de protestantes conservadores ficou do lado errado do reino de Cristo.

Nossas igrejas precisam personificar uma cultura de dignidade humana porque a vemos inserida no próprio evangelho. Nosso testemunho pró-vida precisa ser visto nos bancos cheios de mães solteiras que são bem recebidas, não envergonhadas. Nosso testemunho pró-vida precisa ser visto em escolas dominicais repletas de crianças com síndrome do alcoolismo fetal, autismo, paralisia cerebral e AIDS que são abraçadas, amadas e aceitas porque vemos Jesus nelas e porque aderimos a um evangelho que nos disse, há muito tempo, que a vida é melhor do que a morte. Nossas igrejas devem personificar a reconciliação do evangelho não pela realização de mais ministérios "étnicos", cujo próprio nome presume que existem pessoas "comuns" e pessoas "étnicas". Todos nós somos étnicos. A igreja "branca" não está "fazendo um ministério" em prol das igrejas "étnicas" que dependem dela. Com frequência, presumimos sem pensar que a igreja é branca e que os protestantes americanos estão fazendo uma obra missionária em benefício de todos os outros. Mas a igreja não é branca, nem ocidental. Ela foi liderada por um judeu do Oriente Médio que jamais falou uma palavra em inglês. Não precisamos de mais "ministérios" aos pobres, às minorias raciais ou às comunidades de imigrantes. O que precisamos é ser liderados pelos pobres, pelas "minorias" raciais e pelas comunidades de imigrantes.

Culturas moldadas pela visão da dignidade e dos limites humanos são especialmente importantes à medida que nos movemos para um tempo em que a pergunta central não é, em primeiro lugar, quando a vida começa ou termina, mas, sim, o significado da vida. As tecnologias estão se movendo rapidamente rumo à integração das máquinas ao ser humano, à busca pela extensão indefinida da vida por meio do *download* do eu" em máquinas e à manipulação sem fim da vida humana mediante a clonagem, o mapeamento genético e até a hibridização entre pessoas e animais. As questões que talvez enfrentaremos no futuro serão se ciborgues com inteligência artificial podem ser salvos e se devemos batizar robôs equipados com cérebros humanos em funcionamento, ou se a igreja deve dar sua bênção ao casamento de um ser humano com um sistema computacional artificialmente inteligente. É possível que logo vejamos um mundo no qual somente os cristãos passeiem com seus bebês deficientes no carrinho, somente cristãos tenham meninas carecas passando por um tratamento de quimioterapia, somente cristãos tenham meninos lutando contra a obesidade infantil. Como então conversamos com nossos vizinhos sobre o milagre do novo nascimento, se seu primeiro nascimento foi todo planejado por outros com engenharia avançada? Como conversamos com o próximo sobre o amor incondicional de Deus como Pai de seus filhos, a despeito do que acontece, se os conceitos de gerar e de paternidade forem somente uma memória cultural distante?

Os cenários são novos, mas as questões são antigas. Wendell Barry advertiu: "A próxima grande divisão do mundo será entre pessoas que desejam viver como criaturas e pessoas que desejam viver como máquinas".[1] E essa questão pode ser ainda mais literal do que ele havia imaginado. Somente a visão do propósito das pessoas e do que significa carregar em si a imagem de Deus pode começar a responder a tais questionamentos. Eles não serão solucionados por silogismos, mas por pessoas com a consciência treinada para saber o propósito da humanidade, pela vida em comunhão ao redor da mesa, cantando hinos e servindo uns aos outros com uma bacia e uma toalha.

Um povo pró-vida inteira

Em termos de missão, o movimento pró-vida da última geração pode ser um dos sinais mais esperançosos do futuro — de um testemunho social vital e motivado pelo evangelho da igreja na arena pública. Afinal, o movimento pró-vida não foi uma mera reação, nem uma "guerra cultural" em busca de questões "polêmicas" para explorar. Embora os cristãos sempre estejam vulneráveis à exploração cínica dos partidos políticos, a causa pró-vida minou as plataformas favoráveis ao aborto dos dois principais partidos nos Estados Unidos e persiste mesmo quando políticos de todas as ideologias prefeririam vê-la morrer em silêncio.

Em seus melhores dias, o movimento pró-vida era animado por uma ética holística de cuidado tanto das crianças vulneráveis ainda não nascidas quanto das mulheres sofrendo as consequências do aborto. Por isso, engajava-se em uma estratégia de várias frentes que abordava, ao mesmo tempo, a necessidade de leis para criminalizar o aborto, ministérios para mulheres grávidas em crise (que incluíam capacitação profissional, creche, abrigo e serviços médicos financeiramente acessíveis), adoção e lares de apoio para crianças que precisavam de famílias, bem como um testemunho cultural convincente para explicar por que a vida é importante. Além disso, o movimento pró-vida tem mantido foco tanto externo quanto interno, mostrando teologicamente ao povo de Deus por que a imagem divina é importante. O foco externo, diferentemente de outros aspectos das guerras culturais, tem permanecido (com algumas exceções isoladas) marcado pela gentileza e polidez, por vezes diante de uma caracterização incorreta gritante. Isso acontece por necessidade, uma vez que o objetivo não é rotular os bons e os maus a fim de reunir votos. A meta é convencer as pessoas a não abortar bebês ou não se decidir pela eutanásia dos pais. Não é possível cumprir esses objetivos demonizando as pessoas que se deseja convencer, nem gritando com elas. É por isso que o movimento pró-vida persiste. Embora, conforme já disse, eu fique incomodado com afirmações triunfalistas de que estamos "ganhando" com base em pesquisas de opinião, é sim uma vitória o fato de o movimento pró-vida continuar vivo. O movimento do direito ao aborto provavelmente presumia que, quarenta anos após a decisão da Suprema Corte, a questão já estaria tão resolvida quanto a integração escolar ou o sufrágio. Contudo, ainda é uma controvérsia, e o lado pró-vida não ficou às margens da história. Isso é uma vitória.

Logo, as consciências despertadas pela questão do aborto também precisam ser formadas para entender os temas mais profundos e amplos da dignidade e dos limites humanos. O aborto não é um assunto que deve ou pode ser tratado sozinho, assim como abolição e direitos civis não diziam respeito a uma única questão. Precisamos ser pró-vida inteira. Assim, os princípios da dignidade humana e santidade da vida tão enfatizados contra a cultura do aborto precisam ser aplicados aos marginalizados (órfãos, viúvas, comunidades de imigrantes, pobres e assim por diante). Devem nos levar a uma visão mais ampla do amor ao próximo e do desenvolvimento humano. Dito isso, é importante tomar cuidado com nossa forma de falar sobre uma ética abrangente da vida humana, a fim de impedir que tal abrangência acabe perdendo de vista a estrutura que forma o lugar de onde falamos.

Um exemplo é a acusação de que o testemunho pró-vida da igreja fica comprometido quando a congregação não apoia medidas amplas de controle de armas. Alguns indagam: "A violência com armas de fogo não é uma questão pró-vida?". É claro que sim. O homicídio é um mal que viola a dignidade do indivíduo e o direito à vida. Dito isso, o que as pessoas querem dizer quando falam da violência com armas de fogo como uma questão pró-vida não é a violência com armas de fogo diretamente, mas, sim, medidas de controle do porte de armas. Muitos cristãos e outros defensores do movimento pró-vida apoiam medidas de controle do porte de armas, é claro, e alguns defendem medidas bem rígidas. Mas o debate sobre o porte de armas não ocorre entre pessoas que defendem o direito de atirar em inocentes e aqueles que não o fazem. Em vez disso, trata-se da discussão sobre qual é a melhor maneira de resolver o objetivo comum de dar fim ao comportamento violento criminoso. É por isso que os contrários ao controle ao porte de armas que usam coletes alaranjados e caçam cervos conseguem conviver, na mesma igreja, com defensores do controle do porte de armas que usam sandálias e são veganos, sem excomungar uns aos outros. Não importa a posição que se tenha sobre o controle do porte de armas, ninguém que se envolve seriamente nesse debate hoje apoia a venda de armas para quem tem intenção de matar. Em vez disso, a questão é como impedir que as armas sejam usadas de maneira criminosa. Alguns acham que as medidas de controle do porte de arma são uma maneira necessária de fazer isso. Outros pensam que tais leis são ineficazes e contraproducentes, que deveríamos fazer vigorar melhor as leis que já temos. É uma pergunta bem diferente de saber se a criança dentro do útero é uma pessoa que tem direito à proteção legal de ser diretamente assassinada.

Como sou pró-vida, oponho-me ao uso de armas nucleares. A matança indiscriminada de não combatentes civis é inconsistente com a visão cristã de uma guerra justa e da santidade da vida humana. Isso não quer dizer, porém, que o desarmamento nuclear unilateral é a resposta pró-vida. A pergunta é se o desarmamento unilateral seria provocativo o bastante para tornar uma guerra nuclear mais provável do que já é. Podemos debater isso, mas não se trata de um debate entre pessoas pró-vida e antivida. Só seria isso caso houvesse um grupo defendendo o uso de armas nucleares contra populações civis porque elas não são "viáveis" e, por isso, não são dignas dos direitos humanos. Nesse caso, haveria um paralelo direto com a questão do aborto.

Quando eu era muito jovem, fui estagiário e assistente de campanha de um deputado federal (que tinha e ainda tem um forte posicionamento pró-vida). Nossas únicas discordâncias eram em relação à licença-maternidade obrigatória e ao auxílio econômico internacional. Eu era favorável a ambos, e ele, contrário a ambos. Por exemplo, eu pensava que a licença-maternidade ajudaria a garantir que as mães teriam condições de cuidar dos filhos e desestimularia o aborto. Já ele achava que uma legislação federal a esse respeito impediria que pequenos negócios empregassem tantas pessoas. Ele temia que a mãe solteira com quem eu me preocupava fosse demitida e se tornasse igualmente vulnerável à indústria de abortos. Eu discordava dele (e continuo achando que estou certo), mas nossa divergência não dizia respeito ao valor da vida humana. Discordávamos em relação às melhores medidas para alcançar um objetivo em comum.

> Precisamos primeiro lidar com a questão, contestada em nosso tempo, se as crianças são pessoas ou propriedades, com base simplesmente em sua existência dentro ou fora da biosfera do útero.

A causa dos direitos civis é mais ampla do que simplesmente pôr fim à segregação e às limitações ao voto? Sem dúvida. Mas o que aconteceria se o termo "ativista dos direitos civis" fosse aplicado aos defensores da segregação racial que apoiavam melhores recursos para escolas "separadas, porém iguais" ou aos adeptos da supremacia branca que eram contrários à Guerra do Vietnã? O grande diferencial do movimento de direitos civis é indagar se todas as pessoas, negras e brancas, devem ser iguais perante a lei. A questão pró-vida é mais ampla que o aborto? Sem dúvida. Todavia, para ser pró-vida, precisamos primeiro lidar com a questão, contestada em nosso tempo, se as crianças são pessoas ou propriedades, com base simplesmente em sua existência dentro ou fora da biosfera do útero.

Dito isso, as convicções sobre a dignidade humana, forjadas em nosso tempo em meio à controvérsia do aborto, devem ter desdobramentos sobre como a igreja e os cristãos enxergam outros assuntos também. Os defensores do direito ao aborto estão errados ao insistir que é hipócrita ser pró-vida em relação ao aborto e não se opor à pena de morte ou a todas as guerras. Qualquer que seja o posicionamento do indivíduo em relação à pena de morte, existe uma diferença entre o debate se o estado tem autoridade para punir assassinos com a pena de morte e se seres humanos inocentes não devem receber nenhum amparo legal. Além disso, embora alguns cristãos na história da igreja tenham assumido uma postura pacifista, existe uma forte tradição enraizada nas Escrituras de que algumas guerras, quando atendem a critérios muito específicos, podem ser justas. No entanto, nossas convicções pró-vida devem orientar como enxergamos tais questões, mesmo entre aqueles em nosso meio que apoiam alguns casos de guerra ou pena de morte.

Os cristãos e outras pessoas pró-vida precisam ter a consciência moldada de tal maneira que sejamos os primeiros a nos perguntar se uma ação militar é mesmo necessária, se colocará em risco a vida de civis. Devemos ser os primeiros a questionar o tipo de militarismo irrestrito que se prepara para a guerra diante da primeira provocação. Não devemos aderir à mentalidade de vencer o confronto "a qualquer preço", como poderia acontecer com indivíduos cuja consciência é moldada pelo darwinismo social ou por pressupostos niilistas.

Devemos nos opor à tortura de seres humanos pelo mesmo motivo que somos contrários ao direito à "escolha" na questão do aborto, uma vez que a tortura desumaniza tanto o torturado quanto o torturador. Devemos ser aqueles que insistem para que, onde a pena de morte existir, não haja discriminação contra os pobres e as minorias raciais, além de não ser parte de um sistema no qual pessoas inocentes são executadas por engano. A pena de morte que isenta brancos e ricos enquanto condena quem não tem poder para escapar do sistema judicial não foi o que Deus instituiu na aliança com Noé, nem corresponde à autoridade de empunhar a espada delegada a César para punir os malfeitores. E mesmo quando não houver pena de morte, devemos nos importar com a imparcialidade perante a lei, com a criação e a execução da lei para todos, a despeito da raça, etnia ou condição socioeconômica.

Devemos trabalhar em prol da justiça para os órfãos e as viúvas, capacitando as pessoas de bem a lutar para combater o que causa a orfandade (guerras, doenças, genocídios, fome, pobreza, cultura do divórcio) e incentivar a adoção e o acolhimento. Ao mesmo tempo, precisamos nos opor aos esforços da tecnologia ou do comércio que buscam transformar crianças em bens a ser comprados e vendidos, tanto no país de origem quanto em terras estrangeiras. Devemos exigir respeito pela dignidade humana em nossas prisões, trabalhando, por exemplo, contra o estupro no cárcere e contra sentenças injustas. Precisamos reconhecer os ataques à dignidade das mulheres, por meio da violência doméstica, por exemplo, e do tráfico sexual em todas as suas formas, inclusive o tipo de prostituição que chamamos eufemisticamente de "indústria da pornografia".

Devemos reconhecer as trevas da cultura de morte quando se revelam em nossa voz. Fico pasmo quando ouço aqueles que clamam o nome de Cristo e professam em alta voz ser pró-vida se referirem aos imigrantes com desdém, chamando-os de "aquela gente" que "drena nosso sistema de saúde e recursos de assistência social". Será que não enxergamos nessa atitude as mesmas estratégias de desumanização em ação no ativismo em prol do direito ao aborto que fala sobre o "produto da concepção" e na xenofobia irada que chama o filho da imigrante de "bebê âncora"? No fundo, é uma falha em enxergar quem somos.

Nós nos unimos a um Cristo que foi estrangeiro ao fugir da opressão política (Mt 2.13-23), e nossos antepassados em Israel foram imigrantes (Êx 1.1-14; 1Cr 16.19; At 7.6). Além disso, nosso Deus vê o sofrimento dos órfãos e o sangue dos inocentes, mas também nos ensina que, assim como ele ama o estrangeiro e cuida dele, nós devemos fazer o mesmo, "pois, em outros tempos, vocês foram estrangeiros na terra do Egito" (Dt 10.18-19). Podemos até discordar, com base no bom senso, em relação a quais políticas públicas específicas devem vigorar a fim de equilibrar a necessidade de segurança nas fronteiras com a compaixão pelos imigrantes em nosso meio, mas pessoas pró-vida não têm a opção de reagir com ódio ou nojo de gente criada à imagem de Deus. Podemos ter nascido no país em que moramos ou não, mas todos nós somos imigrantes no reino de Deus (Ef 2.12-14). Não importam quais sejam nossas divergências em relação às políticas de imigração, não podemos discordar se os imigrantes são pessoas ou não. Por mais importante que seja a nação, chegará o dia em que os Estados Unidos da América não existirão mais. Contudo, os filhos e as filhas de Deus serão revelados. Alguns deles serão trabalhadores do campo e zeladores de escolas fundamentais que hoje estão no país ilegalmente. Mas no futuro serão reis e rainhas. São nossos irmãos e irmãs para sempre. Precisamos nos posicionar contra o preconceito, o abuso e a exploração, mesmo que tais práticas sejam politicamente lucrativas para pessoas que concordam conosco em outras questões. A imagem de Deus não pode ser objeto de escambo, seja no balcão de uma clínica de aborto, seja em qualquer outro lugar.

Pessoas pró-vida, em todas as suas formas, também compartilham Jesus Cristo com foco nos pobres. O nascituro é o mais vulnerável dos seres porque é invisível, oculto no corpo da mãe. A criança não parece importar. A prática do aborto e de outras injustiças é justificada por aqueles que as realizam não só com base na invisibilidade, mas também na suposta anonimidade de seus atos. Dizem, com toda segurança: "Ninguém me vê" (Is 47.10). Conforme diz o salmista: "Matam viúvas e estrangeiros e assassinam órfãos. 'O Senhor não vê', eles dizem. 'O Deus de Israel não se importa'" (Sl 94.6-7).

Com frequência, o mesmo se aplica aos economicamente vulneráveis. A situação que os assola não é uma mera falta de recursos, mas, sim, uma vida precária. A realidade econômica global sem dúvida é complexa e os cristãos terão debates sobre quais estratégias são as melhores para ajudar os pobres, sem as consequências indesejadas que protegem a consciência mas acabam causando danos à população carente. Não recebemos a ordem de imitar a estrutura do Israel do Antigo Testamento, uma nação pautada pela aliança, em um estado que não se encontra dentro do mesmo sistema de aliança. Mas as estruturas bíblicas nos mostram que sistemas planejados para impedir que os pobres sejam explorados e passem fome são bons aos olhos de Deus e possíveis dentro da estrutura ordeira de uma sociedade. E mais: as pessoas pró-vida precisam, o tempo inteiro, tirar o manto de invisibilidade que costuma esconder os pobres nos sistemas ao nosso redor e se perguntar como eles são explorados, tanto na esfera econômica quanto cultural. Não podemos nos render à ideia do darwinismo social de que os pobres são "perdedores" que só sabem "receber", pois ela não passa de uma imitação dos argumentos "pró-escolha" usados para se referir ao nascituro inviável.

Também devemos nos lembrar de que a dignidade humana não é só uma questão de direito, mas também de responsabilidade. Os cristãos das vertentes mais ortodoxas e evangélicas costumam revirar os olhos diante das questões ecológicas. Isso acontece porque tendemos a identificar tais temas com os extremos mais caricaturais do movimento ambientalista (da mesma maneira que, pense bem, muitos nos enxergam como lunáticos extremistas da religião cristã). Rejeitamos os pressupostos teológicos e políticos de alguns dos mais fervorosos defensores da proteção ao meio ambiente e, por isso, sentimos que esse assunto é dos outros. Além do mais, as pessoas que costumam concordar conosco nas questões familiares e culturais não conversam muito sobre o tema ambiental e, por isso, batizamos toda a agenda de nossos aliados e ignoramos a de todos os outros. A conservação e o cuidado dos recursos naturais fazem parte do mandato de domínio dado por Deus à humanidade, para cultivar e passar adiante. Cada cultura humana se forma em vínculo com o ambiente natural. Em minha cidade natal, isso se faz por meio do pai que deixa como herança para o filho o barco de pesca de camarões ou da reunião da comunidade para a bênção sobre a frota todo ano no porto. Em sua cidade, pode ser a tradição agrícola, a caça a baleias, o desbravamento de novas fronteiras ou as montanhas. Quando o meio ambiente é depredado e se torna insustentável para as gerações futuras, as culturas morrem. E o que resta em lugar dessas culturas e tradições é um individualismo definido apenas pelos apetites, pelo sexo, pela violência ou pelo acúmulo de coisas. Isso não é nada "conservador" e, sem dúvida, não é cristão.

Não estou dizendo com isso que entraremos em acordo em relação a um conjunto específico de medidas para conservar e guardar o planeta. Muitas dessas questões dirão respeito ao bom senso daqueles que estão avaliando as opções existentes. Só porque são questões de sabedoria e bom senso, não quer dizer que a igreja não tem papel nenhum nesses casos. A igreja discípula seus membros para que desenvolvam sabedoria e bom senso. A igreja não precisa ter diretrizes bíblicas para a redução de emissão de carbono, ou para o subsídio à energia eólica, ou para as estratégias de reciclagem das famílias. Isso, porém, não significa que a conversa deve se restringir à loucura secular de cada um fazer o que é certo aos próprios olhos, como se não houvesse rei em Israel. Em vez disso, quer dizer que a igreja desempenha o trabalho duro de cultivar gerações de pessoas com a consciência despertada para sua dependência da terra, da água e do ar, bem como para suas responsabilidades referentes às gerações que ainda não nasceram. Isso significa cultivar os instintos das pessoas do reino quanto ao significado de mordomia da criação, domínio humano, limites do apetite e responsabilidade transgeracional. Quando alguns enxergam o planeta como mera matéria-prima para satisfação do apetite, discordamos, pois nós vemos a arena da glória presente de Deus e de seu reino futuro. Enquanto outros enxergam a humanidade como "parasitas" do planeta, a ser tolhidos pelo controle populacional, discordamos mais uma vez e vemos os seres humanos como co-herdeiros de Cristo. Sempre que alguns dizem que devemos escolher entre cuidar do planeta e acolher a nova vida, permanecemos firmes às ordens do Éden, que incluem essas duas facetas. Procriação é pró-criação.

O evangelho em si

O aspecto mais importante de nossa missão relacionado à dignidade humana não é nossa ação social, nem nossas responsabilidades como cidadãos ou formadores culturais. O aspecto mais importante de nossa missão relacionado à dignidade humana é o evangelho em si. Quando reconhecemos que a dignidade humana é contestada pela guerra espiritual, entendemos que a política provém da cultura, que a cultura provém da consciência e que a consciência provém do reino de Deus. Não temos condições de combater uma cultura de morte com meros apelos abstratos à dignidade humana baseados na lei natural (não que exista algo de errado com isso). Em cada ataque à vida humana, há mais do que apenas uma pessoa morta; existe uma consciência que se destina ao inferno. E o evangelho aborda esses dois aspectos.

Por exemplo, na questão do aborto, o número total de crianças abortadas por ano deveria nos levar a reconhecer que talvez até um terço das mulheres em nossas igrejas já tenha abortado. Com elas, costuma haver um homem que aprovou o ato, ou pagou por ele, ou as pressionou a tomar essa decisão. Muitas dessas pessoas se assentam em silêncio em nossas congregações, temendo que Deus possa perdoar qualquer pecado, menos esse. Tentam esquecer, e em segredo se perguntam se estão incluídas na expressão "todo aquele que", encontrada em nossos convites ao evangelho. Quando anunciamos tanto a justiça quanto a justificação, Deus quebra o poder da condenação. Ele revela o pecado e o juízo. Os clamores dos oprimidos, órfãos e assassinados são ouvidos, e forte é o Redentor deles. O evangelho não desconsidera o juízo, mas diz que quem aceita a Cristo se une ao juízo que ele sofreu na cruz, levantando-se com ele na nova criação do túmulo vazio. A mulher arrependida que já abortou, o homem arrependido que já apoiou um aborto e até o médico arrependido que realizou muitos abortos não se encontram fora do alcance da graça de Deus. Toda acusação contra eles, bem como contra você e eu, é verdadeira. Em Cristo, porém, passamos pelo escrutínio do tribunal de Deus. Já sofremos a justiça do inferno. E, em Cristo, Deus declara o que pensa a nosso respeito: "Você é meu filho amado em quem me comprazo". Advertimos quanto ao juízo, mas, deste lado da sepultura, sempre oferecemos a misericórdia.

Logo, o evangelho consolida a dignidade humana, pois nele Jesus Cristo se oferece não a espíritos, nem a anjos, mas aos filhos e às filhas de Adão. Precisamos ser lembrados disso, caso contrário seremos levados de volta a nos enxergar nos termos da "carne" — quem achamos que somos quando distanciados de nossa união a Cristo pelo Espírito. Começamos a nos separar dos outros, como judeus e gentios, negros e brancos, ricos e pobres, primeiro e terceiro mundo, saudáveis e deficientes, jovens ou idosos, legais e ilegais, nascidos ou nascituros. Mas o evangelho transpõe barreiras e, na verdade, crucifica todas elas. Para nos aproximar de Deus, precisamos fazê-lo por intermédio de um rei-mediador judeu. Não há outro modo. Nosso chamado para relembrar a dignidade humana é, antes de mais nada, o chamado para relembrar quem somos.

O movimento pró-vida do presente, assim como os movimentos abolicionista e dos direitos civis, não é, nem jamais foi uma questão de "maioria moral". Deixada à própria mercê, a maioria sempre protegerá os poderosos e se esquecerá dos fracos. Isso é verdade sobretudo quando os fracos em questão não são apenas vulneráveis, mas também invisíveis. Com o avanço da tecnologia, nossa defesa da vida humana, em muitos casos, tem se tornado cada vez mais estranha para o mundo à nossa volta, uma vez que nosso ativismo engloba não só os bebês já mais formados dentro do útero, mas também os "embriões" sacrificados para a pesquisa médica ou para tratamentos de fertilidade. Argumentamos não só contra o aborto para "controle de natalidade", mas também contra o sacrifício de vidas humanas para causas que parecem heroicas, como a cura de doenças, a provisão de filhos para famílias inférteis, o avanço da raça humana a novos patamares do progresso evolutivo. No entanto, conforme Walker Percy há uma geração afirmou para o movimento do direito ao aborto em sua época: "De acordo com as pesquisas de opinião, parece que as coisas sairão do seu jeito. Mas vocês não terão tudo que querem, pois serão obrigados a escutar o que estão fazendo".[2] Isso se chama dar testemunho, e não é uma questão de política ou poder, mas, sim, de evangelho e missão.

O reino nos diz o que importa — e não é o puro poder ou a força de vontade. O reino nos diz o que importa — e não se define por poder ou força de vontade. A igreja deve incorporar tais realidades, e a missão se dispõe a ensinar e convencer o mundo exterior de um evangelho que honra e protege a vida. Logo, negar a dignidade humana é se posicionar contra o próprio Cristo, uma vez que ele não manifestou o tipo de poder ou sabedoria que a presente era almeja. Quando nos importamos com os vulneráveis — os nascituros, os idosos, os pobres, os enfermos, os deficientes, os órfãos, as vítimas de abuso — não estamos fazendo caridade. Tais pessoas não são "desprivilegiadas" — pelo menos não no longo prazo. São indivíduos que Deus se deleitará em exaltar como governantes futuros do universo. É preciso muito mais do que os valores ocidentais para enxergar isso.

Conclusão

As placas dos ativistas dos direitos civis na fotografia em minha estante eram palavras de esperança, mas também de juízo. Aqueles que as seguravam com bravura estavam declarando que tinham decidido não acreditar na retórica usada contra eles. Recusaram-se a crer que pertenciam a uma raça inferior ou, até mesmo, a uma raça diferente. Eram pessoas que carregavam em si a imagem de Deus. Tinham uma dignidade que não pode ser extinta por costume ou legislações. Mas tais placas também destacam o oposto. Aqueles que os oprimiam não eram deuses. Eram apenas homens e, como tal, estariam sujeitos ao julgamento do Deus da natureza. As palavras "Eu sou um homem" eram outra maneira de dizer: "Não tenho medo de você".

> **Nossa missão é definida não só por preceitos, prioridades e princípios, mas por uma pessoa.**

O evangelho que reconcilia hoje os filhos de proprietários de escravos com os filhos de escravos é o mesmo que reconciliou os filhos de Amaleque com os filhos de Abraão. Trata-se de um evangelho que reconstrói a dignidade humana e o senhorio de Deus, pois se fundamenta naquele que compartilha a divindade com seu Pai e a humanidade conosco, unindo dessa maneira, em si, o céu e a terra. Logo, nossa missão é definida não só por preceitos, prioridades e princípios, mas por uma pessoa. E essa pessoa é Jesus de Nazaré, que desafiadora e triunfantemente dá um passo para fora da história e declara, junto conosco: "Eu sou um homem".

7
Liberdade religiosa

De vez em quando, fico sabendo sobre alguma igreja envolvida em conflito por causa de uma bandeira. Em geral, isso não acontece porque o pastor de jovens queimou a flâmula nacional em sinal de protesto no pátio da igreja, mas, sim, porque há uma discussão se a bandeira do país deve permanecer hasteada dentro do templo. Para mim, o caso mais memorável foi o de um pastor que queria tirar a bandeira de dentro da igreja, mas não queria deixar de ser considerado patriota. Por isso, fez o plano de tirar a bandeira em segredo no meio da noite de sábado, na esperança de que a congregação não notaria no dia seguinte. É claro que essa brincadeira de "raptar a bandeira" não funcionou. Ao raiar do dia, os membros perceberam que a bandeira não estava no lugar de costume, e bombas metafóricas começaram a explodir pelo ar.

Há um motivo para esse debate ir muito além da arquitetura do púlpito. Ambos os lados da disputa tentavam defender algo louvável. Quem queria manter a bandeira na plataforma, bem ao lado da bandeira cristã, provavelmente não desejava transformar o símbolo nacional em um poste de Aserá. O patriotismo — o amor pelo próprio país — é uma afeição natural. Respeitar a bandeira é sinal de gratidão pelas liberdades adquiridas mediante o sacrifício de outros. É também sinal de humildade, o reconhecimento de que não somos vapores cheios de átomos; em vez disso, existimos em um contexto, um lugar e uma cultura. Quando corretamente aplicado, o patriotismo é semelhante à ordem que Deus nos dá de honrar pai e mãe.

Nesse caso, porém, o pastor não era um revolucionário na esfera política. Ele queria manter a prioridade do evangelho e do reino. Sabia que a identidade nacional era algo fácil para seus membros. O senso de pertencimento nacional estava a seu redor em toda a cultura, desde a educação até propagandas nas quais os símbolos da herança nacional são retratados o tempo inteiro. É por isso que alguns deles enchiam os olhos de lágrimas muito mais ao cantar hinos pátrios do que a doxologia. Ele sabia que a nacionalidade era importante, mas não suprema, e que a bandeira poderia ser perigosa para pessoas já propensas a esquecer quem são. Ele sabia que, às vezes, o patriotismo pelo próprio país parece mais fácil do que o patriotismo pela Nova Jerusalém, por ser muito mais imediato na experiência de cada um.

Liberdade religiosa e o reino de Deus

O conflito nessa igreja é um microcosmo de uma questão mais ampla, a da relação complicada e perigosa entre igreja e estado. As "guerras culturais" dos últimos cinquenta anos muitas vezes giraram em torno dessa relação, nas questões do que significa liberdade religiosa e como deve acontecer a separação entre igreja e estado. Tais conflitos não se confinam meramente ao contexto americano, no qual a liberdade religiosa está inserida no texto da Constituição como nossa primeira liberdade, mas também é relevante para o quadro mais amplo da igreja global, uma vez que, em alguns lugares, o corpo de Cristo enfrenta perseguição e, em outros, a tentação de perseguir. O testemunho da igreja nesses temas tem se revelado incoerente, na melhor das hipóteses, e contracristão, na pior delas. E essa tendência se torna mais pronunciada nos locais em que o cristianismo foi presumido como a postura padrão da cultura. À medida que a ilusão de um país cristão se dissipa, a igreja tem a oportunidade de se reapropriar de uma visão ampla de liberdade religiosa para todos, enraizada no reino, na cultura e na missão.

A questão de liberdade religiosa está, antes de mais nada, ligada ao reino de Deus. Começa com a imagem do próprio reino, que aponta para a aprovação divina da ordem e do governo. Às vezes, os cristãos argumentam que o estado foi uma necessidade posterior à queda e que somente família e igreja faziam parte da ordem da criação divina de acordo com o plano inicial. Em geral, esse argumento é usado para demonstrar a primazia da família e da igreja ou do indivíduo sobre o estado que passa dos limites. É um argumento convincente, sobretudo em épocas nas quais o povo está frustrado com a intervenção do governo na área militar, nos impostos ou em outros aspectos. É uma forma de catarse ver o governo em si como o problema, não apenas no curto prazo, mas em caráter permanente.

Mas tal argumento não é necessário, nem verdadeiro. A governança está presente desde o princípio, tanto no reinado de Deus sobre o universo que ele criou quanto no reinado dos primeiros seres humanos sobre a criação. James Madison estava parcialmente correto quando afirmou: "Se as pessoas fossem anjos, o governo não seria necessário". Sem dúvida, sem uma doutrina do pecado, não haveria necessidade da força penal coerciva da lei — de prisões, exércitos ou forças policiais. Mas isso não quer dizer que não haveria necessidade de governo. Aliás, até mesmo os anjos parecem ter governo — com ordem e hierarquia refletidos no testemunho bíblico.

O fato de que o governo é mais do que meramente um mal necessário também é visto no objetivo final do cosmo: o reino de Cristo. O universo não está se encaminhando rumo à anarquia ou à tirania, mas, sim, rumo ao reino de serviço, o governo no qual Jesus se refere a seus co-herdeiros não como servos, mas como amigos (Jo 15.15). No entanto, conforme mencionei anteriormente neste livro, a visão do reino de Deus sem a compreensão de como diferenciar o "já" do "ainda não" é perigosa tanto para as pessoas quanto para o evangelho. Afinal, o reino de Deus, em sua consumação, abrange tudo e todos.

Aqueles que tentam promover o reino com tanques de guerra, armas, leis ou decretos não compreendem a natureza do reino que Jesus pregava. O Cristo ressurreto prometeu que o "vitorioso" receberá "autoridade sobre as nações" e "as governará com cetro de ferro", com "a mesma autoridade que recebi de meu Pai", disse Jesus (Ap 2.26-28). Todavia, a vitória nesse caso não diz respeito a subjugar inimigos exteriores, mas, sim, a se manter fiel ao evangelho e seguir o discipulado a Jesus até o fim (Ap 2.25-26). Ainda não somos os reis do mundo (1Co 4.8); somos embaixadores que dão testemunho convincente do reino no qual entramos (2Co 5.11,20). Não é hora de governar, mas tempo de preparo para o governo, à medida que nós, dentro da igreja, somos formados e moldados para nos tornar pessoas semelhantes a Cristo que, na ressurreição, poderão se assentar com ele no trono do cosmo (Lc 22.24-28; Ap 3.21). O reino só virá plenamente depois que a morte, a última inimiga, for totalmente derrotada (1Co 15.24-28), e cada pedaço ocupado nos cemitérios testifica de que esse momento ainda não chegou.

Logo, nossa visão do reino nos leva a ver quem "nós" somos, e as respostas são diferentes em termos de igreja, estado, tribo ou cultura. A igreja de Filipos é identificada como a congregação formada por aqueles que moravam nessa cidade. A bandeira continua ali. No entanto, por ser parte da igreja, o corpo de Cristo, não era uma colônia de Roma, mas, sim, uma colônia do céu (Fp 3.20). A aliança com Israel incluía medidas amplas de poder estatal para que a lei de Deus vigorasse sobre a nação israelita, aguardando a era do Messias. Agora que essa era chegou, Jesus desarmou a igreja, repreendendo Pedro por usar a espada quando Jesus foi preso (Mt 26.52-53). O trigo e o joio crescem juntos no campo do mundo. Nem a igreja, nem o estado têm autoridade para arrancá-los (Mt 13.24-30). Ao mesmo tempo, a igreja deve fazer uma distinção interna entre crentes e descrentes, santos e estrangeiros, sem nenhuma autoridade para impor tais diferenciações na cultura exterior (1Co 5.10-12).

Reapropriação da separação entre igreja e estado

Esse conceito de reino significa uma separação entre igreja e estado. Alguns cristãos conservadores discordam automaticamente ao ouvir esse tipo de linguagem, pois a associam com a secularização imposta pelo estado que o falecido Richard John Neuhaus celebremente chamou de "arena pública nua".[1] No entanto, a separação entre igreja e estado não foi inventada por liberais seculares, mas, sim, por cristãos ortodoxos que não queriam um estado com poder de ditar ou suprimir doutrinas e práticas. O governo que se envolve na administração da igreja ou que usa a igreja como mascote do estado invariavelmente persegue e elimina a religião genuína. Essa é uma excelente expressão antiga da qual precisamos nos reapropriar.

> O governo que se envolve na administração da igreja ou que usa a igreja como mascote do estado invariavelmente persegue e elimina a religião genuína.

A separação entre igreja e estado não significa separar as pessoas religiosas do exercício da cidadania. Os cidadãos tomam decisões, e os formadores de opinião moldam a cultura com a consciência formada por algo, em algum lugar. Uma mulher budista pode citar seus princípios budistas do caráter destrutivo do apetite irrestrito como seu motivo para se preocupar com as políticas ambientais. E uma cristã se encontra muito bem dentro dos limites do discurso bíblico ao citar as Escrituras como sua razão para se importar o suficiente com a dignidade humana para se opor à supressão de votos por discriminação racial ou à diminuição das penas impostas à pornografia infantil. A separação entre igreja e estado significa que a igreja não usa a espada de César para impor o evangelho e que a espada de César não será usada para constranger a consciência livre de seres humanos criados à imagem de Deus. As esferas de autoridade na presente era são bem diferentes. O assassino que matava as vítimas com um machado e se achega à fé em Cristo é completamente perdoado de seus pecados, em virtude de sua união com Cristo. Mas não é, por causa disso, liberto da prisão. Seria um abandono da justiça estatal. Ao mesmo tempo, a igreja não deve esperar para recebê-lo apenas após o fim de sua sentença. Seria um abandono do evangelho da igreja. Isso é separação entre igreja e estado. O estado não deve se preocupar em arrancar o joio — e nem mesmo em inspecionar o joio —, mas deve trabalhar em prol da ordem, da segurança e do bem-estar público.

A separação entre igreja e estado delimita com clareza a autoridade de ambos, que podem sofrer abuso. Todo marginal ou político sedento por poder adoraria ter acesso às "chaves do reino" a fim de conseguir e manter o poder. Afinal, se for possível controlar se as pessoas vão para o inferno ou não, você pode realizar praticamente tudo na arena da opinião pública. Como afirmou um líder batista da última geração: "Todos querem uma teocracia, e todos querem ser Teo".

As Escrituras ensinam que os poderes instituídos têm autoridade legítima, mas não ilimitada. O apóstolo Paulo limita o poder da espada de César a punir "os que praticam o mal" (Rm 13.4). O apóstolo escreveu que é necessário pagar os impostos, bem como prestar honra e respeito a quem merece essas coisas (Rm 13.7). Tais diretrizes estão em continuidade com este ensino muito citado de Jesus: "Então deem a César o que pertence a César, e deem a Deus o que pertence a Deus" (Mc 12.13-17). Os impostos estão dentro da esfera da autoridade de César, mas o desdobramento claro é que nem tudo é assim. São as moedas, e não todas as coisas, que trazem a imagem de César.

O oposto do espectro de Romanos 13 é Apocalipse 13, também escrito dentro do contexto do império romano e relacionado à questão da autoridade de César. Temos o "ministro da ira de Deus" em um contexto e a "besta que sai do mar" no outro. Qual é a diferença?

A besta estatal descumpre seus limites, posiciona-se como deus e busca regular a adoração por meio de ameaças de violência ou intimidação econômica (Ap 13.15-17). Toda autoridade debaixo de Deus é limitada. Os israelitas obedeciam à autoridade do faraó, mas Deus abençoou as parteiras hebreias que se recusaram a obedecer ao decreto de matar os bebês meninos, exatamente porque o faraó não tinha o direito de eliminar vidas inocentes (Êx 1.15-22). Daniel honrou o rei Nabucodonosor até este decretar os limites da alimentação e das orações que sua consciência regia. Pedro e João eram obedientes às autoridades do templo — autoridades legítimas, segundo Jesus (Mt 23.3) — até que estas quiseram decidir como e o que pregar. Nesse momento, tais autoridades precisaram ser desafiadas (At 4.19-20).

Os limites do poder estatal demonstram que existe uma lei moral por trás das expressões da lei humana. Por isso, a maioria eleitoral nem sempre está certa. Essa era a verdade antiga que Rosa Parks estava afirmando quando se recusou a ceder seu lugar, dando início aos boicotes de ônibus em Montgomery, contra a repressão das leis de segregação racial. Ela e outros ativistas dos direitos civis jamais argumentaram que as leis não eram apoiadas pela maioria, pois eram sim. Ela e seus aliados defendiam que as leis estavam erradas — e não só erradas, mas também ultrapassavam os limites da legitimidade do poder estatal. A lei civil só é capaz de manter a ordem — e de promover o bem comum — se for fundamentada em algo além da vontade arbitrária de um governante ou de uma multidão. Só podemos nos render a César e a Deus se soubermos qual é a diferença entre os dois.

Logo, o estado não detém as "chaves do reino" e não pode legislar sobre a missão espiritual da colônia do reino. Tampouco a igreja, nesta época anterior ao dia do juízo, pode governar sobre o estado civil. O próprio Jesus se recusou a fazer isso. Quando "alguém da multidão" gritou pedindo a Jesus: "Mestre, por favor, diga a meu irmão que divida comigo a herança de meu pai!", sua resposta foi dura: "Amigo, quem me pôs como juiz sobre vocês para decidir essas coisas?" (Lc 12.13-14). Jesus abordou a questão imediatamente em termos do caráter moral do homem e sua prestação de contas perante Deus no dia do juízo (Lc 12.15-21), mas se recusou a agir como agente de estado para julgar disputas entre pessoas de fora da igreja.

A distinção entre o governo temporal e o reino de Cristo, expressa agora na igreja, significa que nem tudo que é errado deve ser criminalizado. O estado executa justiça contra "os que praticam o mal" (Rm 13.4), é o que Paulo nos ensina. Fica claro que "os que praticam o mal" não significa o mesmo que "pecadores". Uma vez que todos nós somos pecadores (Rm 3.23), as prisões estariam cheias e as ruas vazias, pois não restaria ninguém sem sofrer acusação. Ninguém mesmo. O poder policial do estado foi estabelecido para manter a segurança e a ordem pública de acordo com os princípios da justiça. Em todos os lugares do Novo Testamento, a missão de confrontar pecados é confiada à igreja, não ao estado. Até no pior caso de imoralidade sexual, o último passo é a excomunhão, não a instituição de um estado policial para executar justiça (1Co 5.1-13).

Todo e qualquer pecado leva à morte e ao juízo pessoal, mas nem todo pecado é uma questão de injustiça pública. O homicídio é um pecado pessoal contra Deus e o próximo, mas também um ato de injustiça e violência na esfera pública, de uma forma que a ira contra o outro no coração não é. O adultério é de interesse do estado? Sim, caso o estado seja convocado para determinar quem é o responsável pela quebra da aliança matrimonial, a divisão dos recursos da casa ou a decisão de quem ficará com a guarda dos filhos. Mas o estado não tem interesse em punir o adultério em termos de suas consequências para o bem-estar moral ou escatológico do adúltero. O estado é incompetente para julgar esse tipo de coisa.

> Todo e qualquer pecado leva à morte e ao juízo pessoal, mas nem todo pecado é uma questão de injustiça pública.

Liberdade e justiça para todos

Uma das principais causas dos direitos humanos no mundo atual diz respeito às leis de blasfêmia. Em geral, elas existem no mundo islâmico e são usadas contra cristãos, judeus e outras minorias religiosas. Praticamente quase todos os cristãos ocidentais se oporiam a esse tipo de perseguição estatal e se solidarizariam com seus irmãos e irmãs perseguidos em Cristo. Mas vale a pena perguntar por quê. Caso tivéssemos uma maioria cristã (de fato, não em mera identificação pessoal) desejosa de aprovar todas as leis que pudesse, teríamos justificativa para tornar ilegal o islamismo, ateísmo, Wicca ou o candomblé? Não. A aprovação desse tipo de lei é um repúdio às crenças daqueles que desejam colocá-las em vigor. A religião que necessita de poder estatal para impor obediência a suas crenças é uma religião que perdeu a confiança no poder de sua divindade.

Os cristãos devem lutar pela liberdade dos muçulmanos serem muçulmanos, adorarem em mesquitas e livremente tentarem convencer os outros de que o Alcorão é uma revelação verdadeira de Deus. Isso não acontece porque nós cremos nas premissas do islamismo, mas exatamente porque não o fazemos. Se realmente cremos que o evangelho é o poder de Deus para a salvação, não precisamos de burocratas que obriguem as pessoas a se acovardar diante da mensagem. Nem sempre os cristãos compreenderam isso com tanta clareza. Alguns tentaram propagar o reino pela lei e pela força. Mas isso não leva ao triunfo do cristianismo. Apenas coloca um verniz cristão em cima do paganismo. Os lugares em que o cristianismo já foi "oficial" e "consolidado pelo estado" são exatamente os lugares que agora se encontram tão cauterizados e seculares quanto possível. Isso não é coincidência.

A liberdade religiosa para todos e o pluralismo na arena pública não significam que a verdade é relativa, nem que todas as religiões são caminhos iguais para levar a Deus. Tampouco querem dizer que as afirmações de verdade religiosa não importam. Pelo contrário. O evangelho nos impele à compreensão de que a prestação de contas final relativa à justiça não será para o estado, nem para nós mesmos, mas, sim, para o trono do juízo no reino de Deus. Nenhum oficial do governo poderá acompanhar a pessoa perante esse tribunal. Compareceremos individualmente, ou com um Mediador em Cristo Jesus, ou sozinhos com nossos pecados.

Logo, a consciência não pode ser constrangida a confiar cegamente por e para ninguém. O evangelho não avança mediante manipulação ou coerção, mas pela proclamação aberta e convincente do evangelho de consciência para consciência (2Co 4.2). O Espírito convence do pecado. Não se pode forçar a fé a existir ou deixar de existir, não importa se o indivíduo é um aiatolá teocrático ou um parlamentar secularizado.

O evangelho é grande o bastante para lutar por si mesmo. E o evangelho não luta com a espada invencível de César, mas, sim, com a espada invisível do Espírito. Quando tentamos persuadir livremente nosso próximo, sem coagir, confessamos que o Espírito de Deus é poderoso o bastante para convencer do pecado e fazer caírem ao chão as amarras e fortalezas da mente e da consciência. Não se entra no reino de Deus por caminhos da carne, Jesus nos conta, mas somente pela obra sobrenatural do novo nascimento. Ninguém nasce de novo por cesariana. Partilhamos o evangelho com todos, mas o evangelho entra com um testemunho convincente, que requer a liberdade de aceitar ou rejeitar. Logo, cremos na liberdade e em Jesus para todos.

Às vezes, minha esposa me dá uma cutucada quando me vê revirando os olhos durante o culto. É totalmente involuntário e, às vezes, nem sei que estou fazendo isso. Mas são apenas uma ou duas coisas que provocam essa reação. A primeira é quando um líder de louvor troca a letra de um hino antigo, tirando palavras bíblicas excelentes. Estou convencido de que toda vez que um líder de louvor deleta "Ebenézer" do hino "Fonte és tu de toda bênção", um arcanjo afia a espada. Eu sei, eu sei; eles me dizem que a maioria das pessoas não sabe o que "Ebenézer" significa, então é apenas uma "vã repetição" se cantarmos assim mesmo. Argumento que a maioria das pessoas não sabe o que é "graça", "Israel" ou "Jesus" até que ensinemos esses conceitos, e que os cânticos do povo de Deus são uma parte essencial desse ensino. Ainda assim, sou ranzinza nesse ponto e provavelmente isso não irá mudar. Minha outra tendência de revirar os olhos acontece sempre que ouço uma "oração-anúncio". Dou esse título a qualquer oração destinada a comunicar informações para os ouvintes mais do que a conduzir as pessoas a uma comunicação com Deus. Tais orações funcionam mais ou menos assim: "Senhor, tu sabes que o café da manhã para os homens será no sábado que vem, às oito da manhã, no salão da igreja. E tu sabes, Senhor, que as reservas só podem ser feitas até sexta-feira, meio-dia, no escritório da igreja e que as vagas são limitadas...". Isso é um anúncio, não uma oração, e seria melhor chamar pelo nome certo. Pode me chamar de ranzinza. Quanto mais penso nisso nesses dias, porém, mais acho que a "oração-anúncio" é uma faceta central da cultura por trás de algumas de nossas disputas em relação à liberdade religiosa, na América do Norte e no mundo inteiro.

A maioria das pessoas que tentam restringir a liberdade religiosa não são vilões, tramando em uma caverna remota como destruir o cristianismo a fim de substituí-lo pelo secularismo. Todos nós reconhecemos que existem limites para todos os direitos — inclusive os direitos naturais que nos foram concedidos pela natureza e pelo Deus da natureza. Muitos deles genuinamente não entendem as motivações religiosas, porque nunca as sentiram. Logo, ficam perplexos quando veem freiras que não querem ser forçadas pelo governo a pagar pelos métodos contraceptivos ou estudantes muçulmanas que querem permissão para usar o véu na escola ou famílias judias que não querem sofrer proibições governamentais à circuncisão. Muitos presumem que essas coisas devem estar relacionadas a algum outro fator, como poder político ou ganho econômico.

Aquilo que muitos de fato compreendem são outras motivações transcendentes reais ou ilusórias. É por isso que vários dos conflitos de liberdade religiosa atuais dizem respeito à liberação sexual. E é por isso que aqueles que se importam com a liberdade religiosa precisam resistir à tentação de falar dessas questões usando somente a linguagem "neutra" e aceita pelo público de direitos e do bem comum (embora tais elementos sejam parte importante do tema). Também precisamos expressar o que nos motiva, e isso exigirá um debate aberto da singularidade de nossas convicções. Não é necessário que a sociedade como um todo aceite nossas convicções, é claro, mas elas ajudam a explicar por que algumas incursões à liberdade religiosa não são meros incômodos cívicos para nós ou para outros em situações semelhantes, mas violam genuinamente um dos mistérios mais profundos da vida humana: a consciência.

Liberdade religiosa e religião civil

Compreender a cultura ao nosso redor também significa reconhecer que a secularização, pelo menos em algumas formas, traz consigo não a diminuição da tentação da religião instituída, mas, em certos casos, o aumento dela. O problema, conforme destacaram os filósofos a partir de Charles Taylor,[2] é que "secular" significa coisas diferentes. Se, ao dizer "secular", estamos nos referindo ao que não é "santo" ou separado para a obra do reino, então, sim, o estado e o mundo no qual ele existe de fato é "secular" — e deve ser.

Mas se por "secularização" estamos aludindo à perda da capacidade de compreender motivações ou pessoas religiosas, deparamos com um conjunto bem diferente de problemas, que envolvem um estado se aparelhando para se tornar o teólogo-chefe.

Por exemplo, há grupos que reivindicam aos militares que os capelães façam orações "inclusivas" e "não sectárias" em público. Isso é problemático sobretudo para os cristãos evangélicos que terminam a prece "em nome de Jesus". Certa vez, um capelão me contou que um de seus superiores lhe pediu que orasse apenas "em teu nome" ou "em nome de Deus", já que seria menos ofensivo para quem escutasse a oração e, afinal, "que diferença faz?". Do ponto de vista do militar, provavelmente não era muito pedir que o capelão fizesse uma oração mais sensível a um Deus identificado de forma genérica. Todavia, para muitos cristãos, sobretudo para os evangélicos, "em nome de Jesus" não é apenas um jargão comum, como a expressão "obrigado pela vida, saúde e paz" ou o pedido para "abençoar a oferta e os ofertantes". Em vez disso, reconhecem que "há um só Deus e um só Mediador entre Deus e a humanidade: o homem Cristo Jesus" (1Tm 2.5). Só podemos comparecer na presença de Deus porque compartilhamos do Espírito de Cristo, por meio de quem clamamos: "*Aba*, Pai" (Rm 8.15).

"Que diferença faz?" é uma pergunta perfeitamente legítima se a oração for uma mera função cívica, mas não para quem acredita estar de fato falando com Deus. A pergunta em si é equivalente a pedir ao capelão católico que entregue a hóstia a soldados de todas as religiões, já que "pão é pão". Quem são os militares para decidir esse tipo de coisa? Os capelães não atuam em uma função apenas cívica. Servem tanto a Deus quanto a César. Foram separados de suas instituições religiosas e colocados dentro do exército para incentivar os militares a exercer suas convicções religiosas. Se os únicos capelães com autorização para orar forem aqueles dispostos a fazer orações unitaristas em público, não teremos mais pluralismo religioso dentro do exército. Em vez disso, teremos a instituição estatal de diversas formas do unitarismo.

O mesmo acontece em contextos externos não militares, nos quais se pressiona, cultural ou juridicamente, para que as orações estejam de acordo com uma prece "não sectária". Mas o que seria uma prece "não sectária"?

Seria uma oração dirigida a Deus, mas que não mencione Jesus? Como essa prece não excluiria, por exemplo, os politeístas?

E, para ser mais específico: como o governo decide qual é o nível apropriado de conteúdo "sectário"?

O governo permite que se diga "Deus", "céu" ou "Razão da Existência", mas exclui a menção a "Alá" ou "Krishna" ou à Bíblia ou à Torá ou ao Bhagavad-Gita?

Se é assim, então temos uma religião instituída, uma religião civil genérica imposta pelo estado. A oração não é o lugar para disputas entre religiões ou para defender pontos apologéticos. Fazê-lo seria mais uma forma de "oração-anúncio" (ou quem sabe uma "oração-sermão"). Mas a ideia de que todas as religiões são, em sua essência, uma só já é uma opinião religiosa, que muitas religiões rejeitam. Nossas muitas diferenças se revelam em nossas maneiras de orar. Tais diferenças devem ser tema de debate entre nós, mas não algo para o governo arbitrar, fingindo que elas não existem ou escolhendo um lado dentre elas.

Tais conflitos sobre a adequação da religião sem dúvida se tornarão ainda mais pronunciados nos anos futuros, à medida que a cultura se seculariza ao mesmo tempo que as comunidades religiosas se tornam cada vez mais definidas por seu caráter distintivo. Isso não é, necessariamente, uma má notícia para a igreja.

Mais uma vez, recebemos a oportunidade de corrigir os aspectos em que nossas comunhões se tornaram mais nacionalistas do que cristãs. O conceito de cristianismo como maioria cultural muitas vezes violenta o conceito cristão de relação entre igreja e estado, entre o reino e o mundo. Fico surpreso com a frequência com a qual ouço cristãos praticantes sugerirem que os Estados Unidos deveriam, por exemplo, deportar todos os muçulmanos ou que a prefeitura deveria proibir o funcionamento de mesquitas. Por trás dessas opiniões se encontra o pressuposto de que "nós" somos uma nação cristã com poder de espada conferido para punir a desobediência espiritual. Trata-se de uma interpretação incorreta tanto das Escrituras quanto do mundo à nossa volta. As pessoas realmente acham que entregar as "chaves do reino" do discernimento espiritual para César é correto ou contribui com o avanço do evangelho cristão?

O estado pode até tolerar uma religião vaga, genérica e não ameaçadora, mas conforme expressou certo pregador da época da Independência americana: "Não há nada mais incômodo para a religião instituída do que o evangelho de Jesus Cristo". Na plenitude do tempo, um César espiritualmente empoderado decidirá que a pregação do evangelho não deve acontecer se atrapalhar o comércio dos artífices de Ártemis (At 19.21-24) — e isso sempre ocorre. O tipo de religião que o estado, qualquer estado, apoia é sempre a religião civil do tipo "Deus e a nação", que apoia a agenda dos políticos. Isso acontece se delegarmos o poder de proibir convicções e práticas religiosas, ou se esperarmos que o governo escreva orações para nossas escolas. Nós realmente cremos que indivíduos não regenerados podem se aproximar de Deus sem Mediador para orar? Se não, por que pediríamos ao governo que force as pessoas a fingir que isso é possível?

Esse tipo de agenda só pode existir dentro da ilusão de que os Estados Unidos são, de modo geral, um país convertido. E essa ilusão felizmente já acabou. Quando a religião se torna um meio para obter determinado fim — de unidade nacional, moralidade pública ou qualquer outro — ela deixa de ser um encontro sobrenatural com Deus e se torna um mero programa. É por isso que sempre devemos nos acautelar quando o governo procura nos "abençoar" com orações "não denominacionais" escritas pelo estado ou com o patrocínio direto de nossas iniciativas religiosas (o qual inevitavelmente tira dessas iniciativas o foco no evangelho). Uma religião civil sem Cristo, composta por um deísmo cerimonial, congela o testemunho da igreja e o transforma em algo inútil, na melhor das hipóteses, e pagão, na pior. Uma doxologia operada pelo estado não é capaz de regenerar a alma, nem de ressuscitar um morto.

Cristianismo sitiado?

A tentação contrária à ilusão da maioria cultural é a mentalidade do cerco. A liberdade religiosa se encontra mesmo em perigo, talvez mais do que em qualquer outra época desde a época da Independência, mas não conseguiremos articular nossos compromissos nessa arena se não soubermos traçar uma distinção entre perseguição estatal e marginalização cultural, entre opressão pública e ofensa pessoal.

Há vários anos, enquanto folheava as páginas de uma revista dentro do avião, deparei com algumas propagandas que causaram um pico em minha pressão sanguínea. Uma propaganda de cerveja trazia a frase: "Isso sim é noite feliz!". Alguns minutos depois, em outra publicação, havia a propaganda de uma churrasqueira que dizia: "Quem disse que é melhor dar do que receber?". Minha primeira reação foi sentir uma ofensa pessoal ou mesmo tribal. Questionei-me, irado: "Alguém faria uma propaganda durante o Ramadã na Arábia Saudita com a frase 'Jejuar para quê?' ou perguntaria, na Índia, 'Quem disse que tudo é um com o universo?'". Mas eu não estava entendendo bem o que aconteceu ali.

A verdade é que aquelas empresas estavam tentando vender produtos, não ofender grupos populacionais. Alvejar as crenças religiosas de um grupo não ajuda na economia. Aposto que quem idealizou essas campanhas não "entendeu" que talvez estivesse ridicularizando Jesus Cristo. A agência publicitária sofisticada de Nova York provavelmente não refletiu, na reunião de *brainstorming*, sobre como a música "Noite feliz" reflete a santa admiração sobre o milagre da Encarnação em Belém. Para eles, provavelmente parece apenas mais uma música de Natal, parte do contexto cultural dessa época do ano. Para esses publicitários, dizer que uma noite de bebedeira é mais feliz provavelmente não lhes parece mais insensível do que fazer piadas com elfos ou renas. É bem improvável que os profissionais tenham pensado que "É melhor dar do que receber" é uma frase de Jesus, citada pelo apóstolo Paulo (At 20.35). Provavelmente só lhes pareceu um aforismo como os de Benjamin Franklin, como quando alguém diz "letra escarlate", sem reconhecer Hawthorne, ou "ser ou não ser", sem saber a diferença entre Hamlet e Huckleberry Finn.

Não deveríamos nos encolerizar com esse tipo de coisa, como se fôssemos uma classe protegida de vítimas. Precisamos reconhecer que nossa cultura está cada vez menos conectada com as raízes de conhecimentos básicos do cristianismo. Muitos, sobretudo entre os formadores de opinião da cultura americana, veem o Natal da mesma maneira que o Hanucá. Sabem o que é um menorá e dreidel, mas nunca ouviram falar sobre a batalha dos Macabeus. Isso não deve nos deixar ultrajados, mas, sim, nos levar a entender como as pessoas à nossa volta nos enxergam — às vezes mais em termos de nossas trivialidades do que dos significados profundos da Encarnação, da expiação pelo sangue e do reino de Cristo. Isso quer dizer que devemos gastar mais tempo mostrando a nossos vizinhos o tipo de notícia que chocou os anjos, mudou a direção dos estudiosos das estrelas e fez os pastores de ovelhas caírem com rosto em terra. Parecerá estranho, e tudo bem, pois é estranho mesmo. Uma Encarnação segura o bastante para vender cerveja e churrasqueira é um evangelho seguro demais para que as bênçãos fluam até onde há maldição. Nem tudo que nos ofende deveria nos ofender, e nem tudo que nos ofende é perseguição.

> Nem tudo que nos ofende deveria nos ofender, e nem tudo que nos ofende é perseguição.

Mas existe perseguição genuína em todas as eras, e devemos nos esforçar para que as culturas congregacionais reconheçam isso. Em certo sentido, muitas de nossas congregações já estão nesse ponto, em especial nas igrejas que têm uma cultura de forte ativismo missionário. Elas dedicam tempo orando por diferentes nações do mundo e, às vezes, demonstram visivelmente sua preocupação pelas nações exibindo bandeiras de vários países dentro do templo. Parte de nosso foco missionário deve dizer respeito à perseguição e à violência religiosa, não só contra os cristãos. Afinal, como poderemos amar o mundo com o evangelho se formos apáticos, por exemplo, ao antissemitismo global ou à queima de casas de adoração das minorias religiosas? Devemos orar por direitos humanos e liberdade religiosa para todos, em todos os lugares — não só para quem crê em nosso evangelho.

Dito isso, nossas congregações também devem cultivar foco especial naqueles, dentro do corpo de Cristo, que são machucados, espancados, presos e encarcerados no mundo inteiro, assim como as Escrituras nos chamam a fazer (Hb 10.33-34). Não é uma questão de irmãos e irmãs "fortes" se posicionarem em prol dos "fracos" ao redor do planeta.

Em certo sentido, é também. Temos relativa liberdade e podemos pressionar o aparato estatal a agir, podemos enviar auxílio às comunidades em perigo e podemos usar a tecnologia para alertar a comunidade global quanto ao que está acontecendo com as minorias religiosas perseguidas do mundo inteiro. Quando, porém, nos lembramos dos perseguidos, o fazemos não só para defender nossos irmãos e irmãs, mas também para aprender com eles como viver a vida cristã. Sempre que deparamos com cristãos perseguidos ao redor do mundo, temos um vislumbre do que Jesus nos chamou a fazer. Vemos o tipo de fé que não é um meio para um fim. Vemos o tipo de fé que se une ao corpo de Cristo de todos os tempos e lugares, na confissão de um reino diferente. Vemos um evangelho que não significa "prosperidade na terra com o céu no final".

Quando oramos por aqueles que são encarcerados por sua fé, relembramos um evangelho que chegou a nós escrito em cartas da prisão. Quando suplicamos por aqueles cujas igrejas são queimadas no Egito, recordamos que nossa esperança não está na construção de impérios religiosos, mas, sim, em uma Nova Jerusalém que jamais vimos. Quando choramos por aqueles que são crucificados (às vezes literalmente) no Oriente Médio, somos lembrados de que nosso Senhor não é um *coach* ou guru, mas, sim, um Messias crucificado. Isso pode nos lembrar do evangelho que aceitamos no princípio e nos libertar de pseudoevangelhos gordos e prósperos que jamais poderiam salvar. E podemos recordar que os cristãos perseguidos pelos quais oramos e aos quais defendemos podem muito bem ser aqueles que mandarão missionários para anunciar o evangelho a uma Europa ou América do Norte pós-cristãs.

A coisa mais importante que a igreja pode fazer para proteger a liberdade religiosa e de consciência é se apegar ao evangelho. Muitos cristãos na história da igreja foram presos, desde Atos até hoje. Precisamos trabalhar com afinco para tirar cristãos e outras pessoas da cadeia por causa de suas convicções religiosas.

Mas existem coisas ainda piores do que ser preso. Afinal, é possível manter a liberdade simplesmente por meio da assimilação do espírito da época. Os contemporâneos do profeta Daniel, que se prostraram diante da estátua do rei, jamais viram o interior da cova dos leões. Pôncio Pilatos viveu até ficar relativamente velho, sem se preocupar com a violência estatal que dizimou os apóstolos. Judas Iscariotes jamais foi preso por nada, após colaborar com o estado para que este desempenhasse sua missão sombria. Aqueles que saíram da igreja primitiva escaparam do Coliseu com vida. Tudo que lhes custou foi um pouco de incenso, murmurar por um instante "César é Senhor" e a própria alma. Deus nos livre disso! Devemos proteger nosso legado de uma igreja livre em um estado livre. Devemos orar e trabalhar "para que tenhamos uma vida pacífica e tranquila, caracterizada por devoção e dignidade" (1Tm 2.2). Mas esse não é o maior sinal de nosso sucesso. É melhor que nossas gerações futuras estejam dispostas a ir para a prisão — pelos motivos certos — do que trocar o evangelho do reino pela bagunça do cozido de Esaú. Às vezes, cristãos que cantam louvores, escrevem cartas e pregam o evangelho dentro da cadeia podem fazer coisas extraordinárias.

Liberdade religiosa e missão

Isso quer dizer que a liberdade religiosa está tão ligada à escola dominical infantil quanto à Suprema Corte — na verdade, até mais. Para reivindicar liberdade no futuro, precisamos nos lembrar do motivo para tê-la: em prol do evangelho e do avanço da missão. Se nossos descendentes amarem este evangelho e se virem primeiro como cidadãos do reino, não hesitarão quando um grupo de terroristas ameaçar cortar a cabeça deles, pois conhecerão a Cristo. Caso precisem escolher entre prosperar no mercado de trabalho e seguir a Cristo, estarão dispostos a passar fome por um tempo para ser saciados à mesa do Senhor. Caso soldados os enfileirem contra a parede da igreja, onde quer que for, continuarão a marchar para Sião, cantando as promessas de um Cristo triunfante e ressurreto. Mas não farão isso se forem criados em um regime semanal de evangelho da prosperidade e moralismo do tipo "pode" ou "não pode". Não farão isso por um partido político, uma tradição familiar ou uma cultura majoritariamente cristã. Farão pelo mesmo evangelho que levou nossos ancestrais a ser decapitados, queimados e afogados enquanto continuavam a defender, para os poderes estabelecidos, que havia de fato "um outro rei": Jesus (At 17.7). A igreja só pode se posicionar em prol da liberdade religiosa se tiver a certeza de que o juízo de Cristo é supremo e superior ao do estado.

Além disso, a cultura da igreja deve moldar a consciência da nova geração no que diz respeito à liberdade religiosa de acordo com os fundamentos e limites da autoridade genuína, não apenas por meio de nossa proclamação, mas também de nossa demonstração. Por exemplo, a Bíblia nos dá a ordem de orar "em favor dos reis e de todos que exercem autoridade" (1Tm 2.2), de demonstrar submissão e honra para quem ocupa tais posições (1Pe 2.13-14). É fácil fazer isso quando o político eleito é popular em meio à congregação ou tem pensamento alinhado com os líderes da igreja. Quando, porém, a situação é contrária é que conseguimos realmente ver se somos submissos a Deus ou a nossas tribos políticas. É nessa esfera que nossa tendência de fazer "orações-anúncios" da religião civil se torna mais óbvia: oramos em tom elogioso, pedindo sabedoria e bênçãos para os líderes com os quais concordamos, mas, rangendo os dentes, clamamos pelo arrependimento daqueles de quem discordamos. A ordem de honrar as autoridades e orar por elas não significa concordar com toda e qualquer coisa, mas significa uma postura de respeito.

Sempre me espanto com os cristãos que questionam a ordem divina de honrar, argumentando que, em nosso sistema, os "reis" são as pessoas. Assim, de acordo com esse argumento, somos chamados a honrar a

Constituição, mas não os políticos eleitos. Estão certos ao dizer que o povo é a autoridade suprema em nosso sistema (embora a autoridade suprema seja Deus em qualquer caso), mas isso não muda a natureza da ordem. Humanamente falando, a autoridade política suprema no contexto do Novo Testamento era o imperador. Ainda assim, o apóstolo Pedro foi específico ao convocar o povo de Cristo a demonstrar submissão não só ao "rei como autoridade máxima", mas também aos "oficiais nomeados" (1Pe 2.13-14). Paulo chamou as igrejas a orar e expressar ações de graças pelos "reis" e por "todos que exercem autoridade" (1Tm 2.1-2). Por trás dessa orientação se encontra a ordem mais genérica de tratar "todos com respeito" (1Pe 2.17), orar "em favor de todos" (1Tm 2.1) e "a quem respeito, respeito; a quem honra, honra" (Rm 13.7, RA). Quando o apóstolo Paulo apela para que obedeçamos e honremos às autoridades governantes, devemos nos lembrar de que ele não está se referindo a um sistema político consistente com os "valores tradicionais". Ele estava falando de um César sanguinário e pagão, de um governo diretamente responsável pela crucificação de Jesus. Demonstramos para a próxima geração o que significa divergir quando o fazemos não em uma espécie de arte performática política, mas em obediência a Deus — obediência que nos torna dispostos a acompanhar com honra e oração, assim como, quando necessário, com divergência. Pois sabemos que nós, cristãos, diremos eternamente que "Jesus é Senhor", ao passo que, como cidadãos, também podemos temporariamente dizer "Salve o líder da nação".

Além disso, a igreja deve demonstrar ativamente o que significa reconhecer a autoridade legítima do estado civil ao se sujeitar a César nas questões referentes à violação da lei. Por exemplo, se algum membro da igreja pratica abuso físico ou sexual, a igreja precisa disciplinar a parte culpada, porém a disciplina eclesiástica nesses casos não basta. O transgressor violou não só a lei de Deus, mas também a lei da cidade dos homens. A igreja precisa tomar atitudes para abordar o pecado e as questões espirituais imediatamente envolvidas, mas, com a mesma celeridade, precisa notificar as autoridades civis para que investiguem e, quando necessário, processem.

A igreja também precisa ensinar os limites adequados de autoridade ao demonstrar o mesmo nos limites de nossa autoridade. A igreja presta contas a Deus pela proclamação da verdade e o pastoreio das almas do povo de Deus, mas tal autoridade não é ilimitada, nem foi investida sobre uma igreja específica ou sobre determinado líder. Podemos cultivar a consciência da nova geração mostrando-lhes como reconhecer quando uma igreja passou dos limites, por exemplo, ao impor regras que não se encontram determinadas pelas Escrituras. Não é preciso ser um povo cético, que sempre questiona a pregação e os ensinos da igreja. Mas é fundamental saber que até mesmo a igreja está apenas a uma apostasia de distância de um candelabro retirado (Ap 2.5), e que qualquer líder da igreja nesta era pode errar e carecer de repreensão (Gl 2.11-14). A igreja pode demonstrar isso ao falar com convicção inequívoca sobre todas as verdades claras da Bíblia, mas usar termos diferentes nos pontos em que a consciência tem liberdade para chegar às próprias conclusões. Por exemplo, nem mesmo os apóstolos conseguiram resolver as divergências entre os cristãos que comiam carne ou só verduras. Em vez disso, pediram união e que cada um agisse de acordo com a luz que tinha em relação a esse assunto (Rm 14.1-23). A congregação demonstra a natureza limitada de qualquer autoridade quando se recusa a usar sua autoridade de ensino para impor questões que devem ser deixadas para a consciência individual decidir, como participar ou não do Halloween, ou matricular ou não os filhos em escolas públicas. A igreja discipulada para enxergar isso no contexto de sua comunidade tem melhores condições para reconhecer quando César ultrapassou os limites.

Então como a liberdade religiosa se encaixa na missão da igreja em uma nova era? Assim como em outras questões, o primeiro passo é reconhecer que ela faz parte de nossa missão. Sobretudo nos temas referentes à liberdade religiosa, com frequência deparo com aqueles que consideram evangélico simplesmente não se envolver. "Não deveríamos precisar lutar por um lugar à mesa", ouvi um cristão dizer acerca de leis que forçam os cristãos a violar sua consciência. "É só abrir mão da mesa." A princípio, parece correto. Afinal, o Senhor Jesus não reivindicou os próprios "direitos", mas voluntariamente os sacrificou por nós. Quando recebemos um golpe em uma face, devemos oferecer a outra. Quando alguém pega nossa túnica, devemos oferecer o manto também (Mt 5.40-41). Mas essa postura pressupõe que, em tal cenário, somos apenas vítimas. Quem tem poder policial não deve ignorar ataques sobre outros com base na regra de que os atacados devem oferecer a outra face. Seria uma injustiça tanto pública quanto bíblica, merecedora de censura. Dar o manto seria uma prática bem diferente se um soldado estivesse colecionando mantos à força porque "as pessoas são obrigadas a dar mesmo!".

Em uma república democrática, o povo é a fonte suprema de autoridade (debaixo de Deus). Nós, cidadãos, detemos responsabilidade pela eleição dos políticos, pelas leis feitas em nosso nome e pelo estabelecimento de precedentes mediante nossos atos. Nas questões de liberdade religiosa, não estamos simplesmente nos posicionando no mesmo lugar que Jesus, perante Pilatos. Também ficamos de pé na posição de Pilatos. Ignorar questões de liberdade religiosa que imporão condutas a outras pessoas e gerações futuras é o equivalente a lavar as mãos pelas próprias ações, como fez Pilatos. A liberdade religiosa da próxima geração não diz respeito apenas a saber se seremos perseguidos ou não, mas, ainda mais importante, se não seremos nós os perseguidores. A moeda de César, com os ajustes da inflação, às vezes chega a trinta moedas de prata.

É por isso que o apóstolo Paulo combate ativamente as autoridades judiciais por causa de suas prisões em Atos, chamando atenção para sua cidadania romana e fazendo apelos às instituições superiores ao longo de todo o processo. Isso não aconteceu porque Paulo era apaixonado pelos próprios "direitos". Certamente não era, uma vez que considerava tudo "menos que lixo" por causa do evangelho (Fp 3.8), disposto a ir sem salário e suportar dificuldades em prol das igrejas. Paulo se posiciona diante de Félix e Agripa defendendo sua situação pelo mesmo motivo que o leva a fazer todas as outras coisas — para o avanço da missão de Cristo. Essa missão requer que, tanto quanto possível, permaneçamos em paz com todas as pessoas. Assim, Paulo expôs sua situação demonstrando honra e respeito pelas autoridades instituídas, sempre proclamando a todo instante o evangelho (At 23.23—26.32). Às vezes, o apóstolo até desafiava as autoridades a fim de defender os princípios em jogo.

> Ignorar questões de liberdade religiosa que imporão condutas a outras pessoas e gerações futuras é o equivalente a lavar as mãos pelas próprias ações, como fez Pilatos.

A maioria dos cristãos está familiarizada com o encontro de Paulo e Silas com o carcereiro de Filipos. Depois que os seguidores de Cristo foram libertos da prisão por um terremoto, o funcionário da prisão clamou pedindo para ser salvo. Nossa tendência, porém, é a de nos determos em sua conversão (e então argumentar se a salvação de "sua casa" significa algo para nossos debates e batismos ou não). Mas a história continua. As autoridades enviaram policiais para dizer a Paulo e Silas que eles estavam livres para ir embora. A resposta de Paulo, contudo, foi surpreendente. "Eles nos açoitaram publicamente sem julgamento e nos colocaram na prisão, e nós somos cidadãos romanos. Agora querem que vamos embora às escondidas? De maneira nenhuma! Que venham eles mesmos e nos soltem" (At 16.37). Paulo apelou à lei do regime no qual viviam a fim de trabalhar em prol da justiça, a qual beneficiaria não só ele, mas todos os que viessem depois.

Os cristãos americanos vivem em uma república na qual o livre exercício das convicções religiosas é garantido pela Constituição, não por concessão governamental, mas por ser um direito natural. Quando os cristãos trabalham pela liberdade religiosa para todos, não agimos apenas em prol de nossos interesses, mas pelo bem comum. A consciência e a prática dos deveres religiosos de cada indivíduo não é de interesse legal do estado porque tais questões provêm de motivações profundas que tocam o âmago de nossa humanidade. Quando defendemos a liberdade religiosa, reconhecemos que existem temas importantes que não são resolvidos pelo estado, nem pela máquina econômica. O estado que atropela a consciência — de qualquer um — sem o interesse de fazê-lo é um estado sem restrições, capaz de fazer praticamente qualquer coisa. Sim, somos cidadãos do estado, mas o estado não é supremo.

A maioria de nós concorda, a despeito da religião que professamos ou deixamos de professar, que o estado não existe somente por questões de poder, mas é regido por princípios transcendentes que independem do estado. Muitas vezes, discordamos em relação a qual seria essa Realidade suprema. Mas o fato de que o estado não é o plano supremo da realidade serve para nos tornar melhores cidadãos. Com isso em mente, podemos buscar a justiça, em lugar da tirania da maioria. O governo que silencia convicções ou práticas religiosas de forma arbitrária não cria verdadeira união. Em vez disso, é um governo que nos distancia uns dos outros ao silenciar o pluralismo adequado e substituir a busca pela verdade por mais uma camada de burocracia, implicitamente ancorada na força do tiro. Isso é moralmente errado e contraprodutivo, quer empreendido por teocratas, quer por neocratas.

Em frente, olhando para trás

Enquanto prosseguimos avante, rumo ao futuro, precisamos retroceder um pouco para descobrir um modelo de como defender a liberdade religiosa sem sacrificar nem a religião, nem a liberdade. O corpo de Cristo é amplo, largo e profundo. Cada tradição traz consigo alguns aspectos que abençoam tanto as outras quanto o mundo como um todo, mesmo que discordemos de todo o resto. Não sou católico, mas nem por um instante sequer gostaria de viver em um mundo sem *Cidade de Deus*, de Agostinho, ou sem a apologética de Tomás de Aquino ou de G. K. Chesterton. Não sou ortodoxo oriental, mas minha vida é moldada todos os dias pelo Credo Niceno, bem como pelos ensinos de Atanásio e Ireneu. Não sou anglicano, mas minha experiência cristã seria mais pobre sem o *Livro de Oração Comum* e sem os escritos de C. S. Lewis. Não sou luterano, nem presbiteriano, mas Martinho Lutero e João Calvino falam a todos nós, não só àqueles que concordam com eles em todos os detalhes. Os pentecostais estão nos ensinando, no momento, sobre servir aos pobres, aderir a uma religião sobrenatural e ser uma igreja verdadeiramente global. E a lista prossegue sem parar. Creio que a minha tradição batista apresenta um modelo para o futuro que contribui até com aqueles que nunca chegarão perto de um batistério.

Os primeiros batistas ingleses e americanos nos mostram o que pode acontecer quando um estado aplica o código mosaico do Antigo Testamento, criado para destacar a nação de Israel na história da redenção até a chegada do Messias, ignorando Cristo e a igreja para aplicá-lo diretamente ao estado civil. Muitos desses cristãos foram açoitados, surrados e exilados do velho e do novo mundo, por se recusarem a batizar os filhos ou pagar impostos para as igrejas anglicanas. Sua consciência não lhes permitia tais práticas. Alguns destacaram que o rei não passava de um homem mortal — não era Deus para ser dono da consciência. Outros defendiam que as leis só deveriam tratar dos relacionamentos horizontais entre seres humanos, deixando de fora a relação com Deus, que se encontra além da supervisão e competência do estado. Não queriam que a moeda de César fosse usada no trabalho do reino, nem que o estado se posicionasse entre Deus e a consciência. Isso se aplicava a todos, de todas as religiões ou mesmo de nenhuma. Alguns chegavam a defender a liberdade de minorias religiosas com as quais poucos haviam deparado — como os muçulmanos — nos lugares em que viviam. Não faziam isso por serem esquerdistas pluralistas. Na verdade, eram o que as pessoas hoje chamam de "fundamentalistas". Acreditavam no dia do juízo, que o evangelho toca cada consciência e que, por causa disso, a religião não pode ser emitida como uma carteira de motorista ou um certificado de cumprimento das leis ambientais de poluição.

Muitos deles eram irritantes e insistentes. Não deixavam os pecadores em paz com seus pecados, mas os conclamavam ao arrependimento diante de Deus e à fé em Jesus Cristo. Não se contentavam com um "confie em nós" da boca dos políticos. Alguns, da era dos pioneiros, insistiram na criação da Primeira Emenda porque não confiavam nas "concessões" prometidas pelos políticos. Ao mesmo tempo, com frequência se dispuseram a formar alianças com pessoas das quais discordavam profundamente a fim de garantir a liberdade religiosa. Os batistas dos Estados Unidos trabalharam com entusiasmo em parceria com pensadores livres, tais como Thomas Jefferson, que jamais conseguiriam se tornar membros de uma igreja batista sem passar muito tempo em arrependimento ao atender a um apelo de ir até o altar. Eles não precisavam que seus políticos fossem líderes religiosos para trabalhar junto com eles em prol da justiça e liberdade. Também não se mostravam dispostos a conferir reconhecimento espiritual em troca de favores políticos. Trabalhavam juntos sempre que podiam e lembravam os poderes de que, na melhor das hipóteses, podiam aspirar ao monte Rushmore, mas jamais pertenceriam ao monte Olimpo. Isso acontecia porque acreditavam que a igreja é um rebanho reunido pela voz do Pastor, que não pode ser ajuntada, nem dispersa por qualquer outra voz. Não importa qual é a sua denominação, esse é um bom ponto de partida para todos nós.

Não sou um triunfalista deslumbrado em relação à história de minha igreja. Temos vários problemas (nem me faça começar!). Os batistas começaram perseguidos pelo poder e lutando por liberdade, isso é fato. Mas não permaneceram sempre dessa forma. Eles e outros acabaram se "estabelecendo" nos próprios direitos — não pelo estado, mas pela cultura. E, conforme já mencionei, quando é a cultura que dita as regras a aprovação cultural da igreja pode ser tão perigosa para o evangelho quanto a aprovação estatal. A mudança da cultura americana, que passa a considerar o cristianismo apostólico estranho e mais distante da "vida normal", trará consigo cada vez mais desafios à liberdade religiosa. O estado e a cultura se perguntarão por que importa se as pessoas são obrigadas a participar de atos que causam dano a sua consciência, se as realidades espirituais parecem tão distantes, ao passo que outras questões — como a liberdade sexual e o avanço econômico — parecem tão primordiais. Será necessário um novo foco na liberdade religiosa, a fim de que voltemos ao ponto que nos levou a crer no princípio: o reino de Deus revelado no evangelho. Pode nos ajudar a moldar novamente nossa cultura congregacional refletir um reino que vem agora não pela força da lei, mas pelo poder do Espírito. E pode nos capacitar a lutar por liberdade de consciência não como uma reivindicação de interesse próprio, mas em prol das pessoas à nossa volta, mesmo enquanto tentamos evangelizá-las.

> Somos melhores patriotas quando não colocamos a pátria terrena em primeiro lugar.

Conclusão

Não sei dizer ao certo se devemos ou não nos preocupar com a bandeira no canto de alguns de nossos templos. A retirada da bandeira não remove consigo a tendência à idolatria ou ao triunfalismo. Apenas deixa tais questões da maneira que estão, sem sofrer incômodo. Caso a bandeira já esteja dentro do santuário, talvez possa incentivar a igreja a orar pelos líderes, honrá-los e colocar nosso patriotismo na ordem certa. A despeito disso, porém, precisamos lembrar aquilo que uma cultura em transição pode nos forçar a recordar e que jamais deveríamos ter esquecido: que a identidade nacional é algo importante, mas passageiro. Chegará o dia em que a glória do passado cederá diante de uma glória mais antiga ainda, em que a nova república sucumbirá diante da nova criação. Não devemos nos esquivar de nosso chamado à cidadania, mas também não podemos ver nossa cidadania do momento como a palavra final. Somos melhores patriotas quando não colocamos a pátria terrena em primeiro lugar.

8
Estabilidade familiar

Há mais de vinte anos, eu estava aguardando em um corredor perto do batistério no qual eu fora imerso aos doze anos apenas uma década antes. Eu esperava o órgão começar a tocar, sinalizando que eu caminharia diante da igreja de minha cidade natal para receber minha noiva, Maria, e me comprometer com ela perante Deus e as testemunhas ali presentes, dedicando-lhe meu amor e minha vida. Hoje, olho para trás maravilhado diante de tudo que aprendemos nesses vinte anos juntos. O principal é que me alegro por não termos esperado até estarmos prontos para casar.

Desde nosso primeiro encontro, eu a amei e tive a certeza de que queria passar a vida inteira ao lado dela. Mas muitos nos disseram: "Esperem até vocês terem condições financeiras para casar". É verdade. Nós não tínhamos nada. Eu estava no primeiro ano do seminário e ela, começando a faculdade. Eu fazia cálculos e mais cálculos de possíveis orçamentos, e nunca encontrava um que sugerisse que conseguiríamos pagar as contas. É por isso que eu adiava o pedido de casamento, mesmo sabendo que ela era a mulher da minha vida. Eu achava que precisava de estabilidade e uma vida organizada antes de convidá-la a fazer parte dela.

Foi minha avó que deu um ponto final a esse pensamento. Certa noite, ela me perguntou quando eu finalmente me casaria com "aquela moça de Ocean Springs". Eu respondi:

— Quando eu tiver dinheiro.

Ela riu.

— Querido, eu me casei com seu avô no meio da Grande Depressão. Nós fizemos dar certo. Ninguém tem dinheiro para se casar. Você casa e faz dar certo.

Além do evangelho, essas foram e continuam a ser as palavras mais libertadoras que eu já ouvi. Comprei um anel que não impressionaria ninguém, nem naquela época, nem hoje, mas tomamos rumo do altar. Meu único arrependimento é não ter me casado com ela ainda antes.

Em certo sentido, eu estava certo ao buscar estabilidade. Estava tentando ser responsável. Mas parte da estabilidade de que precisávamos estava bem ali: uma igreja multigeracional composta por pessoas que podiam testemunhar de que o casamento é muito mais que a fusão de carreiras e contas bancárias. Além disso, eu precisava da estabilidade proveniente de uma igreja que nos faz prestar contas por nossos votos e nos oferece um lugar estável para quando a vida familiar se torna difícil, como sempre acontece.

No bairro onde moro hoje, a maioria dos casais é bem "estável", de acordo com minha antiga definição de solteiro preocupado. Suas contas são pagas, e todos os filhos têm uma boa poupança para a faculdade. Com frequência, porém, tais famílias sofrem com a falta do segundo tipo de estabilidade. Não faz muito tempo, meus filhos convidaram um garoto da vizinhança para conhecer nosso novo cão. Esse menino vinha demonstrando um comportamento mal-humorado e imprevisível, às vezes gritando com outras crianças do bairro. Os pais dele estavam se divorciando e o pai estava prestes a se casar com outra mulher, deixando claro que não voltaria mais para a mãe. Ele contou que seu cachorro só tinha três pernas.

— Ele nasceu assim? — um de meus filhos perguntou.

O vizinho explicou que não, mas, quando o cachorro era filhote, o pai e a mãe tiveram uma discussão e o bichinho estava no meio deles.

— Eles arrancaram a perna do cãozinho. Acho que dá para dizer que foi um divórcio. É isso que acontece em um divórcio. A mãe e o pai brigam e os filhos ficam despedaçados.

Quando ouvi isso, fiquei abalado e questionei todos os meus estudos bíblicos e sociológicos sobre casamento e "a família". Não era um conjunto de dados sobre culturas ou estatísticas conflitantes. Aquela criança em sofrimento revelou, ao conhecer nosso novo cachorrinho, o que era família para ele. Não era um conjunto de valores, nem um refúgio de um mundo cruel. A família era uma guerra entre cães e ele, um sobrevivente ferido e manco.

Identificando o problema

Esse menino não está sozinho. De fato, a vida familiar é muitas vezes uma briga de cães, um despedaçar de pessoas enquanto apetites e interesses entram em conflito e lares se dividem, às vezes de modo súbito, às vezes gradualmente. Transitar em meio a tudo isso é difícil, sobretudo no que diz respeito à família. Afinal, a estrutura familiar nos molda e marca mais do que qualquer outra coisa no mundo natural, conforme qualquer psiquiatra pode comprovar. Casamento, criação de filhos e sexualidade não são meros relacionamentos sociais; eles têm um vínculo muito mais profundo conosco, atingindo o âmago de como enxergamos quem somos e qual é nosso lugar no mundo. Talvez seja por isso que as "guerras culturais" dos últimos cinquenta anos tenham girado tanto em torno da família, desde a sexualidade até o casamento e a criação dos filhos. Todos nós — quaisquer que sejam nossas crenças religiosas ou políticas — parecemos concordar que a família tanto é crucial quanto está em perigo e quem sabe até mesmo caída, muito embora discordemos do que seja essa queda.

Para alguns, é o patriarcado (que deve ser destruído), ou as normas "repressoras" da sexualidade "burguesa" e da família nuclear. Para outros, o problema é a revolução sexual e o esfacelamento das famílias. Discordamos em relação a qual é o problema e como consertá-lo, mas concordamos que nossas diferenças mais profundas se revelam em nossas discussões quanto à família e à cama — e a relação que deve existir entre ambas.

O vocabulário usado pela geração passada, porém, por vezes desconsiderou a real questão em foco. Falamos sobre "valores familiares tradicionais" de maneiras que não raro isolam tais temas do evangelho. Em certos aspectos, isso foi estratégico. Afinal, em várias situações, concordamos com muitos nas "questões familiares", mesmo que discordemos deles no que diz respeito ao evangelho. Não é preciso professar o Credo Niceno para afirmar que o divórcio magoa os filhos, que a promiscuidade prejudica as pessoas ou que a pornografia degrada a sexualidade humana.

Ao mesmo tempo, contudo, por sermos a igreja, nós reconhecemos que a família é importante exatamente porque ela é mais do que "tradição", "valores" ou uma "cultura" pela qual guerrear. A família aponta para fora de si, levando-nos ao reino de Deus, ao evangelho desse reino e, por trás de tudo isso, ao próprio Deus trino. Podemos formar alianças com pessoas de quem discordamos, mas também precisamos ter a certeza de que moldamos e formamos nossas congregações para ver a família como mais do que uma mera instituição do mundo natural. Ao mesmo tempo, é necessário reconhecer que, no que diz respeito à família, não somos os guerreiros culturais que alegamos ser.

Alguns registram a preocupação cristã com as questões familiares como nostalgia, uma espécie de saudade de como as coisas eram, quando os homens eram homens, as mulheres eram mulheres, e as famílias permaneciam juntas e oravam juntas, em uma tentativa de recriar uma família mítica de pessoas felizes e brilhantes, direto da década de 1950. Até certo ponto, há um pouco de verdade nessa alegação. Certa vez, um respeitado líder evangélico comentou que desejava ver um retorno aos anos 1950 na cultura americana, mas sem o sexismo e o racismo. Além disso, é fácil contrastar as gerações anteriores de estabilidade familiar com os índices de divórcio e pornografia, da dissociação entre sexualidade e casamento, sexo e procriação e vice-versa.

> Não somos os guerreiros culturais que alegamos ser.

Nós, cristãos, que reconhecemos fortemente a depravação humana, deveríamos concordar, pelo menos até certo ponto, que a visão sentimental e diáfana de uma era idílica de famílias "normais" é "a maneira que nunca fomos". Afinal, é difícil imaginar as famílias de 1950 sem o sexismo e o racismo, já que ninguém é capaz de quantificar os danos que a escravidão do século anterior ou o terror policial das leis de segregação causaram às famílias. Tampouco é possível quantificar os prejuízos que as famílias sofreram por causa do abuso doméstico e sexual, frequentemente escondido dentro de quatro paredes. A "crise na família" não começou a partir de Woodstock ou do surgimento da pílula anticoncepcional — por mais que tais fatores tenham desencadeado tendências culturais —, mas, sim, desde a destruição do Éden. Discussões sobre família não são produto de tendências históricas ou culturais cegas. Em vez disso, reconhecemos que a família sofre ataques em todas as gerações, embora às vezes isso aconteça de maneiras astutamente veladas. O antídoto para nossa visão míope da família — seja ela míope em forma de nostalgia, seja de apatia — é focar não só a família, mas aquilo que está além da família: o mistério do reino de Cristo.

A família na linha do tempo bíblica

Quem deseja redefinir os conceitos cristãos históricos de família — no que diz respeito a gênero, sexualidade, permanência conjugal ou o que for — costuma tentar fazê-lo sugerindo que as passagens bíblicas isoladas sobre o assunto devem ser inseridas no contexto apropriado, dentro da trajetória geral da linha do tempo bíblica. Isso está certo. Quem quer se apegar aos "valores familiares tradicionais" dentro da igreja não precisa temer essa prática, exceto pelo fato de que ela expõe nossa timidez, inconsistência e acomodação cultural. Quando o objetivo da trajetória das Escrituras é visto em seu contexto apropriado — o contexto que estabelece para si — como o desdobramento do mistério de Cristo contra a oposição de poderes cósmicos hostis, entendemos por que a família é tão significativa — e por motivos muito mais importantes do que "salvar o país" ou "preservar a civilização ocidental". A família é mais do que um "refúgio de um mundo cruel". Em vez disso, consiste em um padrão repleto de símbolos de Cristo Jesus, sua igreja e o evangelho de seu reino.

Quando os fariseus tentaram pegá-lo em uma cilada com uma pergunta sobre divórcio, Jesus sabia que a questão, na verdade, era com ele. Isso é verdade tanto no que diz respeito à situação imediata quanto à visão macroscópica de toda a Bíblia e do universo inteiro. Conforme acontecia com frequência, eles queriam colocar Jesus em uma situação difícil diante da multidão, na qual ele seria "exposto" ignorando a revelação de Deus a Moisés. Não era uma pergunta honesta sobre um ponto de vista relativo à permanência conjugal. Tratava-se de uma armadilha de palavras. Jesus retorquiu dizendo que haviam perdido de vista o ponto central de partida da história bíblica: os propósitos divinos na criação. Ao se referirem às provisões para o divórcio estabelecidas na era mosaica, não enxergavam que as coisas não eram assim "desde o princípio" (Mt 19.1-12). Quando os saduceus — o "partido" oposto ao dos líderes religiosos, os fariseus — tentaram fazer Jesus cair em uma cilada semelhante, ao perguntar sobre uma mulher que ficou viúva sete vezes seguidas, Jesus retorquiu dizendo que haviam perdido de vista o ponto central de conclusão da história bíblica: o significado do reino de Deus na era por vir (Mc 12.18-27). Nas duas perguntas, estavam abstraindo a família dos propósitos divinos em Cristo como o Alfa e o Ômega da criação. Indispostos a reconhecer que Jesus era o Cristo, não conseguiam ver onde as estruturas da criação divina se encaixavam no universo, fossem elas o sábado (Mt 12.1-14), a adoração (Jo 2.13-22), o domínio sobre os anjos (Mt 12.22-32) ou a família.

Aqueles que queriam evitar a questão do reinado de Jesus estavam equivocados em relação a todas as questões familiares, quer no divórcio, quer na recusa em honrar pai e mãe com auxílio financeiro. Cegos para o reino, estavam cegos também para a ordem familiar — tudo isso enquanto se cercavam de conceitos e referências bíblicas descontextualizadas, bem como de tradições humanas que imaginavam que os justificariam diante de Deus. É exatamente a isso que o apóstolo Paulo se refere em Romanos 1.18-32, ao observar que aqueles que se recusam a dar graças como criaturas acabam se voltando contra a própria criação. É claro que nós fazemos isso. Digo "nós" de forma intencional, pois Romanos 1 não está falando sobre alguns pecadores, mas sobre todas as nações fora de Israel que se revoltaram contra a revelação de Deus. De acordo com o argumento de Romanos, isso inclui todos nós. Esse é o caso (praticamente) desde o princípio, quando os primeiros seres humanos se prostraram diante de uma criatura (a serpente do Éden) para discernir entre o bem e o mal e depois se esconderam da voz de Deus na criação, em meio à vegetação que ele havia criado. O movimento em espiral descendente resulta em seres humanos entregues à própria rebelião — uma rebelião com consequências diretas para a ordem familiar, incluindo a sexualidade mal direcionada e a desobediência aos pais (Rm 1.26-27). Mas que ordem da criação seria essa contra a qual a humanidade se rebela, e por que Paulo a encaixa no contexto de uma discussão sobre a falta de vergonha quanto ao evangelho do ressurreto Filho de Davi (Rm 1.1-17)?

Tudo isso acontece porque, na mensagem do apóstolo, o evangelho de Cristo é central para a compreensão de toda a realidade. O texto de Efésios 5 e 6 é pregado com frequência nas igrejas para falar sobre casamento e criação de filhos. Mas tais capítulos são tratados como se fossem mensagens isoladas, talvez escritas para a comemoração de Dia das Mães da igreja de Éfeso. Contudo, não é isso que acontece. Na verdade, tais capítulos dão continuidade a um argumento. Afinal, o livro é uma carta que deveria ser lida para a congregação reunida.

O argumento do capítulo 1 começa desvendando o mistério de Cristo e continua demonstrando como esse mistério explica nossa redenção (Ef 1—2), a formação da igreja (Ef 2—3), o ministério da igreja (Ef 4—5) e então nosso chamado dentro da família (Ef 5—6). Em Cristo, Deus alcança a unidade em um novo homem, para uma humanidade fraturada pela queda desde Babel (Ef 2.1-6). Um aspecto-chave desse mistério revelado é que a estrutura familiar não consiste em uma expressão arbitrária da vontade de Deus, mas em um ícone do propósito divino do universo em Cristo.

Logo, foi por causa do mistério de Cristo que Deus não criou Adão para se multiplicar como uma ameba, mas, em vez disso, declarou que não era bom ele estar só (Gn 2.18). A ordem em Gênesis 2 de deixar pai e mãe para se unir um ao outro e se tornar uma só carne é acessível a todas as pessoas de todos os lugares, mesmo que não conheçam o evangelho cristão ou as Escrituras. Civilizações humanas pereceram na história mundial por diversos motivos — fome, guerra, calamidades ambientais —, mas nenhuma acabou porque as pessoas se esqueceram de fazer sexo. O impulso para a união sexual, o ponto de partida da formação de uma família, é um desejo poderoso e tão intenso, com potencial de causar danos, que todas as sociedades humanas precisaram encontrar formas de diferenciar entre os aspectos positivos e destrutivos da sexualidade. Muito embora as culturas tenham grandes divergências em relação às expressões apropriadas de masculinidade e feminilidade, todas reconhecem que existe uma distinção entre os sexos. O evangelho aceita essas verdades universais da criação e explica por que elas existem.

Efésios 5 não consiste em uma coleção de dicas para um casamento mais feliz e saudável. Paulo escreveu declarando que o casamento é um "grande mistério", o mistério entre Cristo e sua igreja. Ao falar em Cristo e a igreja, Paulo não estava em busca de metáforas para o amor humano. O casamento em si é a metáfora, uma imagem personificada do padrão já estabelecido por Deus. Homem e mulher são semelhantes, formados pelos mesmos materiais de criação, ambos feitos à imagem de Deus. Todavia, são diferentes. Não somos pessoas sem gênero que foram colocadas arbitrariamente em um corpo masculino ou feminino. A diferenciação sexual não é mera questão de constituição genital. Desde o princípio, ensinou Jesus, a humanidade foi criada como "homem e mulher".

Às vezes, os cristãos argumentam (embora nunca de maneira consistente) que as distinções entre homem e mulher são apagadas pela nova aliança. O apóstolo Paulo não nos ensina que não há "homem nem mulher" em Cristo (Gl 3.28)? Sem dúvida, no assunto abordado nessa passagem — a herança — não há distinção. Tanto os homens quanto as mulheres — não os primogênitos do sexo masculino — compartilham a identidade de Jesus e, por isso, sua herança do universo. O mesmo acontece desde o princípio, uma vez que homens e mulheres receberam a imagem de Deus e o domínio sobre o restante da criação (Gn 1.27). No entanto, essa igualdade na herança não significa que as diferenças entre homens e mulheres terminaram. Por isso, as Escrituras aplicam algumas ordens a todas as pessoas sem distinção e faz outras com referência específica a homens ou mulheres. A masculinidade e a feminilidade não são aspectos da ordem caída. Em vez disso, fazem parte do que Deus declarou "muito bom" desde o princípio (Gn 1.31).

No casamento, a humanidade se une para formar uma união orgânica, assim como a cabeça com o corpo, de tal modo que aquilo que pertence a ele pertence a ela também e vice-versa. Os conceitos de "cabeça" e "submissão" costumam inflamar as pessoas e provocam controvérsia quanto a seu significado até mesmo entre os cristãos. Às vezes, isso acontece por causa de exemplos daqueles que usaram os padrões bíblicos para batizar estereótipos antibíblicos de masculinidade ou feminilidade, ou ainda para transformar o argumento de Efésios 5 no equivalente a um modelo de negócios ou um fluxograma corporativo de quem está "no comando". Todavia, esse não é o padrão do casamento. Ele fala sobre uma unidade orgânica, na qual quanto mais o marido e a mulher se santificam juntos pela Palavra e pelo Espírito, mais operam com tranquilidade, de forma holística e sem esforço, assim como o sistema nervoso de nosso corpo. Eles são uma só carne. Casamento não diz respeito a dominar ou ser dominado, mas a cooperação mediante complementariedade. Quando as Escrituras falam em "cabeça", o assunto em questão não é privilégio, mas exatamente o oposto.

A liderança do marido deve retratar o evangelho. Jesus é inseparável de sua noiva, assim como a cabeça humana não se desgruda do corpo. O próprio Paulo ouviu essa verdade diretamente a caminho de Damasco, para onde se encaminhava a fim de prender e obstruir a igreja na Síria. A voz do galileu não lhe disse: "Saulo, Saulo, por que você persegue um grupo de pessoas que crê no que eu ensinei?". Em vez disso, o que ele ouviu foi: "Saulo, Saulo, por que você *me* persegue?" (At 9.4). Logo, o marido é um retrato de Cristo crucificando os próprios privilégios e planos a fim de dedicar a vida à família (Ef 5.26; Ez 16.9). Ser "cabeça", nesse caso, requer uma atitude de sacrifício pessoal, voltada para os outros. Da mesma maneira, "submissão" nas Escrituras não significa codependência silenciosa, nem súplica acovardada. Deus nos livre, uma vez que a Bíblia chama as mulheres de filhas de Sara, que, mesmo em seus momentos mais fiéis, esteve longe disso (1Pe 3). A submissão é a mesma da igreja, que é chamada no evangelho de co-herdeira do próprio Cristo. Jesus disse para sua igreja, mediante suas doze pedras fundamentais originais: "Já não os chamo de escravos, pois o senhor não faz confidências a seus escravos. Agora vocês são meus amigos, pois eu lhes disse tudo que o Pai me disse" (Jo 15.15).

O casamento não foi criado para o casal permanecer isolado, em um casulo de amor somente entre um homem e uma mulher, mas existe dentro do contexto da família mais ampla, da comunidade e da próxima geração. Desde o princípio, o casamento se insere no contexto do futuro, quando o amor entre um homem e uma mulher se torna carne na novidade de vida dos filhos. Mais uma vez, isso aponta não só para as estruturas originais da criação, mas também para seu cumprimento no reino. A ordem de ser fecundos, multiplicar-se e encher a terra é cumprida pelo Cristo que comparece triunfante perante o Pai, sem se esconder em meio à vegetação, conforme fez o primeiro Adão cheio de vergonha, mas anunciando: "Eis aqui estou eu e os filhos que Deus me deu" (Hb 2.13, RA). O amor entre Cristo e a igreja resulta em vida e comunidade, à medida que novas gerações nascem pelo Espírito (Jo 3.3). Essa realidade se insere no ciclo da vida, no momento em que cada geração abre caminho para a próxima.

Na infância, aprendemos os padrões que entenderemos mais plenamente quando nos unirmos à dinâmica no cerne do universo, orando, com Jesus, o "Pai nosso" e pedindo proteção, provisão e participação na vida da casa. Aprendemos, dentro do lar, o que é ser amado e o que significa ser treinado para responsabilidades maiores no futuro (Hb 12.5-11). É por isso que a ordem de honrar pai e mãe faz parte do conjunto fundamental de diretrizes divinas acerca de como viver corretamente diante dele. É por isso que a obediência voluntária aos pais e a educação fiel dos filhos estão ligadas à herança da terra prometida (Ef 6.1-4). E é por isso que a Bíblia chama aqueles que não cuidam da própria casa de "piores que os descrentes", afirmando que

> O casamento não foi criado para o casal permanecer isolado, em um casulo de amor somente entre um homem e uma mulher, mas existe dentro do contexto da família mais ampla, da comunidade e da próxima geração.

"negaram a fé" (1Tm 5.8). A casa não é um mero "relacionamento", mas um sistema, no qual aprendemos um pouco sobre o que significa ser filhos de Deus. A desarmonia entre pais e filhos não é tão somente um problema cultural; ela retrata implicitamente o evangelho falso de um Pai que não ouve o Filho, de um Filho que não honra o Pai e de uma igreja que não é mãe de quem está na fé.

O mistério do reino por trás da família é o motivo para não existir, deste lado do Éden, uma "era dourada" dos "valores familiares". A queda levou à destruição não só da paz entre Deus e a humanidade, mas também entre o homem e a mulher no casamento. Quase que imediatamente após a queda, o esfacelamento familiar começou, com violência entre irmãos, poligamia, imoralidade sexual, violência sexual e quase que todos os desvios imagináveis da ordem de Gênesis. Nenhuma geração humana está isenta dessa tensão.

Ao longo de todo o cânon bíblico, existe uma forte ligação entre crise familiar e crise espiritual. É por isso que a idolatria e a imoralidade aparecem vinculadas diversas vezes no Antigo Testamento. É importante lembrar que o padrão do mistério de Cristo/igreja foi revelado a uma congregação às sombras de uma deusa da fertilidade (At 19.21-41). Quando proibiu o "jugo desigual" entre crentes e incrédulos, o apóstolo Paulo ecoou a relação feita no Antigo Testamento entre o paganismo e casamentos que não estão enraizados na submissão comum a Deus. Paulo não faz sua advertência contra o casamento com descrentes apenas por causa da falta de intimidade ou da confusão dos filhos, mas menciona também as consequências espirituais: "Que harmonia pode haver entre Cristo e o diabo?" (2Co 6.15).

Família e igreja

As questões familiares dizem respeito a muito mais do que a sexualidade, mas a sexualidade está na raiz de muitos dos debates mais conflituosos desta era e, para falar a verdade, da maioria das eras. Uma sexualidade fundamentada no símbolo do evangelho de Cristo e sua igreja significa que a imoralidade sexual tem consequências espirituais profundas (1Co 6.17-20) e, caso não haja arrependimento, pode acabar levando ao exílio do reino de Deus (1Co 6.9-10). A expressão sexual não é meramente uma questão de conexões neuronais. A visão cristã da realidade significa que o corpo é um templo, separado para ser a morada do Espírito Santo. Logo, a imoralidade sexual não só faz mal para nós (embora faça, sem dúvida), como também constitui um ato de profanação de um lugar santo. Levando isso em conta, não é de se espantar que o concílio de Jerusalém, embora não tenha colocado o fardo da lei cerimonial sobre os novos cristãos gentios, decretou que eles deveriam fugir da imoralidade sexual (At 15.20). Em um mundo de concubinas e prostitutas cultuais, a ética sexual cristã era tão esquisita e contracultural no império romano do primeiro século quanto é hoje, se não mais.

A família que segue o padrão do reino é uma questão de prioridade evangélica. A salvação não é uma espécie de fuga da criação. Em vez disso, restaura a ordem criada, direcionando-a rumo a sua meta. Assim como fez com todos os outros aspectos da maldição, Jesus reconciliou o universo caído com Deus "por meio do sangue do Filho na cruz" (Cl 1.20). Jesus viveu em obediência a todos os aspectos da lei de Deus, inclusive a obediência aos pais (Lc 2.51), em lugar da desobediência de Adão e Israel. Ao morrer na cruz, Jesus fez exatamente o que os líderes religiosos se recusavam a fazer na própria família: providenciou cuidado para a mãe (Jo 19.26-27). Citando Deuteronômio 21, Paulo conta que Cristo, ao carregar os pecados, tomou "sobre si a maldição" (Gl 3.13-14), ecoando a advertência de que todo aquele que é pendurado no madeiro é amaldiçoado por Deus (Dt 21.22-23). O texto da passagem de Moisés fala de um filho "teimoso e rebelde", acusado pelos anciãos da cidade de ser "mau-caráter" e "bêbado" (Dt 21.20). Jesus de fato foi acusado pelos anciãos de Israel de ser bêbado e glutão (Mt 11.19). Foi levado para fora das portas da cidade, onde carregou a maldição não por rebeldia própria (que nunca existiu), mas pela rebeldia da raça de Adão. E, após passar pela morte, Jesus ressuscitou para anunciar às mulheres junto a seu túmulo: "Vá procurar meus irmãos e diga-lhes: 'Eu vou subir para meu Pai e Pai de vocês, para meu Deus e Deus de vocês'" (Jo 20.17). Jesus cria uma comunidade, uma casa, uma família. E, à medida que o evangelho avança pelas eras, ele e sua noiva são fecundos e se multiplicam.

Enquanto a igreja se move rumo ao futuro, não há dúvida de que a cultura mudou, às vezes de forma drástica, nas questões familiares. Mas a cultura exterior não é tão revolucionária quanto eles — ou nós — às vezes alegamos. Em alguns aspectos, a cultura de fato revolucionou, mas, mesmo nesses casos, a revolução é mais um passo para trás, para velhas heresias que se inovam por meio de ferramentas tecnológicas e econômicas, em lugar de uma mudança para um admirável mundo novo. Os debates sobre a definição de casamento, por exemplo, e a maleabilidade dos gêneros estão enraizados em conceitos muito antigos (e biblicamente incorretos) da desconexão fundamental entre o eu (a "alma") e o corpo. A prioridade da expressão sexual como um elemento essencial para a plenitude e o bem-estar estão semelhantemente ligados a uma visão quase sacra do orgasmo como uma espécie de espiritualidade em êxtase. Tais conceitos se encontram presentes em quase todas as gerações e, em todas elas, são rejeitados pela religião abraâmica.

Além disso, a despeito da utopia presente na retórica da linguagem do "progresso" relacionado à sexualidade, ao gênero e à família, podemos mesmo alegar que a cultura ao nosso redor é um lugar cada vez mais seguro para mulheres ou crianças? Apesar da promessa de empoderamento feminino, a revolução sexual nos deu exatamente o contrário. Seria mesmo um avanço para as mulheres o fato de que a média dos adolescentes do sexo masculino já viu um caleidoscópio de imagens de mulheres sexualmente exploradas e humilhadas na pornografia? Seria de fato empoderador ter cada vez mais mulheres economicamente à mercê de homens que as deixam com os filhos, sem nenhum recurso legal? A adolescente que sente a pressão de realizar atos sexuais com o namorado para não perdê-lo não estaria diante de uma realidade parecida com a do patriarcado brutal dos guerreiros da era do bronze? Todas essas coisas dão poder aos homens para ir em busca de uma fantasia darwinista do macho-alfa predador, em busca apenas de poder, prestígio e do próximo orgasmo. Não é exatamente uma revolução.

> Enquanto a igreja se move rumo ao futuro, não há dúvida de que a cultura mudou, às vezes de forma drástica, nas questões familiares.

Tão contraculturais quanto queremos

Ao mesmo tempo, a igreja está acostumada a pensar em si mesma como "a última esperança de Deus" para uma civilização ocidental à beira do abismo. Em especial no que diz respeito à família, nós nos posicionamos como quem está em descompasso com uma cultura que se aproxima de Gomorra. De muitas maneiras, ambos os lados da suposta "guerra cultural" concordariam com essa caracterização. Mas e se não formos exatamente os guerreiros culturais que alegamos ser? E se, na verdade, formos apenas revolucionários sexuais em ritmo lento, cedendo aos conceitos familiares do ambiente cultural, apenas um pouco depois do restante da população? Será que nossas notas oficiais e profissões de fé dizem algo, ao passo que a lista de membros revela outra bem diferente?

Talvez o aspecto mais óbvio e imediato de nossa acomodação cultural se encontre no número surpreendentemente alto daqueles que fazem a trilha de nossos tanques batismais para o divórcio judicial. Muitos já demonstraram a falsidade da alegação de que há um índice superior de divórcios entre os cristãos evangélicos do que na cultura externa. Mas é verdade que as regiões do país com grande proporção de pessoas que se identificam como cristãos convertidos tendem a ter um percentual de divórcio superior e que as varas de divórcio estão mais cheias nas partes do país saturadas com a Bíblia. Ao analisar de perto, o que esses estudos revelam não é que o evangelho incentiva a cultura do divórcio, mas o quase-evangelho o faz. O cristianismo nominal incentiva o divórcio, por exemplo, ao fazer pressão social para que os jovens se casem cedo, sem que depois precisem prestar contas para a igreja quanto ao cumprimento dos votos conjugais. O ideal de um casamento cristão sem uma comunidade forte de discipulado e disciplina é uma combinação perigosa. O conceito romântico de "encontrar a alma gêmea" leva ao compromisso do casamento, mas ele não se sustenta sem o vínculo com a comunidade.

Mais uma vez, existem motivos econômicos e sociais por trás disso, mas o "sal e a luz" do testemunho cristão não deveriam fazer mais para contrariar tais tendências? Além disso, é verdade que nossa maneira de falar sobre o divórcio mudou, juntamente com a cultura à nossa volta. Isso começa com o modo de falar sobre o divórcio, menos em termos de pecado e perdão, e mais em termos de recuperação. Podemos conversar sobre o assunto em nossos ministérios de "assistência aos divorciados" e classes para "solteiros de novo", mas raramente no contexto de pregação profética ou disciplina eclesiástica. Presumimos, com frequência, que essa mudança diz respeito a estender "misericórdia" aos divorciados. É claro que não devemos deixar de ser misericordiosos com qualquer pecador (Jo 3.17), mas isso não explica por que não advertimos as pessoas quanto a um pecado cujo salário é a morte e cujas consequências são desastrosas. Também não explica por que, ao falar de questões de justiça social e do bem comum, não citamos aquilo que, sem sombra de dúvida, é a principal causa de haver "viúvas e órfãos" em nosso meio. Por que conversamos em tom velado sobre o divórcio, mas rasgamos o verbo ao abordar outros itens da revolução sexual que estão mais acalorados nas "guerras culturais" do momento? Às vezes, isso está ligado ao que a Bíblia chama de "temor do homem" — os líderes temem irar os divorciados (ou seus parentes) poderosos de suas congregações. Mas suspeito que exista um motivo ainda mais básico: a normalidade do divórcio no mundo ao nosso redor e em nossos bancos. O divórcio não é uma "guerra cultural" justamente por ser tão comum.

Contudo, preste atenção à trajetória. A mudança em nossas práticas sobre o divórcio aconteceu sem qualquer tipo de reflexão teológica ou mesmo diálogo. Em vez disso, nossa abordagem ao tema parece ter seguido um pouco atrás dos padrões culturais da sociedade como um todo, que passaram a ser a aceitação da realidade de que "um cônjuge de cada vez" é parte triste, porém normal da vida. Para muitos dentro da igreja, o divórcio não parece uma "guerra cultural" por não ser chocante, nem nojento. Nós nos acostumamos a ele. As novas gerações da igreja viverão em um mundo no qual vários tipos de outras práticas sexuais e redefinições familiares serão considerados "normais". Serão elas mais contraculturais do que nós?

O mesmo se aplica à questão da imoralidade sexual. A maioria das congregações reconhece os danos do que chamamos de "sexo pré-conjugal". Pregamos e ensinamos sobre isso com regularidade. Mesmo nesse caso, porém, observe o vocabulário usado. Falamos de maneira correta em "sexo pré-conjugal" e "abstinência" até o casamento quando nos comunicamos com o mundo exterior, já que são categorias compreendidas pela cultura. Não estou sugerindo que isso em si seja errado. Mas pense em quanto tempo faz que você não ouve a palavra *fornicação*, até mesmo em um sermão? Será que o desaparecimento desse termo diz respeito a mais do que a mera atualização do vocabulário para nos conectar com a sociedade à nossa volta? Não teríamos perdido também algo de nossa imaginação moral? A palavra *castidade* não significa o mesmo que *abstinência*, e *fornicação* e *sexo pré-conjugal* não são termos intercambiáveis. Não se trata apenas de uma questão de impaciência, como se o ato conjugal fosse disparado no momento errado. Tanto espiritual quanto tipologicamente, a fornicação é uma ação diferente do ato conjugal. Retrata uma realidade diferente do que o mistério de Cristo. Representa um Cristo que usa a igreja sem se unir a ela em aliança. Não é apenas "safadeza". Usando outra palavra que os cristãos acham estranha e antiquada, é blasfêmia. É por isso que as consequências desse tipo de imoralidade são tão severas. Forma-se uma união espiritual verdadeira, de modo misterioso, mas é uma união cujo espírito é diferente do Espírito santificador de Deus em Cristo (1Co 6.15-19). Ressalto mais uma vez: não estou sugerindo que as expressões "sexo pré-conjugal" ou "abstinência" sejam banidas, sobretudo quando tentamos explicar a ética sexual cristã para o mundo externo usando categorias já existentes. Sugiro, porém, que percebamos como nosso léxico mudou. Falamos em "sexo extraconjugal" ou "caso", mas ainda sabemos que existe algo na palavra *adultério* que transmite a gravidade da infidelidade no lar e na consciência. Além disso, precisamos reconhecer com que frequência nossos conceitos de casamento e moralidade são ditados pela busca constante por uma vida cultural normal. A linguagem sobre "esperar" e praticar "abstinência" não é tão contracultural se tudo que ela comunicar for o contingenciamento de risco para aqueles que não desejam atrapalhar a carreira futura ou o plano educacional com a "consequência" de ter filhos antes da hora.

Há vários anos, estava pregando em uma igreja sobre 1Coríntios. Enquanto expunha 1Coríntios 7, notei que o apóstolo Paulo levava a sério a paixão do desejo sexual e ensinou a igreja como canalizar esse desejo. O marido e a mulher não deveriam passar muito tempo afastados sexualmente um do outro, "para que Satanás não os tente por causa de sua falta de domínio próprio" (1Co 7.5). Dirigi-me aos solteiros na congregação e lhes disse que a ordem divina para eles é: "Se não conseguirem se controlar, devem se casar. É melhor se casar que arder em desejo" (1Co 7.9).

Mesmo enquanto falava, fiquei surpreso ao ver como o Espírito Santo entende que a ingenuidade em relação ao apetite sexual não leva à castidade, mas, sim, à devassidão. Incentivei os pais cristãos a não pressionar os filhos e filhas a permanecer em noivados longos, sem data marcada. Aos solteiros ali reunidos, disse: "Se vocês encontrarem a pessoa com quem deseja se casar e ambos cumprirem as diretrizes bíblicas para estar juntos, casem-se".

Após o culto, um casal de meia-idade se aproximou de mim com outro casal meio tímido, de vinte e poucos anos, logo atrás. A mulher mais velha falou primeiro:

— Pastor Moore, não acho que você entende a situação do Chad e da Tiffany. Eles namoram desde o oitavo ano. Continuaram o namoro por todo o ensino médio e a faculdade.

Então me explicou que seria loucura os dois se casarem, já que não estavam financeiramente prontos. Chad faria sua especialização em medicina e precisava terminar sua formação. Tiffany estava concluindo o mestrado em contabilidade. Depois de tudo, ela me disse que os dois se casariam com a bênção dos pais, mas que o marido e ela não tinham condições de aprovar a união antes do fim da formação escolar de ambos. Não seria prudente.

Eu disse àquela mulher que havia uma exceção para toda regra e que eu nem mesmo tinha dado uma regra. Apenas preguei sobre o que diz a Bíblia acerca da maneira de canalizar o desejo sexual e evitar um tipo de tentação que é quase que literalmente invencível. Continuei:

— Como eu disse, para toda regra, existe uma exceção. Fico feliz porque Chad e Tiffany conseguiram permanecer sexualmente puros ao longo de todo esse tempo. Certo, Chad?

Após vários momentos de silêncio constrangedor, todos tossiram e o homem de meia-idade mencionou que estava "tarde, querida, precisamos ir para casa". Dava para ver que Chad estava feliz por ir embora. E eu também. O que estava acontecendo? Sem dúvida, é possível que Chad e Tiffany fossem dotados de uma medida incomum de autocontrole. Pode ser que seus pais houvessem se esquecido do poder do apetite sexual nesse tipo de situação. Ou, quem sabe, assim como muitos outros no cristianismo evangélico contemporâneo, esses pais achassem que a fornicação era uma possibilidade menos terrível do que a ruína financeira.

A gravidez fora do casamento de fato é um erro. É tanto um ato de imoralidade pessoal quanto de evasão das próprias responsabilidades, mas o "medo" de ter filhos — assim como de contrair doenças venéreas ou angústia emocional — tem desdobramentos terríveis não só para os solteiros que buscam se manter fiéis, mas também para a maneira que o restante da igreja enxerga as crianças. A maioria das igrejas apresenta a sexualidade como uma alegria positiva, que vale a pena preservar para a vida de casados. O problema é que, muitas vezes sem perceber, nós seguimos a cultura ao reduzir essa alegria simplesmente à vibração das terminações nervosas e à satisfação física, só diferindo da cultura por restringir esse prazer aos casados. Como a maioria dos protestantes, não penso que o uso de métodos contraceptivos (não abortivos) seja pecado, mas isso não quer dizer que não devemos questionar a forma que nós, assim como a cultura à nossa volta, nos acostumamos a enxergar as crianças como uma ameaça à nossa liberdade e ao nosso estilo de vida.

Tenho cinco filhos e sou constantemente surpreendido pelo número de estranhos que se aproximam de nós no supermercado para dizer: "Vocês sabem o que causa isso?" ou "Vocês são católicos ou o quê?". Veja bem, não somos uma família que acredita na teoria da "aljava cheia", como você poderia pensar. Apenas temos cinco filhos e, na cultura atual, isso parece estranho. Parte disso se deve a mudanças na economia do país.

Há uma grande diferença entre o custo socioeconômico real e imaginado de uma família de seis filhos de plantadores de algodão em um encontro de reavivamento em 1926, no Mississipi, e da mesma família sentada nos bancos de uma megaigreja em um bairro residencial de classe média alta de Dallas. Existe também uma grande diferença do preço pessoal a ser pago. O nível de estresse de uma jovem mãe — sozinha com o marido e os filhos em uma cidade para a qual foram transferidos por causa do trabalho — é bem diferente do que sentia sua vó, que podia contar com uma grande rede de familiares e pessoas da comunidade que ela conhecia desde a infância a poucos passos de sua casa. Ao mesmo tempo, porém, eu me pergunto até que ponto nos conformamos a uma cultura que enxerga os filhos como "despesas", em vez de bênçãos.

Em suma, com frequência somos tão contraculturais quanto queremos ser, e isso nem de perto é o suficiente para revolucionar nossas igrejas, quanto menos o mundo. Pastores, precisamos nos perguntar com honestidade se a cultura do divórcio e do esfacelamento familiar dentro das igrejas não tem sido impulsionada, pelo menos em parte, por nossas pregações e ensinos. Quando reduzimos o casamento a séries infindáveis de sermões sobre "Como recolocar o frio na barriga do cônjuge" e "Dez dicas para um romance mais quente e santo", não estamos contribuindo para a mesma ênfase que a cultura em uma ganância promovida pelos hormônios, em vez de nos concentrar no modelo de um Cristo que demonstra não só sentimentos, mas fidelidade a sua noiva, a ponto de carregar a cruz? É de se espantar que tantos de nossos homens e mulheres, que professam crer no evangelho, estejam dispostos a abandonar o cônjuge e os filhos quando encontram uma nova "alma gêmea"? Não seria, pelo menos em parte, porque sentem a empolgação do novo, o mesmo tipo de "faísca" que as músicas populares e as oficinas sobre casamento ministradas pelo pastor dizem que deveriam sentir quando amam?

> Em suma, com frequência somos tão contraculturais quanto queremos ser, e isso nem de perto é o suficiente para revolucionar nossas igrejas, quanto menos o mundo.

Perdemos a guerra cultural?

Reconhecer a situação em que estamos não é um meio de negociar a desistência da importância das questões familiares, conforme alguns sugerem. Há quem diga que o tipo de acomodação cultural que mencionei é motivo para a igreja deixar de lado as questões de sexualidade e família. Uma vez que somos hipócritas, por exemplo, no que diz respeito a divórcio e novo casamento, deveríamos nos calar no que diz respeito ao certo e errado de casamentos entre pessoas do mesmo sexo. A cultura de divórcio se aplica como advertência do quanto somos capazes de nos ajustar ao que sabemos estar fora da ética sexual cristã, mas não muito além disso.

É preciso admitir que há algumas circunstâncias nas quais o divórcio e o novo casamento são permitidos pela Bíblia. A maioria dos cristãos evangélicos reconhece que a imoralidade sexual pode dissolver uma união conjugal e que a parte inocente está livre para se casar de novo (Mt 5.32). O mesmo se aplica, em grande parte, ao abandono (1Co 7.11-15). Se a igreja fizesse o que deveria, nossos índices de divórcio ainda assim seriam drasticamente reduzidos, uma vez que grande parte dos divórcios não se encaixa nessas categorias. A categoria de casado novamente após o divórcio não indica pecado logo de cara. Além disso, a questão é como o arrependimento se manifesta.

Tome como exemplo o pior cenário de um casal que se divorciou sem justificativa bíblica e se casou de novo. Arrependimento não significa que eles aumentam o pecado acabando o segundo casamento na tentativa de reconciliar o primeiro. O casamento entre um homem e uma mulher, mesmo quando contraído fora dos padrões bíblicos, continua a atender à definição de casamento da criação (Jo 4.18). Ainda que o casamento tenha iniciado em pecado, é um casamento e representa o elo entre Cristo e a igreja na união em uma só carne (Ef 5.22-31), inserido no projeto divino da criação de homem e mulher viverem juntos (Mc 10.6-9). Outros tipos de arranjo sexual não o fazem. Em tais casos, arrependimento quer dizer afastar-se na imoralidade (1Co 6.18), que significa cessar esse tipo de atividade sexual em obediência a Cristo (1Co 6.11). Um decreto estatal ou eclesiástico endossando tais relacionamentos como matrimônios não confere a eles essa condição.

Temos muito que nos arrepender no que diz respeito a nossa acomodação a alguns dos padrões culturais da dissolução familiar e revolução sexual. Mas nossa atitude não deve concluir: "Uma vez que muitos se esquivaram de suas responsabilidades eclesiásticas em algumas coisas, vamos agora nos esquivar em tudo". Isso seria o equivalente a dizer: "Uma vez que tenho lascívia no coração, que foi identificada por Jesus como adultério, devo ir em frente e ter um caso extraconjugal" ou "Uma vez que estou irado com você e Jesus identificou esse sentimento com um espírito homicida, devo ir em frente e matá-lo". Não remediamos pecados do passado acrescentando outros.

As mudanças culturais podem estar libertando a igreja de nosso cativeiro, mesmo que às vezes tentemos nos apegar a tal cativeiro com a própria vida. A última geração de ativistas cristãos em alguns momentos minimizou o caráter distintivo do evangelho — que a cultura achava estranho e nada familiar — em favor de conversas sobre os "valores familiares", os quais a igreja pensava que a maioria da população desejava alcançar. Por um longo período da cultura americana, podíamos presumir o significado das palavras "casamento" e "família". Até as pessoas que pertenciam ao que, no passado, era conhecido como "lares quebrados", podiam assistir a casamentos estáveis na televisão ou nos filmes. A maioria dos meninos e meninas pensava em se casar no futuro. Tais pressupostos estão mudando.

Agora, os temas referentes aos "valores familiares" são os pontos mais incendiários de divergência entre as igrejas conservadoras e a cultura. Isso não é, necessariamente, uma má notícia. Em um mundo no qual a ética familiar cristã é estranha e sobrenatural, a igreja é forçada a articular uma visão cristã de família que não diz respeito principalmente a questões "morais", mas, sim, ao evangelho. Além disso, tal situação pode forçar a igreja a se alienar suficientemente da cultura mais ampla para ver o que é "cultural" em nossas famílias e o que é verdadeiramente cristão. Com isso, vem a oportunidade de reverter o lento trajeto que temos feito atrás da revolução sexual. Pela graça de Deus, temos a chance de tratar tão seriamente o casamento e a família como faz o evangelho, de tal modo que leve a cultura ao nosso redor a nos perguntar por quê.

A renovação futura da família

Acabaram-se os dias de glória do pároco do Cinturão da Bíblia que casa qualquer um que aparecer e alugar sua igreja. Acabou a era do pastor molenga que faz o casamento de um casal que já morava junto, na esperança de vê-los na igreja quando os filhos tiverem idade para frequentar a escola dominical. Em uma época na qual as igrejas precisam lutar por liberdade cultural para definir o que é casamento, não há mais espaço para políticas de casamento do tipo *laissez-faire*, nem para o nominalismo associado a elas. Já vão tarde! Por tempo demais, agimos como se os pastores da igreja de Cristo fossem juízes de paz, casando pessoas que não prestam contas à igreja e, em muitos casos, não têm permissão bíblica para se unir em matrimônio. Só porque não temos dois noivos ou duas noivas à nossa frente, não quer dizer que estamos nos apegando ao conceito bíblico de casamento.

Um discurso sobre valores familiares tem muito mais chances de ganhar aplausos em um comício que enfoca "Deus e a nação" do que um discurso sobre o que é ser membro de uma igreja. No entanto, somente comunidades transformadas, que funcionam como embaixadas do reino de Cristo, são capazes de propor a visão alternativa de família da qual tão encarecidamente necessitamos. A Bíblia revela que os pastores devem ordenar bem a própria casa, pois "se um homem não é capaz de liderar a própria família, como poderá cuidar da igreja de Deus?" (1Tm 3.5). Mas o contrário também é verdade. Se o indivíduo não tem condições de cuidar da igreja de Deus, como poderá administrar a própria casa? Afinal, a igreja é a casa de Deus, que também deve ser bem ordenada (1Tm 3.15). Como as igrejas podem fustigar a cultura externa por crer que a estrutura familiar é socialmente maleável se falhamos, dentro dos lares da igreja, em manter um testemunho consistente com o reino de Deus?

O que aconteceria se nossas igrejas, em massa, começassem a envolver toda a família da fé no processo de moldar uma nova cultura familiar? E se começássemos com casamentos que não são meras "celebrações" do amor de um casal, mas, sim, uma reunião de testemunhas da comunidade, comprometidas em ajudar a nova família a cumprir suas promessas para a glória de Cristo? O que aconteceria se, em vez de permitir em silêncio que um homem que abandonou a família entre para um pequeno grupo diferente de estudos da Bíblia com a nova esposa, nós o chamássemos ao arrependimento? O que aconteceria se, diante da primeira acusação de abuso físico, entregássemos o pugilista impenitente tanto para a disciplina eclesiástica quanto para as autoridades civis? O que aconteceria se as mães solteiras de nossas comunidades fossem tratadas como viúvas, recebendo o cuidado especial, social e, quando necessário, econômico de toda a congregação? Talvez se tais igrejas fossem mais comuns, diminuiria a necessidade de organizações extraeclesiásticas que ensinam nossos membros a amar o cônjuge e criar os filhos, pois nosso povo veria isso em ação a cada dia do Senhor na assembleia de Cristo.

A renovação de nossas igrejas em prol da família significa que evitaríamos a idolatria da família. Afinal, Jesus nunca se casou, mas viveu o ponto alfa e ômega da vida humana. Nem todo cristão é chamado para o casamento, mas todos fazem parte de uma família. O caminho do discipulado significa que necessitamos, em todas as gerações, de homens mais velhos mentoreando os mais jovens e de mulheres mais velhas mentoreando as mais jovens (Tt 2.2-3). Não é por acaso que Paulo fez repetidas alusões a seu relacionamento com Timóteo como "pai" e "filho" ou que Rute tenha se identificado com Noemi como uma filha se identifica com a mãe (Rt 4.14-17).

Os homens de nossas igrejas precisam assumir a responsabilidade pelo discipulado de nossos meninos e rapazes, treinando-os para se afastar da hipermasculinidade pagã que diviniza os apetites e fere mulheres e crianças. As mulheres de nossas congregações precisam liderar o treinamento de nossas meninas e moças rumo a uma visão diferente da feminilidade, que não consiste em submissão aos homens em geral, nem em medir o próprio valor em termos da própria atração sexual e disponibilidade para os homens.

Família e missão

No que diz respeito a nossa missão, algumas coisas mudaram, ao passo que outras não. Repito, em gerações passadas, a igreja podia presumir que a maioria das pessoas almejava ter uma família "tradicional" — ou seja, uma família nuclear intacta com uma mãe e um pai. Sobretudo no que se refere a uniões do mesmo sexo, o cenário cultural e legal mudou de maneira sísmica. Isso tem consequências para o bem comum, para nossa constituição social, mas o que mudou em nosso testemunho do evangelho? Em certo sentido, nada. Jesus de Nazaré está vivo. Não há revolução familiar capaz de levá-lo de volta para o túmulo de José de Arimateia. A despeito do que aconteça na cultura ao redor, o evangelho não necessita que os "valores familiares" prosperem. Aliás, em geral, o evangelho prospera quando se encontra em forte contraste com as culturas à sua volta. Foi por isso que o evangelho teve uma explosão de crescimento no primeiro século em lugares como Éfeso, Filipos, Corinto e Roma, que não eram nenhum paraíso puritano.

Os temas familiares são capazes de despertar algumas das "guerras culturais" mais acaloradas de qualquer sociedade, por uma série de razões. Em primeiro lugar, é possível que elas sejam as mais pessoais. As conversas sobre vida familiar são diferentes de diálogos sobre ideias mais abstratas, porque parecem carregar consigo juízo de valor sobre as pessoas. É por isso que os debates sobre mães que ficam em casa cuidando dos filhos *versus* as que saem para trabalhar fora são tão perigosos. Parece que um lado diz que o outro é "negligente" com os filhos ou está "desperdiçando" seus dons e talentos.

Além disso, as questões familiares se tornam mais acaloradas do que o normal porque temos a tendência natural de proteger nossos filhos de forças que imaginamos que irão lhes causar dano. Isso pode produzir ressentimento, quando comparamos hábitos que acreditamos estarem indo em uma direção ruim com a visão da Bíblia ou apenas do bairro no qual crescemos. Todavia, se cremos na soberania de Deus, acreditamos que não nascemos neste tempo e cultura por acidente. Se pertencemos a Cristo, sabemos que esse é o campo missionário que nos foi atribuído. Reclamar da cultura é dizer a Deus que merecemos um campo missionário melhor do que ele nos deu. Ao mesmo tempo, se simplesmente nos dissolvermos à cultura ao nosso redor ou nos recusarmos a questionar as práticas culturais que parecem sensíveis demais à nossa intromissão, não estaremos em missão nenhuma.

Podemos abordar as questões familiares em uma nova era com o antinomianismo etéreo daqueles que buscam as boas-novas em separado da lei e da justiça de Deus. Mas tal "evangelho" não é boa-nova, pois deixa a consciência pesada com a expectativa do juízo. Contudo, existe a tentação igualmente perigosa de enfatizar a justiça da lei de Deus sem a misericórdia da cruz. Isso evidencia não só uma visão inferior do evangelho, mas também uma visão inferior da lei. A Bíblia nos diz que "quem obedece a todas as leis, exceto uma, torna-se culpado de desobedecer a todas as outras" (Tg 2.10), uma vez que o pecado não é pecado contra uma lei, mas, sim, contra o Legislador. Logo, "em tudo que disserem e fizerem, lembrem-se de que serão julgados pela lei que os liberta. Não haverá misericórdia para quem não tiver demonstrado misericórdia" (Tg 2.12-13). A questão não é se o pecado contra o padrão divino da família merece condenação. Merece sim, como todo pecado. A pergunta é se a condenação pode ser revertida pelo sangue do Gólgota e o túmulo cheio de vida no jardim. E a resposta para essa indagação é "Sim" e "Amém" em Cristo.

Logo, devemos ter o mesmo tipo de reação às questões familiares da cultura ao nosso redor que o Senhor Jesus demonstrou ao encontrar a mulher junto ao poço. Jesus foi a Samaria de maneira intencional e teve um encontro intencional com a mulher. Tiago e João, em outra parte do evangelho, pediram a Jesus que mandasse fogo do céu para consumir Samaria, mas ele se recusou. Ele iniciou um diálogo com a mulher e não ficou chocado com os pecados dela, nem teve medo de abordar o assunto. São notáveis as palavras de Jesus para ela em João 4.16: "Vá, chame o seu marido e volte" (NVI). Ambas as partes dessa frase revelam dois aspectos cruciais de nossa missão.

"Vá, chame o seu marido" — Jesus revela exatamente aquilo que a mulher queria evitar: seu pecado sexual e familiar. Ela queria falar sobre todo e qualquer assunto: teologia, relações entre judeus e samaritanos, mas, assim como nós, queria manter seu pecado oculto. Jesus o abordou, destacando que ela já havia tido cinco maridos e que o homem com quem estava vivendo não era seu esposo. Mas não parou por aí. Ele disse: "e volte". Jesus demonstrou que o evangelho não pertence somente aos sexualmente "puros" ou com "valores" familiares, mas a pecadores quebrados, conforme todos nós somos, à exceção dele. As pessoas que discordam de nós em relação aos temas familiares — no tocante a casamento entre pessoas do mesmo sexo, morar juntos sem casar, monogamia ou qualquer outro assunto — não fazem parte de uma conspiração, como se fossem vilões de desenho animado tramando em uma caverna. Assim como todos nós, elas estão em busca de um caminho que lhes pareça certo. Devemos amar aqueles que discordam de nós, inclusive os que nos consideram fanáticos. Eles não são nossos inimigos.

> **Devemos amar aqueles que discordam de nós, inclusive os que nos consideram fanáticos. Eles não são nossos inimigos.**

Isso significa que devemos defender nossa convicção cristã, mas também evitar ridicularizar ou hostilizar quem discorda de nós. Devemos amar o próximo *gay* ou lésbica. Devemos servir e cuidar do próximo que passou por diversos divórcios, ou que mora junto sem casar. Por exemplo, a voz mais alta contra a perseguição e a intimidação de *gays* e lésbicas ao redor do mundo deveria ser proveniente da ala da igreja mais comprometida com uma ética sexual bíblico-cristã. As pessoas mais esforçadas em dar fim ao problema de *gays* e lésbicas em situação de rua, por causa dos filhos que são expulsos de casa e rejeitados pelos pais, deveriam ser aquelas que acreditam em todo o conselho divino a esse respeito. As pessoas mais dispostas a amar e aceitar *strippers*, atores pornôs e prostitutas que necessitam ser enxergados como quem realmente são, não só por seus atributos físicos, deveriam ser as que pertencem à igreja de Jesus Cristo.

Também precisamos ser aqueles que enxergam as questões familiares além da parte sexual (sem excluí-la, é claro). Se nos importamos com a família, em vez de apenas proteger a nossa, nos preocuparemos com tudo que separa as famílias. Por exemplo, mulheres e crianças abusadas muitas vezes permanecem à sombra porque acham que nosso sistema judicial não as protegerá adequadamente de sofrer mais violência. Temem que a denúncia desse tipo de comportamento acabe inflamando perigos maiores no futuro. Devemos trabalhar em prol de um sistema de justiça claro e decisivo o suficiente para que os abusadores recebam justiça e as vítimas sejam protegidas. Muitas das famílias em perigo ao redor do mundo hoje são as que fazem parte de comunidades de imigrantes, presas em um sistema inviável, propensas à exploração por empregadores que as ameaçam não só de perder o emprego, mas também de arruinar o futuro dos filhos. Quaisquer que sejam nossas divergências em relação às políticas de imigração, sem dúvida somos capazes de reconhecer que muitas famílias estão aqui para fugir da pobreza abjeta ou da violência em seu país de origem. Não estão em busca de uma vida mansa, mas, sim, de sustentar e proteger os filhos.

E uma das maiores ameaças à família é a pobreza. Podemos argumentar se é a instabilidade familiar que leva à pobreza ou vice-versa, mas é preciso reconhecer que os dois andam juntos. Independentemente de nossa opinião sobre as reformas sociais ou o valor adequado para o salário mínimo, é fundamental reconhecer quantas dificuldades econômicas enfrentam as mães solteiras que tentam sustentar a família na ausência de homens que morreram, foram embora ou estão presos. Tais famílias não devem ser demonizadas para ganhar pontos políticos. Nem sempre concordaremos com as políticas econômicas que levam à prosperidade familiar. Nem sempre há um "Assim diz o Senhor" claro. Mas não deveríamos pelo menos ser uma igreja que faz uma análise moral de tais debates, reconhecendo que não somos contadores pálidos regulando cada centavo, mas que também levamos em conta o preço cobrado de vidas e famílias humanas?

Ao mesmo tempo, não devemos fingir que nosso ministério evangélico significa apenas abordar questões "espirituais" enquanto evitamos tudo que diz respeito a casamento e família. O evangelho seguiu em frente com um chamado ao arrependimento de todos os pecados, inclusive pecados sexuais e familiares, e as instruções de como viver em novidade de vida incluíam uma mensagem sobre colocar em ordem a sexualidade, o relacionamento conjugal, a família mais ampla e a criação dos filhos. Precisamos ser igualmente categóricos, a despeito do preço social, político ou até mesmo legal que precisemos pagar.

E devemos fazê-lo na posição daqueles que reconhecem que, no curto prazo, nós perdemos a guerra cultural nas questões sexuais e familiares. Temas que anteriormente eram "divisores de águas" entre "a nação de verdade" contra as "elites liberais" agora se voltaram completamente contra nós. Que seja. No longo prazo, porém, devemos permanecer firmes em nossa convicção de que o casamento e a família são resilientes exatamente porque fazem parte da trama da criação e não serão eliminados por práticas culturais ou decretos judiciais. Se estivermos certos quanto ao universo, a revolução sexual não conseguirá cumprir suas promessas. A utopia sexual desimpedida só consegue ir até certo ponto, antes de deixar o solo a seu redor todo queimado, como qualquer outra utopia. Precisamos estar prontos, depois de tudo, para apontar uma luz em direção aos velhos caminhos, à água que satisfaz. Precisamos ser um povo de João 3.16 em um mundo de João 4.16.

> Precisamos ser um povo de João 3.16 em um mundo de João 4.16.

Sempre haverá, é claro, aqueles que desejam embasar nossa visão de casamento na nostalgia ou em retratos caricaturais de masculinidade, feminilidade ou "famílias de bem". E sempre existirão aqueles que nos pedem para abrir mão de um conceito cristão de família. Não abriremos mão porque não podemos. Dispensar o casamento e a família segundo a definição de Deus é dispensar um mistério que aponta para o evangelho. Mais uma vez, isso parecerá esquisito, nojento e radical para alguns. O casamento pode até estar em declínio, ferindo os filhos, já que a marginalização do casamento dá poder a homens predadores. Mas o evangelho prosperou em lugares conhecidos por prostitutas cultuais e lutas entre gladiadores. E ele ainda prospera. À medida que as igrejas recuperarem uma cultura matrimonial baseada no evangelho e a contrastarem com o carnaval sexual libertário à nossa volta, chegará o momento de articular e personificar aquilo em que acreditamos para homens e mulheres, pais e mães, o sexo e a vida.

E, ao fazer isso, daremos as boas-vindas aos refugiados da revolução sexual, dos solitários em busca de uma nova família. Sempre haverá aqueles que irão embora, em busca de liberdade sexual ou da ordem familiar. Mas nós estaremos esperando. Teremos uma festa preparada com um novilho cevado pronto, recebendo de volta ao lar aquele que havia partido. E reconheceremos que a família diz respeito ao evangelho, não apenas a "valores".

Isso significa que é difícil para todo o mundo, não só para alguns tipos de pecadores. O caminho para a fidelidade e a castidade é difícil para todos, e necessitamos de uma grande nuvem de testemunhas para andar em uma direção diferente de um mundo que, com frequência, define sexo e sexualidade como o ápice da vida. Jesus não fica chocado com as tentações, nem nos deixa sozinhos para lutar contra elas.

Conclusão

A família é importante para o cristianismo evangélico, mas é possível que nossa visão de família não seja mais um ponto de contato com o mundo ao nosso redor, sendo em vez disso um ponto distintivo. Essa não é uma situação nova na história do povo de Deus. Nossas convicções sobre família são mais imediatamente interessantes para algumas pessoas que não têm interesse nenhum na dupla natureza de Cristo. Isso funcionou bem para as igrejas no passado, pois mostrava às pessoas ao redor que seus membros eram parecidos com elas, já que também se preocupavam com a família. Pode ser que nossas convicções sobre castidade, fidelidade, disciplina, sacrifício e amor nos façam parecer bizarros. Mas quem sabe não seja exatamente esse estranhamento cultural que o Espírito usará a fim de mostrar à cultura o Pai que dá nome a toda família, no céu e na terra (Ef 3.14-15)?

E talvez, ao recuperar uma visão de família alicerçada no mistério de Cristo, a igreja possa se ver livre para buscar o reino, incorporar uma cultura e avançar a missão em uma época na qual é fácil presumir que a vida de uma pessoa se resume à quantidade de seus orgasmos. A família não é uma imagem sentimental nesse tempo entre as eras. A família é uma questão de batalha espiritual para todos neste mundo caído. Além da batalha, porém, existe uma Nova Jerusalém, adornada como noiva para o esposo (Ap 21.2).

Quando olho para trás e relembro meu temor de "ter condições" de me casar há vinte anos, percebo que o que mais me amedrontava era não ser um "americano normal", não ter aquilo que eu achava que precisávamos ter quando os outros esperavam que tivéssemos. Eu não estava pronto para me casar. É verdade. Mas as finanças eram a menor de nossas preocupações. Aos 22 anos, eu não estava pronto para saber como consolar uma esposa em prantos ao descobrir que seus pais estavam se divorciando. Não estava pronto para desabar em seus braços quando recebi a notícia de que meu avô havia falecido. Não estava pronto para os abortos espontâneos, para um demorado processo de adoção, nem para dois filhos com necessidades especiais. Não estávamos prontos para ouvir que jamais teríamos filhos biológicos, nem estávamos prontos quando descobrimos que os médicos estavam errados. Não estávamos prontos para ter cinco filhos. E eu poderia prosseguir indefinidamente. Pelo menos eu não estava pronto para essas coisas. No entanto, em um sentido bastante real, "eu" nem existe. A vida que tenho agora é definida por nossa vida juntos. Não são duas vidas separadas, cada uma trazendo seus próprios interesses. São duas pessoas que se unem para uma vida — juntos. É possível se preparar para ser marido ou esposa. Mas jamais uma pessoa pode estar realmente "pronta".

A verdade é que não tinha mesmo jeito de aquele orçamento funcionar. E não havia jeito de amadurecer o suficiente e estar "prontos" para o que a providência tinha reservado para nós. Precisávamos um do outro. Precisávamos amadurecer juntos e saber que nosso amor um pelo outro não consistia — e não consiste — em ter tudo resolvido. Afinal, não tínhamos tudo resolvido no início, mas ainda tínhamos um ao outro.

Quando olho para as fotos tiradas vinte anos atrás em nosso álbum de casamento, vejo o rosto de pessoas que já se foram. Vejo minha avó e me lembro do quanto ela estava certa. Vejo um menino e uma menina que se amavam, mas não tanto quanto se amam agora. Nós estávamos prontos? Não. E eu não gostaria que fosse de nenhuma outra maneira. Essa realidade me lembra de que nosso chamado para falar juntos como igreja sobre família não pode se originar de uma mera nostalgia por uma época mais simples. Precisamos nos convidar a um tipo diferente de estabilidade — a estabilidade que é símbolo do reino. Os valores familiares não são uma forma de vencer na vida. A família definida pelo evangelho nos tornará mais estranhos do que queremos — e já é chegada a hora.

9
Bondade por convicção

Certo tempo atrás, uma pesquisa realizada por uma universidade estudou o fenômeno da "ira no trânsito", para entender o que causa atos de explosão verbal ou violência física nas estradas do país. Não conseguiram encontrar fatores indicativos recorrentes nas categorias típicas de idade, sexo, etnia, classe social ou geografia. Descobriram, porém, que havia um indicativo preciso de ira no trânsito: a presença de adesivos com frases de efeito no veículo do ofensor.[1] A pesquisa sugeriu que a mensagem no adesivo é irrelevante. Um adesivo que diga "Pratique atos aleatórios de bondade" não exime o carro da susceptibilidade a esse comportamento mais do que "Mantenha distância: recarregando". Não importa se o carro traz a frase "Jesus salva" ou "Legalização da maconha já!". O único elemento em comum era a presença de adesivos colados na parte de trás do carro, independentemente do que ele dizia. E, quanto mais frases de efeito no veículo, maior a propensão do condutor à ira no trânsito.

Quanto mais penso a esse respeito, mais faz sentido. Afinal, uma frase de efeito colada no carro não tem o objetivo de persuadir. Você conhece alguém que mudou de ideia em relação ao porte de armas por ler o *slogan* em um carro? Ou que alterou sua crença sobre a existência de Deus ou o sentido da vida? Imagino que não. O tipo de pessoa que coloca adesivo no carro é o que deseja se identificar com uma mensagem ou tribo em particular. É o tipo de pessoa que deseja expressar sua opinião para desconhecidos, sem a possibilidade de uma conversa mais rica, cheia de nuances. É um indivíduo que quer ser ouvido. Isso pode facilmente sair do terreno da expressão pessoal para a ira.

Bondade como tática de guerra

Essa é uma tentação persistente para nosso testemunho público, sobretudo nas questões de retidão e justiça: tornar-se a versão eclesiástica do adesivo de para-choque, identificando quem somos e expressando ultraje em relação à cultura à nossa volta. Nada sinaliza mais convicção e paixão nesta era do que a arte de se mostrar teatralmente ofendido. E seria muito fácil ver a veemência de nossa indignação como evidência de que estamos praticando "engajamento cultural", quando, na verdade, não estamos fazendo nada disso. Se indignação fosse sinal de espiritualidade, então o diabo seria a alma mais espiritual do cosmo. Afinal, ele ruge irado "sabendo que lhe resta pouco tempo" (Ap 12.12). Contraste isso com o Senhor Jesus, que não "lutará nem gritará" (Mt 12.19). Por quê? Porque a única missão do diabo é roubar, destruir, acusar e difamar. E porque o diabo está no lado perdedor da história. O desafio da próxima geração é cultivar uma bondade por convicção em nosso testemunho ao abordar o mundo exterior. Essa bondade não é fraca, nem passiva. Aliás, a bondade é uma tática de guerra.

À medida que o evangelho avançava pelo império romano, as novas congregações enfrentavam a turbulência constante de ameaças internas e externas, com aquilo que um antigo hino evangélico chamou de "lutas internas e temores externos". Ao se aproximar do fim de sua vida e ministério, o apóstolo Paulo escreveu cartas para aqueles que dariam continuidade à missão: Timóteo e Tito. Pelo contexto das cartas enviadas a Timóteo, que liderava a igreja de Éfeso, o jovem líder era assolado com uma vulnerabilidade pessoal à timidez e ao temor. Paulo, preso e condenado à execução, o incentivou continuamente a "lutar o bom combate" (1Tm 1.18), não descuidar "do dom que recebeu" (1Tm 4.14), lutar "o bom combate da fé" (1Tm 6.12), jamais se envergonhar (2Tm 1.8), mas ser um "bom soldado de Cristo Jesus" (2Tm 2.3). O velho apóstolo precisou aconselhar Timóteo em relação a seus problemas estomacais (1Tm 5.23), logo depois de instruí-lo acerca de como lidar com a repreensão de pecados persistentes no meio da congregação (1Tm 5.21-23). Precisou dizer que ele não deixasse ninguém desprezar sua juventude (1Tm 4.12). E foi necessário lembrá-lo: "Deus não nos deu um Espírito que produz temor e covardia, mas sim que nos dá poder, amor e autocontrole" (2Tm 1.7). A mensagem persistente de Paulo a Timóteo falava sobre a coragem de lutar, lutar e lutar. Então o apóstolo Paulo fala sobre bondade. Ele não estava mudando de assunto.

O servo do Senhor, escreveu Paulo, "não deve viver brigando, mas ser amável com todos" (2Tm 2.24). Talvez seja fácil entender isso quando estamos falando sobre o cuidado interno de nossas igrejas e famílias. Todos, até mesmo os mais niilistas, entendem a necessidade de demonstrar afeição natural pelas pessoas do círculo imediato, por aqueles que fazem "parte de nós", pelo menos por razões utilitárias, se não morais. Todavia, a ordem apostólica vai além dos sentimentos naturais. Aqueles que servem a Cristo devem ser amáveis com *todos*, escreveu Paulo. Quem serve a Cristo deve demonstrar honra a *todos*, escreveu Pedro (1Pe 2.17). Por sermos aqueles que estão unidos a Cristo e, assim, ungidos com seu Espírito, devemos nos conformar à sua imagem (Rm 8.29). O Espírito produz frutos em nossa vida, assim como Jesus vive por meio de nós. Esse fruto consiste em bondade e gentileza. Não se trata de uma pausa no combate. É assim que lutamos.

Se estamos em missão, personificando a vida do reino na cultura presente, não devemos nos envolver em "discussões tolas e ignorantes", uma vez que sabemos que elas "só servem para gerar brigas" (2Tm 2.23). Assim, expressamos a vida de Jesus. Embora ungido com o Espírito de sabedoria e discernimento, Jesus se recusou a se intrometer na disputa entre dois irmãos por causa da herança (Lc 12.13-14) e, não raro, se calava diante das perguntas de líderes religiosos que queriam fazê-lo cair em alguma cilada. Conforme expus ao falar sobre a controvérsia em sua sinagoga natal, ele só entrava em discussões nos próprios termos, a fim de provocar o diálogo que queria ter. Quando as multidões se iravam, não lhes respondia ponto a ponto, mas seguia em frente, rumo à cruz. Jesus entendia sua missão e não estava disposto a se distrair dela. À medida que crescemos em Cristo, refletimos o mesmo tipo de mentalidade.

> **Não se trata de uma pausa no combate. É assim que lutamos.**

Anos atrás, eu era pastor de uma igreja e fui abordado por um menino de onze anos de nossa congregação que queria me apresentar um amigo, Jared. Jared jogava futebol com ele e nunca havia ido à igreja. Depois de conversarmos por alguns minutos, Jared me contou que precisava de oração, pois seu pai tinha ido embora e ele não sabia o que sua família ia fazer. Ele me perguntou se eu podia orar pedindo a Deus que "fizesse o pai e a mãe voltarem". Orei com ele e o menino voltou para seu lugar. O garoto estava usando uma camiseta comemorando a posse de um presidente impopular entre a maioria dos membros de minha congregação predominantemente branca e da classe operrária. Enquanto observava o menino andar pelos corredores da igreja pela primeira vez na vida, quem sabe para ouvir o evangelho também pela primeira vez, um homem de meia-idade passou por ele e bufou: "Precisamos lhe arranjar uma camiseta melhor!".

Eu mal conseguia acreditar. Queria gritar: "Ele está perdido! Está magoado. Não conhece a Cristo e você está preocupado com a camiseta dele!". Meu membro de igreja não conhecia todo o contexto, nem perguntou. A única coisa que sabia era que ele não gostava do presidente na camiseta do menino. Eu me pergunto quantas vezes fiz a mesma coisa. Quantas vezes travei a luta que vi à minha frente, em vez de combater o que realmente era necessário.

O servo do Senhor não é briguento, ordena Paulo. Isso faz parte de uma realidade mais ampla do evangelho. À medida que nos conformamos a Cristo, buscamos diminuir a nós mesmos e, pelo Espírito, viver mais a vida de Cristo dentro de nós. É por isso que Paulo instruiu Timóteo a ser "paciente" ao resistir o mal (2Tm 2.24). O desejo de brigar por brigar é sinal de orgulho. Quantas vezes nossos confrontos mais amargos e sarcásticos com aqueles de quem discordamos estão menos ligados a convencê-los e mais a nos justificar? Isso é verdade sobretudo quando tememos que quem se opõe a nós pensará que somos tolos ou maus (ou ambos). Queremos provar para eles e para nós mesmos que estão errados a nosso respeito. Trata-se de um espírito bem diferente do Espírito de Cristo.

Uma maneira de demonstrar isso é por meio da tentação constante de igrejas e organizações cristãs organizarem boicotes a comércios e indústrias que discordem de nós, por exemplo, na definição de casamento ou outras questões familiares. Não que um boicote em si mesmo seja algo ruim. Rosa Parks e o boicote aos ônibus em Montgomery demonstram que há momentos em que um boicote sábio e com foco estratégico pode funcionar. Em geral, porém, os boicotes expõem nossas piores tendências. Somos tentados a lutar como o diabo para agradar ao Senhor.

Afinal, o boicote é uma disputa de poder, sobretudo de poder econômico. Tentamos prejudicar uma empresa, privando-a de renda. É uma competição de quem tem mais poder de compra e, portanto, tem mais valor para a companhia. E presume que a "correção" de um posicionamento é constituída pela maioria com poder. Mas não é exatamente contra isso que a igreja deve falar? Não seria uma visão de poder "dos gentios", contra a qual o Senhor nos advertiu (Lc 22.25)?

Não convencemos as pessoas à nossa volta imitando seus protestos irados. Não vencemos argumentações ao levar empresas ao chão. Para ser franco, se tivéssemos esse poder cultural, as indústrias já teriam testado o mercado e encontrado maneiras de ganhar nosso favor, ao mesmo tempo que dariam continuidade a suas práticas imorais no submundo. Que outros lutem contra mamom com mamom. Em vez disso, ofereçamos um testemunho fiel que não se acovarda diante do poder, mas também não tenta imitá-lo.

Afinal, nosso Cristo não "gritará, nem levantará a voz em público", mas também "não vacilará nem desanimará, enquanto não fizer a justiça prevalecer em toda a terra" (Is 42.2,4). Jesus não se defende de ofensas pessoais, nem permite que a injustiça permaneça sem brilhar sobre ela. Isso acontece porque Jesus tem uma visão mais ampla do que está acontecendo. Jesus não vacila perante Pilatos porque sabe, em última instância, que é ele quem define a agenda, não Pilatos (Jo 18.36-37). Isso não acontece porque Jesus não vê a luta diante dele, mas, sim, porque é capaz de enxergar uma luta maior e mais aparentemente intratável à distância. A bondade e a gentileza crescem não quando menosprezamos o conflito, mas, sim, quando o enfatizamos. Para Paulo, bondade não é polidez; é uma arma na guerra espiritual. Ensinamos e repreendemos com bondade e gentileza, "na esperança de que Deus os leve ao arrependimento e, assim, conheçam a verdade. Então [...] escaparão da armadilha do diabo, que os prendeu para fazerem o que ele quer" (2Tm 2.25-26).

Marcha para a guerra

Esse tipo de conversa provoca discussões até mesmo entre os cristãos mais conservadores e ortodoxos em nosso meio. O primeiro motivo é que mencionar a ação demoníaca é considerado estranho e até mesmo insano em nosso contexto cultural. Nós sabemos que as Escrituras apresentam o retrato do universo em guerra. A presente era é um império satânico invadido pelo reino rival de Jesus. A menção a tais realidades aumenta e diminui na história da igreja, oscilando entre preocupação e vergonha. A igreja ao redor do mundo — sobretudo na região que o sociólogo Philip Jenkins denomina Sul Global — compreende o tipo de universo assombrado por demônios apresentado nas Escrituras. Mas muitos cristãos norte-americanos e da Europa ocidental se retraem diante das descrições de "batalha espiritual" das gerações anteriores, com anjos e demônios invisíveis medindo forças em uma América formada por pequenas cidades.² Fechamos a cara diante do evangelista famoso pelas curas na televisão, ao descrever os demônios que o perseguiam justamente na mesma época em que foi pego com cocaína e prostitutas.

Muitas igrejas protestantes liberais tiraram do hinário músicas como "Ó cristãos avante!" e outras com teor marcial. Mas esses não foram os únicos hinos excluídos. Qual foi a última vez que você ouviu um evangélico louvar sobre a guerra contra os poderes satânicos?

Apesar de tudo isso, o abrandamento da linguagem apocalíptica não levou a uma igreja mais pacífica. Ouça um canal cristão ou participe de uma cruzada sobre "fé e valores" e você ouvirá bastante discurso bélico. Todavia, a linguagem se dirige primariamente às pessoas vistas como inimigas culturais e políticas. Ao mesmo tempo que tememos parecer pentecostais demais para falar sobre o diabo, declaramos guerra contra meros conceitos, como o "mal" ou o "pecado". Quando não nos opomos a demônios, demonizamos adversários. E sem uma visão clara das forças concretas contra as quais nós, a igreja, deveríamos nos alinhar, achamos muito difícil diferenciar entre os combatentes do inimigo e seus reféns.

Também ficamos desconfortáveis com isso. A linguagem espiritual de Paulo parece sugerir que quem rejeita o evangelho é possuído pelo demônio. Muitos usam esse tipo de expressão nesse sentido. "Diabo" e "Satanás" são metáforas para seus inimigos. O que se subentende quando um orador inflamado diz que uma religião ou ideologia é "do diabo" ou "satânica" se encaixa facilmente nessa descrição. O pressuposto é que há uma competição entre "luz e trevas", que nosso lado é o do Senhor e o outro, do diabo.

Não é isso que Paulo argumenta aqui, nem o restante das Escrituras. Aliás, o evangelho nos conta uma história bem diferente em relação a nós mesmos e aqueles que se opõem a nós.

O cativeiro a que Paulo se refere não é a possessão e não significa que os descrentes são piores ou mais irracionais que qualquer outra pessoa. Muitas vezes, os incrédulos são mais bondosos, gentis, racionais e inteligentes que os cristãos. A obra do diabo tipicamente não é demonstrar a impiedade de modo sobrenatural. O que ele mais faz é simplesmente nos distrair do sobrenatural, para que continuemos a trilhar o caminho que já estamos percorrendo (Ef 2.1-3), focados no que parece certo para nós (Pv 14.12). É por isso que o evangelho não adverte contra as obras do diabo apenas para os descrentes.

Tiago escreveu para as igrejas, formadas por cristãos, e as advertiu a vigiar acerca de um tipo de "sabedoria" que é terrena, mundana e demoníaca, marcada por "inveja e ambição egoísta" (Tg 3.15-16). Tais coisas podem parecer extremamente espirituais, ou, no mínimo, boas habilidades de liderança se apresentadas com o viés adequado. Após Simão Pedro confessar que Jesus era o Cristo pelo poder do Espírito (Mt 16.16-17), Jesus lhe disse: "Afaste-se de mim, Satanás! Você é uma pedra de tropeço para mim" (16.23). Isso não quer dizer que Pedro era um traidor satânico tramando contra Cristo em meio às fileiras dos discípulos. O que Pedro disse para provocar essa reação intensa em Jesus parece perfeitamente razoável. Pedro garantiu a Jesus que ele não enfrentaria o destino terrível que havia mencionado: prisão e crucificação. Nós esperaríamos que algum amigo nos consolasse se disséssemos: "Sabem, a noite está linda, mas provavelmente acabarei morto e jogado em um túmulo sem nome". Pedro estava agindo como esperado. E essa é a questão: o impedimento que Jesus identificou foi uma mentalidade ligada às coisas humanas, em lugar de às coisas de Deus (16.23).

O diabo age como esperado também. Seu modo de agir não é como supõem os caçadores de bruxas, em uma espécie de poder negro sobrenatural identificável. O poder do diabo é nos deixar onde estamos, sob a sentença de acusação, escondendo-nos por trás de tudo que conseguirmos encontrar — ideologia, filosofia, religião, moralidade, prazer, sucesso ou o que for — que nos impeça de prestar atenção ao nosso destino final. O caminho do diabo é "o curso deste mundo" (Ef 2.1-2, RA). Neste mundo caído, o diabo age normal; estranho mesmo é o evangelho.

Os cristãos não são mais "cativos" do diabo. Isso significa que seu poder acusador perde a mordacidade pelo perdão dos pecados que acontece por meio do evangelho. Todavia, nós enfrentamos constantemente nosso satanista interior, ao lutar para nos sujeitar ao senhorio de Cristo, que continua a parecer estranho até mesmo para nós. A linha divisora entre a luz e as trevas não é definida por filiação partidária ou valores morais, mas perpassa o coração e a alma de cada um.

As Escrituras nos mandam ser gentis e bondosos com os incrédulos, não porque não estamos em guerra, mas, sim, porque nossa guerra não é *contra eles* (2Tm 2.26). Quando nos damos conta de que estamos em guerra contra principados e potestades nos lugares celestiais, percebemos que não guerreamos contra carne e sangue (Ef 6.12). O caminho para a paz não acontece por meio de belicosidade ou rendição, mas combatendo a guerra certa (Rm 16.20). Iramo-nos contra a Serpente, não contra suas vítimas.

Ouvimos muitos chamados, provenientes de todo o espectro religioso e político, em prol da cortesia. Mas cortesia não basta. A cortesia é um território neutro, uma espécie de pacto mútuo de não agressão, no qual concordamos em respeito um ao outro, sem menosprezo. Isso é importante e um bom começo, mas não é suficiente. Assim como não defendemos a "tolerância" a quem discorda religiosamente de nós, mas a "liberdade", não devemos ser favoráveis à mera cortesia, mas, sim, de nossa parte, à bondade. A cortesia é passiva; a bondade é ativa e estratégica.

As Escrituras nos mandam ser gentis e bondosos com os incrédulos, não porque não estamos em guerra, mas, sim, porque nossa guerra não é *contra eles*.

Esse tipo de bondade está diretamente ligado à nossa visão clara da natureza humana, segundo o cristianismo. Sabemos o que estava (e está) errado conosco, e isso deve nos impedir de ter uma visão superficial dos motivos daqueles que se opõem a nós. A humanidade caída responde à luz de Cristo não só com rejeição cognitiva, mas também com repugnância moral (Jo 3.19-20).

Embaixadores do reino

Como tudo se quebrou? O apóstolo Paulo disse que sua conversão foi um modelo da graça de Deus revelado aos outros (1Tm 1.16). Como isso convenceu um anticristão a mudar de opinião? Embora ele fosse intelectual, instruído aos pés do erudito Gamaliel, não mudou de ideia com argumentos. Em vez disso, foi parado no meio do caminho, ouviu uma voz que lhe falou pessoalmente. Nesse encontro a caminho de prender a igreja na Síria, Saulo/Paulo experimentou precisamente aquilo que mais tarde explicaria, em certo sentido, a experiência de cada convertido. "Pois Deus, que disse: 'Haja luz na escuridão', é quem brilhou em nosso coração, para que conhecêssemos a glória de Deus na face de Jesus Cristo", escreveu (2Co 4.6). Como passamos por isso? Por meio da "manifestação da verdade", que fala "à consciência de todo homem, na presença de Deus" (2Co 4.2, RA). As pessoas mudam de ideia porque reconhecem uma voz, a voz de Jesus de Nazaré dizendo: "Venha e siga-me".

É por isso que falamos com bondade. Somos embaixadores encarregados de anunciar a mensagem daquele que nos enviou. Falamos não só o que ele disse, mas também como ele disse. Isso acontece porque não estamos em busca de transformação apenas com o "conteúdo", mas com o próprio Cristo. Sua voz tem autoridade e, quando ele fala, as coisas acontecem. Não é uma questão de relações públicas, mas de representação correta. Alguém poderia ler o salmo 23 de forma correta em um funeral, gritando-o com o braço estendido, fazendo a saudação da juventude hitlerista. Todas as palavras seriam proferidas, mas o significado mudaria drasticamente de uma palavra de conforto, conforme intencionado, para uma mensagem de ameaça e confusão. Em nossa mensagem, as pessoas precisam ouvir o sotaque galileu de Jesus de Nazaré.

Afinal, Paulo escreveu que o objetivo para todos nós é o "arrependimento" e que voltemos "ao perfeito juízo" (2Tm 2.25-26). Como isso acontece? A Bíblia nos conta que as "manifestações da bondade de Deus visam levá-lo ao arrependimento" (Rm 2.4). Deus conduziu Israel pelo deserto com "laços de amor". Ele disse: "Eu mesmo me inclinei para alimentá-lo" (Os 11.4). Jesus ensinou que Deus demonstra bondade e paciência, até mesmo no nascer do sol e no cair da chuva, tanto sobre os justos quanto sobre os justos, e nós devemos dar exemplo desse tipo de procedimento em nosso testemunho pessoal (Mt 5.43-47).

Todavia, essa bondade não é a ausência de confronto, marcada por sorriso constante e olhos fechados à realidade, que vemos em alguns setores do cristianismo, sobretudo em suas formas mais terapêuticas e voltadas para o mercado. Paulo não falou em gentileza como meio de evitar o conflito, pois logo antes de se referir a ela ele havia mencionado: "Instrua com mansidão aqueles que se opõem" (2Tm 2.25), por meio de um ensino que não recua. Jesus, afinal, confrontava repetidas vezes aqueles com quem se encontrava, mostrando tudo que colocavam no papel de ídolos, em lugar de seu senhorio. Isso continua até na confrontação com o próprio Paulo: "Sou Jesus, o nazareno, a quem você persegue" (At 22.8). Jesus, porém, não confrontava com o propósito de fazer uma catarse pessoal e, sem dúvida, não o fazia a fim de reunir uma "base" em meio a correligionários de pensamento semelhante. Em todos os casos, Jesus confrontava com o objetivo de criar uma crise — o tipo de crise que coloca a pessoa face a face com o chamado ao arrependimento, à fé, à possibilidade de uma nova criação.

Lembro, há vários anos, de ler a história de um homem que, ainda descrente, começou a frequentar os cultos de domingo à noite na Abadia de Westminster, em Londres. Foi após a Segunda Guerra Mundial, na época do célebre pregador D. Martyn Lloyd-Jones. O interessado disse que ficou encantado com a autoridade da Palavra pregada ali. Disse que Lloyd-Jones era um "rolo compressor" da verdade bíblica. Mas explicou que era "um rolo compressor muito suave". A princípio, ri diante do que pareceu uma metáfora misturada. Como um rolo compressor pode ser, dentre todas as coisas, "suave"?

Entretanto, quanto mais pensei sobre o assunto, mais percebi que é justamente isso que Jesus era e é — um rolo compressor suave. Como não está preso ao temor do homem, Jesus repreende e expõe o que está errado. Mas, além disso, como não está preso ao temor do homem, Jesus busca salvar, não condenar, e não tem medo de dialogar com aqueles que o restante da sociedade considera "imorais" e "diferentes da gente". Ele destrói vidas, tirando-nos do caminho que escolhemos e colocando uma cruz em nossas costas. Ao mesmo tempo, não esmaga a cana quebrada, nem apaga a chama que já está fraca. Esse é nosso chamado também.

O preço da bondade por convicção

Esse tipo de bondade por convicção, porém, não é uma mera mudança de tom, nem significa a diminuição do conflito, mas, sim, seu aumento. Às vezes, os líderes da igreja me perguntam como abordar temas controversos, geralmente ligados à revolução sexual, sem parecer mesquinhos ou maldosos. Sempre respondo que não consigo fazer isso. Se eles defenderem os princípios bíblicos e chamarem as pessoas ao arrependimento, de fato serão vistos como mesquinhos, fanáticos e maldosos. Jesus disse que já deveríamos esperar por isso: "O discípulo não está acima de seu mestre, nem o escravo acima de seu senhor. [...] Uma vez que o dono da casa foi chamado de Belzebu, os membros da família serão chamados de nomes ainda piores!" (Mt 10.24-25). A questão é se realmente *somos* mesquinhos ou maldosos. É só isso que podemos controlar.

Além disso, a bondade por convicção significa dobrar o número de críticos em potencial. Quem não gosta do chamado do evangelho ao arrependimento ressentirá a parte da convicção, e quem não gosta do ímpeto missionário do evangelho ressentirá a bondade. Quando Jesus foi à casa de Zaqueu, o publicano, sem dúvida irou aqueles que argumentavam que a moralidade das fraudes e dos desvios que faziam para o governo romano não era da conta dele. Mas também levou ao murmúrio daqueles que disseram: "Ele foi se hospedar na casa de um pecador!" (Lc 19.7). Perguntavam-se que tipo de "sinal" Jesus estaria mandando. Jesus, porém, estava tranquilo e despreocupado diante dessas reações.

Se você não está atraindo fogo tanto dos fariseus quanto dos saduceus, provavelmente está dizendo algo diferente da mensagem de Jesus. E se sua proclamação não atrai tanto publicanos (colaboradores do império romano) quanto zelotes (revolucionários contra o governo estrangeiro) ao arrependimento, você provavelmente está falando com uma voz diferente da que ele usava. Jesus não era incoerente. Apesar de todas as pretensões do império romano à preeminência tanto na própria mente quanto na de seus adversários, Jesus o enxergava apenas como um obstáculo temporário, não como o ponto definidor de sua agenda. Nós nos posicionamos e falamos com a reconciliação em vista. Logo, enxergamos até mesmo em nosso crítico mais inflamado não um argumento a ser destruído, mas um próximo a ser evangelizado.

> **Logo, enxergamos até mesmo em nosso crítico mais inflamado não um argumento a ser destruído, mas um próximo a ser evangelizado.**

Isso não quer dizer que tiramos um jota ou um til da verdade. Em vez disso, proclamamos toda a verdade do evangelho e da graça, sem jamais recuar de ambos. Significa que levamos a sério os argumentos de nossos oponentes, não meras caricaturas desses argumentos.

Pregar sem "dar sermão"

Certa vez, desliguei um programa de televisão que eu normalmente amo porque era tendencioso demais para assistir. O programa me atraiu pelo roteiro criativo e inovador, junto com um elenco talentoso de personagens populares. Aquele episódio, porém, falava sobre a prevenção de doenças sexualmente transmissíveis. Um ativista da direita religiosa, muito caricatural e estereotipado, insistia na educação por abstinência, frustrando a tarefa dos educadores que ensinariam o uso correto da camisinha. O roteiro incluiu uma série de piadas grosseiras, salpicadas pela mensagem constante de que a abstinência nem sempre funciona e magoa as pessoas, bem como de que as autoridades governamentais precisam de coragem para combater os radicais defensores de ideologias questionáveis e fazer o que é melhor para a saúde pública.

Eu sou um cristão evangélico conservador que acredita, junto com toda a igreja cristã histórica de qualquer orientação política, que a castidade até o casamento é plano de Deus e necessária para o bem-estar humano. Também acho que muitos dos esforços na área de educação sexual — aqueles que giram em torno apenas da doença e prevenção, em lugar de se preocupar com a dignidade humana — magoam as pessoas e aviltam a sociedade civil. Mas não foi por isso que desliguei a televisão. Não me importo em ouvir outros pontos de vista, nem tenho medo deles. Desliguei não por estar ultrajado, mas, sim, por tédio. O programa estava apresentando um ponto de vista com um ar de superioridade cheio de certeza em relação a pontos de vista injustos e caricaturais das opiniões que defendo. Não que estivessem sendo grosseiros comigo, mas, na verdade, nem estavam falando comigo para começar. O roteiro não tinha a intenção de engajar uma posição alternativa e mostrar por que ela não chega à altura da outra. Em vez disso, o objetivo do programa era levar as pessoas que já defendiam os mesmos pontos de vista a balançar a cabeça em afirmação diante dos idiotas que se opõem ao bom senso e se sentir muito melhores com sua superioridade intelectual e moral em relação aos neandertais aqui. Nesse caso, tudo bem. Há mais pessoas que defendem a mentalidade articulada no programa do que indivíduos que acreditam na mesma filosofia que eu. E o programa não estava tentando vencer uma briga, mas apenas se gabando de uma discussão já vencida.

Não me preocupo com as comédias da televisão. Não quero fazer um boicote, nem uma campanha contra elas. Senti-me, porém, provocado a pensar na frequência com que nós, corpo de Cristo, agimos da mesma forma. Somos capazes de fazer caricaturas dos pontos de vista de nossos caluniadores nos termos mais grosseiros, para nos ajudar a crescer na certeza de que quem se opõe a nós é singularmente mau. E assim ouvimos uma série de "Améns" do nosso lado. Mas isso é dar sermão, não pregar, e há uma grande diferença.

A pregação de Jesus apresentava posicionamentos claros, com arestas afiadas. Mas Jesus nunca transformou a espada do Espírito em um cobertor seguro para quem já estava convencido. No caso da mulher samaritana junto ao poço, por exemplo, seria fácil para Jesus apenas dizer aos discípulos que os samaritanos eram sexualmente depravados porque rejeitavam a autoridade dos livros proféticos e de sabedoria da Bíblia. Poderia até ter ridicularizado a mulher por se iludir tanto em muitos casamentos fracassados e seu estado atual de coabitação. Poderia ter perguntado como ela era qualificada para ter debates teológicos acerca do local correto de adoração ou da quantidade certa de reverência pelo velho patriarca Jacó, se nem conseguia interpretar se um homem era alguém na vida ou não. Em vez disso, Jesus falou com ela, não sobre ela. Revelou como (até) ela precisava reconhecer a esterilidade da água espiritual que vinha extraindo.

Em continuidade com os profetas antes dele e os apóstolos que vieram depois, Jesus não se intimidou diante da necessidade de fazer uma confrontação moral. Recusou-se, porém, a deixá-la no nível superficial que tanto almejamos. Os discípulos não receberam permissão de se parabenizar por estar livres de adultério ou homicídio, pois, em sua pregação, Jesus levou a lei para o profundo da consciência deles, expondo as raízes do adultério e assassinato interiores, muito mais difíceis de ser identificados, quanto menos de superar. De igual maneira, o apóstolo Paulo mencionou a degeneração moral das nações gentílicas (Rm 1.18—2.16), mas não permitiu que os judeus dessem um passo para trás e o aplaudissem por chamar o pecado pelo nome. Perguntou se eles também eram culpados das mesmas coisas censuradas em seus inimigos (Rm 2.17-19). O objetivo da pregação apostólica não é evocar sorrisos de superioridade em meio ao público, mas, sim, fechar toda boca com a lei e levar cada coração ao evangelho (Rm 3.9-31).

Muitas das ideologias, práticas e políticas que precisamos confrontar são realmente mortais. Mas não pregamos para quem está cativo de tais perigos apenas pela repetição de *slogans*. Precisamos nos perguntar por que tais coisas chamam atenção e por que parecem plausíveis para outras pessoas.

Afinal, nossos oponentes não são vilões de desenho animado, reunidos em uma toca, tramando uma conspiração para derrubar o bem e a verdade. Eles acreditam estar seguindo o caminho certo. Somente se falarmos à consciência das pessoas é que conseguiremos chegar aonde elas estão, escondidas de Deus, como já estivemos no passado.

O darwinismo reducionista, que elimina a intervenção divina no universo, não é capaz de explicar adequadamente o mistério do universo da humanidade. Mas quando rimos e dizemos: "Minha avó não era uma chimpanzé", não estamos levando a sério os argumentos de quem defende esse ponto de vista. Na verdade, nem estamos falando com eles, mas apenas com nós mesmos. Quando os descrentes ouvem um retrato enlatado e caricatural de suas opiniões, reconhecem o mesmo que eu identifiquei naquele programa de televisão. Concluem que não desejamos convencê-los, nem mesmo falar com eles, simplesmente para acalmar o psicológico de nossos partidários. O discurso moralista não convence a consciência. Nós, embaixadores de Cristo, lidamos com o aroma da vida e o mau cheiro da morte (2Co 2.15-16). Precisamos apelar às profundezas das consciências culpadas que já conhecem a Deus, mas recuam de sua presença com medo.

Bondade por convicção significa amar as pessoas o suficiente para lhes dizer a verdade e contar a verdade sobre elas a nós mesmos. Quem se opõe a nós não é (necessariamente) burro. Não são pessoas que merecem mais o inferno do que nós, longe do resgate pela graça de Deus em Cristo. Por isso, não nos limitamos a falar sobre elas; falamos com elas. E não só falamos com elas; fazemos súplicas. Tentamos convencê-las. Ganhar sermão nunca mudou a cabeça de ninguém. Já a pregação, por sua vez, é capaz de mudar tudo.

Graça, não permissividade

A convicção, na bondade por convicção, também reconhece os diferentes modos de discurso usados para o pecado dentro e fora da comunidade de Deus. Paulo parece incoerente em sua carta a Timóteo, ao escrever sobre mansidão e bondade, para logo em seguida advertir contra aquelas pessoas que "só amarão a si mesmas e ao dinheiro. Serão arrogantes e orgulhosas, zombarão de Deus, desobedecerão a seus pais e serão ingratas e profanas. Não terão afeição nem perdoarão; caluniarão outros e não terão autocontrole.

Serão cruéis e odiarão o que é bom, trairão os amigos, serão imprudentes e cheias de si e amarão os prazeres em vez de amar a Deus" (2Tm 3.2-4). Não se trata de uma contradição. Em primeiro lugar, lembre-se de que bondade não é "ser bonzinho". A bondade não evita o conflito. A bondade se envolve no conflito, visando a reconciliação. Além disso, porém, aqueles sobre quem Paulo escreveu com tamanha fúria são as pessoas "religiosas apenas na aparência", mas que rejeitam "o poder capaz de lhes dar a verdadeira devoção" (2Tm 3.5). São os que "se infiltram na casa alheia", explorando mulheres vulneráveis enquanto alegam representar a Cristo e ao evangelho (2Tm 3.6).

Em toda parte, a Bíblia nos adverte contra a realidade de impostores espirituais. Às vezes, esses "lobos" aparecem para introduzir com sutileza doutrinas falsas que minam o evangelho. A carta de Paulo aos gálatas é um forte antídoto contra tais falsos ensinos. Com frequência, porém, esses carnívoros espirituais parecem se apegar à verdadeira doutrina, mas usam tanto a doutrina quanto o serviço para fins predatórios. Os filhos de Eli, por exemplo, usavam seu chamado ao sacerdócio para cooptar a gordura das ofertas e ter relações sexuais com mulheres no altar (1Sm 2.12-17,22). Quase todas as cartas do Novo Testamento advertem quanto ao mesmo fenômeno. Existe algo peculiar à igreja que atrai pessoas desejosas de enganar e causar dano.

> A bondade não evita o conflito. A bondade se envolve no conflito, visando a reconciliação.

Afinal, o engano pode ser bem semelhante ao discipulado. Discipulado é como um filho que aprende do pai. O aluno se assemelha ao professor, Jesus nos conta. Isso é bom e correto. Mas as trevas são capazes de transformar tudo que é bom em mau. Um impostor espiritual pode imitar o discipulado, quando, na verdade, está apenas observando as práticas, aprendendo as expressões e imitando as convicções. Pode parecer uma transmissão da fé quando, na verdade, não passa de uma apropriação vampírica da identidade alheia, tudo para saciar um ou outro apetite.

Além disso, muitos desses impostores estão em busca de coisas que não conseguem encontrar em bares e clubes de *striptease*. Muitos se "alimentam" da inocência. É por isso que Paulo advertiu contra aqueles que "conquistam a confiança de mulheres vulneráveis, carregadas de pecados" (2Tm 3.6). Ganham poder sobre os fracos não só ao enganá-los com ensinos aparentemente plausíveis, mas também ao comprometê-los moralmente. O impostor imita a autoridade espiritual, às vezes com tamanha precisão que chega à condição de roubo de identidade, porém a usa para destruir, não para edificar.

Os impostores podem encontrar um lar receptivo dentro da igreja por causa da perversão da doutrina cristã da graça. O evangelho oferece perdão completo dos pecados e, além disso, um recomeço como nova criatura. Mas tanto Jesus quanto os apóstolos advertiram de que isso pode facilmente ser distorcido a ponto de se transformar em uma espécie de licenciosidade. A fé não é verdadeira sem arrependimento. Não é como a crença dos demônios, que simplesmente balançam afirmativamente a cabeça diante de declarações verdadeiras. A fé se revela em amor. Toma a cruz e segue a Cristo. A noção de "graça" sem o senhorio pode acobertar todo tipo de impiedade. O líder imoral sempre se compara ao rei Davi. E aqueles que procuram fazê-lo prestar contas são retratados como desprovidos de misericórdia, indispostos a ajudar quem está "lutando com o pecado". Ignorar o mal em nossas fileiras não é bondade, nem misericórdia. Perdemos o ministério misericordioso de Cristo se não tomamos conta do rebanho de Deus. Essa tarefa inclui combater predadores morais ou doutrinários que se escondem atrás do verniz da autoridade espiritual. Isso é absolutamente consistente com a abordagem do próprio Jesus. Ele era duro com aqueles que alegavam ter autoridade divina, mas que a usavam para desvirtuar a revelação e condenar. Contudo, era gentil com aqueles que eram como "ovelhas sem pastor". Com muita frequência, fazemos exatamente o contrário.

Confiança sem ansiedade

Um aspecto final e indispensável de nosso chamado à bondade em nosso engajamento é a confiança. Paulo advertiu contra os enganadores terríveis dos últimos dias, mas o fez sem ansiedade, nem resignação. Enquanto eu escrevia estas páginas, estava, ao mesmo tempo, observando uma série de fissuras desanimadoras em igrejas e ministérios. Algumas envolveram a queda de líderes. Outras envolveram disputas mesquinhas que se assemelham a brigas entre atores para ver quem fica com o maior camarim. Contei para um amigo que tudo isso me deixou ainda mais fascinado com o ministério de Paulo. Afinal, temos dois mil anos de história atrás de nós. Ele batalhou contra ameaças externas de prisão e conflitos internos nas igrejas, envolvendo heresia e imoralidade. E tudo que ele tinha para se apegar era uma carreira iniciada por uma luz e uma voz. Paulo disse que os falsos mestres eram equivalentes a Janes e Jambres, os magos egípcios que imitaram com poder ocultista os sinais realizados da parte de Deus por Moisés e Arão (Êx 7.11-12). Os servos de Deus demonstraram que eram enviados por Deus ao transformar seu cajado em uma serpente viva e sagaz. Mas os magos da corte de faraó devolveram o argumento fazendo o mesmo. Êxodo simplesmente nos conta: "Mas a vara de Arão engoliu as varas dos magos" (Êx 7.12). Essa é a questão. Paulo concluiu uma seção de pessimismo profundo com as palavras: "Contudo, não irão muito longe" (2Tm 3.9). Isso é crucial.

"O país está em declínio espiritual" ou "Se Deus não julgar este país, precisará pedir desculpas a Sodoma e Gomorra." A autora Marilynne Robinson nota que quem fala assim dificilmente inclui a si mesmo ou seu círculo de amigos à avaliação. É apenas mais uma forma de demarcar território "nós" contra "eles". Além disso, alimenta um sentimento apocalíptico que é revigorante, afirma ela, uma espécie de ataque de pânico com uma descarga de adrenalina para inflamar as paixões. Por trás disso, Robinson especula que exista um preconceito profundo contra o cristianismo, nutrido exatamente pelos cristãos que lamentam a bagunça em que se encontram. Presumimos que a Europa é a onda do futuro e que o evangelho não é capaz de resistir a tamanha sofisticação cultural e intelectual.[3] Ela está certa. O pessimismo é para perdedores.

Os oponentes do evangelho costumam retratar o avanço constante da secularização e "liberdade" moral como a marcha inevitável do progresso histórico. A ortodoxia cristã estaria "do lado errado da história". Eles acreditam nisso, mas, com frequência, nós também acreditamos. A cultura ao nosso redor sabe o que significa quando vê uma igreja em perpétua indignação e balbúrdia. Reconhece o quanto estamos assustados. Quanta diferença em relação à mentalidade de Jesus.

A bondade de Jesus para com os pecadores não é tão surpreendente — pelo menos superficialmente. Afinal, sabemos que Jesus estava em uma missão redentora, mesmo que seja difícil entender como nós nos encaixamos nessa missão. O que mais me chama atenção, porém, é a bondade de

Jesus até para com os demônios, pelo menos em uma ocasião. Quando encontrou o homem que vivia em meio às sepulturas, cheio de espíritos imundos, a Bíblia nos conta que os demônios "imploravam que Jesus não os mandasse para o abismo" (Lc 8.31). As Escrituras dizem que esses espíritos imploraram para ser enviados a uma manada de porcos. Minha reação teria sido medo, tenho certeza. Afinal, são seres aterrorizantemente sombrios e, em geral, ocultos de nossa percepção. Mas Jesus não entra em pânico. Como o faz em todo tipo de situação temível, ele revela serena tranquilidade. A Bíblia diz apenas que "Jesus lhes deu permissão" (Lc 8.32). Por quê? Sem dúvida, Jesus não estava tentando redimir os espíritos. A Bíblia diz que eles são irredimíveis, que não estão incluídos na expiação de Cristo (Hb 2.16). Jesus reagiu dessa maneira porque não estava com medo. Tinha confiança na missão do Pai para ele e, por isso, sentia-se liberto da necessidade, enraizada na insegurança, de se provar o tempo inteiro.

Se toda nossa motivação para seguir em frente é aquilo que vemos ao nosso redor, então é claro que ficamos assustados e irados. Assim, nosso testemunho público se transforma em uma crise de raiva constante, com o objetivo de provar para nossos adversários e para nós mesmos que continuamos aqui. E, ao fazer isso, lançamos mão de estratégias retóricas de outros movimentos inseguros: sarcasmo, comentários cáusticos, ridicularização. Mas não somos a voz do passado, do Cinturão da Bíblia para uma cultura pós-cristã do quanto as coisas eram boas antes. Somos a voz do futuro, do reino vindouro de Deus. A mensagem do reino não é: "Ei, moleques, saiam do nosso gramado!". Em vez disso, a mensagem do reino é: "Abram caminho para a vinda do Senhor".

> A mensagem do reino não é: "Ei, moleques, saiam do nosso gramado!". Em vez disso, a mensagem do reino é: "Abram caminho para a vinda do Senhor".

Uma visão sombria da cultura leva a uma atitude mesquinha. Se acharmos que estamos no lado perdedor da história, acabaremos caindo na ira daqueles que sabem que pouco tempo lhes resta. Não temos nenhum motivo para ter medo, rancor ou irritação. Não somos os perdedores da história. Não estamos escorregando para Gomorra, mas, sim, marchando para Sião. O pior que poderia nos acontecer já aconteceu: estamos mortos. Fomos crucificados no Gólgota, debaixo da ira de Deus. E o melhor que poderia nos acontecer já aconteceu: estamos vivos, em Cristo. Nosso futuro será assentado à destra de Deus, e ele vai muito bem, obrigado. Jesus marcha adiante, conosco ou sem nós, e se as portas do inferno não são capazes de detê-lo, por que entraria em pânico com Hollywood ou o governo federal? Os tempos podem até ficar sombrios, mas eles sempre foram, desde a insurreição no Éden. Contudo, a luz brilha nas trevas e as trevas não a venceram, não podem vencê-la, nem a vencerão. O arco da história é longo, mas se inclina na direção de Jesus.

Conclusão

Falamos com bondade, gentileza, convicção e clareza porque temos como alvo o inimigo certo. A ira às vezes é justificada. Deus, em sua santidade, demonstra ira. Mas a ira divina demora a se manifestar, pois se baseia na paciência daquele que "não deseja que ninguém seja destruído, mas que todos se arrependam" (2Pe 3.9). A ira de Deus não é uma válvula de escape, tampouco uma manifestação teatral de um temperamento descontrolado. É por isso que a Bíblia nos adverte dizendo que "a ira humana não produz a justiça divina" (Tg 1.20).

Nós vencemos não por sermos a maioria moral ou o remanescente justo, mas, sim, porque somos pecadores cobertos de sangue, cientes de que, se o evangelho é capaz de nos transformar, pode transformar qualquer um. Falamos com bondade e persuasão não porque somos fracos, mas porque o evangelho é forte. Dizemos a verdade com convicção e gentileza como quem não tem nada a provar.

O evangelho nos manda falar, e essa fala costuma ser intensa. Mas o testemunho profético da era na nova aliança jamais para em "Raça de víboras!". Sempre continua dizendo: "Eis o Cordeiro de Deus que tira o pecado do mundo". Argumentamos, mas entendemos que os argumentos equivalem a limpar o terreno para chegar ao ponto principal: uma conexão pessoal com a voz que ecoa pelas eras desde Nazaré. Não queremos simplesmente falar a verdade, mas desejamos fazê-lo com o sotaque do norte da Galileia que faz demônios se retraírem e cadeias se romperem. A bondade não se rende. Gentileza não é passividade. Bondade e gentileza, enraizadas em convicção evangélica — isso sim é guerra.

10
A contrarrevolução do evangelho

O próximo Billy Graham pode estar bêbado agora mesmo. Essa é uma frase que gosto de relembrar quase todos os dias, sempre que sinto crescer meu desânimo em relação ao futuro. Tudo remonta a uma conversa que tive anos atrás com um velho teólogo. Eu tinha vinte e poucos anos, e ele, mais de oitenta. Mas o ranzinza da história era eu. Carl F. H. Henry, já perto do fim da vida, estava no *campus* do seminário onde eu fazia a pesquisa para meu doutorado. Foi a última vez que o vi. E aquela conversa mudou minha vida.

Vários de nós estávamos lamentando a condição deplorável da igreja e a decadência da cultura. Demos exemplo após exemplo de vazio teológico, pregação insípida, discipulado inexistente, escândalos entre os pastores e assim por diante. Henry não parecia nem um pouco irritado com nada disso. Então ele limpou a garganta e expressou a repreensão de que eu precisava. Foi logo depois que eu perguntei, de forma retórica, se havia esperança para o futuro do testemunho cristão na arena pública.

— Ora, você fala como se o cristianismo fosse genético — disse o velho teólogo. — É claro que há esperança para a próxima geração da igreja. Mas é possível que os líderes da próxima geração não venham da subcultura cristã atual. Provavelmente eles ainda são pagãos. Quem imaginaria que Saulo de Tarso seria o grande apóstolo aos gentios? Quem saberia que Deus levantaria C. S. Lewis, um professor agnóstico no passado, ou Charles Colson, o capanga de Richard Nixon, para liderar a igreja do século 20? Todos esses foram descrentes que, uma vez salvos pela graça de Deus, se transformaram em poderosos guerreiros da fé.

É claro que ele sabia do que estava falando, pois o mesmo princípio se aplicava ao próprio Henry. Quem saberia que Deus levantaria um jornalista não religioso, de uma família luterana nominal, com exceção dele, e depois o capacitaria para defender a veracidade das Escrituras e a necessidade de um testemunho social cristão para gerações de cristãos evangélicos? Mas foi exatamente isso que aconteceu. E eu era ignorante demais para enxergar isso porque — ele estava certo — eu implicitamente presumi que, de algum modo, o evangelho cristão era uma mera questão de transmissão genética da fé. Isso é algo importante a ser lembrado à medida que buscamos cultivar um testemunho cristão moral renovado para a próxima geração.

Gerações conectadas

Em Mateus 21.28-32, Jesus nos conta uma história — uma das parábolas que ilustra o significado do reino. Diferentemente de outras, como a do filho pródigo ou do semeador, esta parábola não recebe tanta atenção. Os principais sacerdotes desafiaram Jesus ao lhe perguntar de que forma ele havia obtido sua autoridade. Era uma pergunta justa. Afinal, eles haviam sido instruídos nas Escrituras e separados pelas estruturas do povo de Deus. Jesus, em contrapartida, parecia ser um rabino ordenado por si mesmo, que vagava por aí fazendo declarações provocativas e explosivas. A pergunta subentendida era: "Quem você pensa que é?". Repetindo sua prática costumeira, nosso Senhor devolveu as perguntas para eles. Indagou-lhes sobre João Batista, se o batismo dele vinha de Deus ou da imaginação humana. Ao fazer isso, Jesus demonstrou, mais uma vez, sua sabedoria e seu conhecimento da natureza humana, inclusive a natureza da máquina política. Ele sabia que se dissessem "de Deus", imediatamente as pessoas lhes questionariam por que então eles não cumpriram os ensinos de João. Caso, porém, alegassem que o batismo dele não vinha de Deus, perderiam um segmento de sua base, formado por aqueles que aceitavam João como um profeta genuíno. Então eles se esquivaram da pergunta, e Jesus lhes contou a história de dois filhos.

Um pai chamou seus dois filhos para trabalhar na vinha. Assim como a história do filho pródigo, é um conto de herança. Afinal, a vinha não era mera propriedade do pai, mas, sim, da família. Ele provavelmente a recebera do próprio pai. Ele trabalharia o solo, cuidaria das videiras e então entregaria a terra para a próxima geração fazer o mesmo. O pai chamou o primeiro filho para trabalhar. Ele disse não, mas depois mudou de ideia e concordou em ir. O segundo filho concordou na hora, mas depois se virou e disse: "Não vou". Qual desses filhos, perguntou Jesus, foi fiel à vontade do Pai? A resposta a essa pergunta é essencial se queremos reestruturar nosso testemunho.

Pensar no segundo filho é difícil para a família, a igreja e o movimento. Afinal, todos nós já vimos essa trajetória: alguém ou algum grupo que começa fiel e obediente, mas depois se vira e vai embora. E há muito temor entre os cristãos de que esse seja o rumo da igreja, ao depararem com os ventos de uma cultura cada vez mais secularizada (e sexualizada). Alguns estão seguindo mesmo esse caminho, mas isso é verdade em todas as gerações. Ninguém está livre da possibilidade de ter ou ser um filho pródigo. No entanto, a ideia de Jesus era mais intrusiva do que essa. Ele revelou que a persistência em si não é sinal de fidelidade, caso ela não persista em obediência. A igreja teme que as mudanças culturais ao redor levem à queda da próxima geração: da igreja, das verdades éticas das Escrituras e do próprio evangelho. Toda geração tem esse temor. Todavia, Jesus nos diz que há algo mais importante a temer: aqueles que abandonam o evangelho sem o saber. Jesus identificou a religião instituída da nação de Israel como persistente na observância e na estrutura. Mas estavam tão perdidos no próprio caminho que não eram capazes de reconhecer o reino de Deus bem diante deles em carne e osso. Precisamos dar ouvidos a essa advertência também.

O mesmo teólogo idoso que eu mencionei anteriormente, por volta da mesma época que tivemos aquela conversa, foi com um amigo meu a um culto de domingo de uma megaigreja evangélica em franca expansão. Após o culto, meu amigo lhe perguntou:

— O que o senhor achou?

O teólogo permaneceu assentado em silêncio por um instante e disse:

— Acho que esse culto representa o sucesso do movimento evangélico americano.

Meu amigo sorriu, ciente de que aquele homem fora um dos fundadores desse movimento, criando instituição após instituição depois da Segunda Guerra Mundial, mudando o cenário religioso dos Estados Unidos. Mas então o velhinho disse:

— Tivemos tanto sucesso em nossos congressos de jovens que os adolescentes cresceram, querem repeti-los e os chamam de culto.

Para ele, preciso deixar claro, isso não era algo bom.

Aquele ancião sabia que as mesmas coisas que haviam ajudado o movimento cristão a prosperar — empreendedorismo e liberdade de instituições antigas — poderia muito bem se tornar sua ruína, caso desconectadas da ortodoxia doutrinária e das raízes da igreja. O tamanho da multidão, o total do orçamento, a influência do grupo de eleitores — nada disso sinalizaria sucesso. Todas essas coisas podem ser iniciadas e mantidas sem a presença do Espírito, sem o poder do evangelho. Sucesso envolve um engajamento ancorado no evangelho, transmitido de uma geração para a outra.

Conforme já mencionei neste livro, uma geração mais jovem de cristãos evangélicos suspeita do tipo de engajamento que caracterizou a geração de seus pais e avós. Em muitos aspectos, esse ponto de vista é limitado demais. Muitos presumem que, de algum modo, por meio do desengajamento, serão capazes de cumprir melhor a missão da igreja, sem reconhecer que já abriram mão de parte da missão e que o desengajamento total em relação à cultura não põe fim às guerras culturais; pelo contrário, as provoca. Junto com isso, porém, existe o reconhecimento de algo certo e verdadeiro: as gerações anteriores às vezes engajaram no terreno moral sem o evangelho, lançaram argumentos, sem convites. Assim como acontece com tantos outros aspectos do ministério e da missão, a questão é se teremos uma igreja com gerações conectadas ou uma igreja em guerra consigo mesma.

Muitos presumem que, de algum modo, por meio do desengajamento, serão capazes de cumprir melhor a missão da igreja, sem reconhecer que já abriram mão de parte da missão e que o desengajamento total em relação à cultura não põe fim às guerras culturais; pelo contrário, as provoca.

Os veteranos de guerra do passado (não todos, mas alguns) podem se sentir tentados a ressentir e tentar bloquear as novas gerações com ênfases e estratégias diferentes. Parte disso está ligado a divergências teológicas e ideológicas, por menores que sejam. Mas a maior parcela do problema diz respeito simplesmente a egos que se recusam a ser crucificados. Consigo contar nos dedos de uma mão ou, no máximo, duas o número de megaigrejas que tiveram transições pastorais de uma geração para a outra sem algum tipo de guerra de trincheira particular ou pública em meio aos bancos. A mesma dinâmica está em ação em instituições de engajamento público. Sejamos francos, alguns têm um complexo industrial da cultura da guerra para proteger. Quem faz as coisas de forma diferente é visto como um competidor a ser aniquilado. Para outros, há uma sensação de ataque pessoal. Quem faz as coisas diferente está, de algum modo, repudiando pessoalmente seus esforços e trabalhos. Essa é a tentação das gerações mais experientes hoje, e será a tentação dos mais jovens no futuro. Tiago nos adverte quanto a isso: "Pois onde há inveja e ambição egoísta, também há confusão e males de todo tipo. Mas a sabedoria que vem do alto é, antes de tudo, pura. Também é pacífica, sempre amável e disposta a ceder a outros. É cheia de misericórdia e é o fruto de boas obras. Não mostra favoritismo e é sempre sincera" (Tg 3.16-17).

A verdade é que muitos da geração mais jovem, embora façam as coisas de forma diferente de seus antepassados em muitos aspectos, estão despertando para a necessidade de um testemunho cristão robusto na arena social. Para acender esse movimento, precisamos de uma geração mais velha pronta para dar "sim" como resposta e cultivar, em vez de combater.

Em 1964, o Partido Republicano chamou um líder para anunciar seus princípios pelo país. Muitos suspeitavam desse novo líder e havia razões para isso, já que, até pouco tempo antes, ele não era republicano, mas democrata. Havia feito campanhas e angariado recursos para candidatos democratas, não para os republicanos. Chegou a ser ativista sindical, defendendo as políticas econômicas do presidente Roosevelt e a barganha coletiva. Os republicanos poderiam ter punido esse líder por defender Roosevelt, em lugar de Landon, e Truman, em lugar de Dewey. Poderiam tê-lo punido por falar de forma diferente do estilo republicano típico da época, com seu otimismo futurista e foco na juventude. Poderiam tê-lo punido não o escolhendo para carregar seu estandarte, optando, em seu lugar, por alguém que "tivesse feito por merecer". Mas o partido teve a astúcia de entender que essa decisão não puniria Ronald Reagan, mas, sim, o partido. Reagan estava em harmonia com os princípios do partido e sabia como falar com pessoas que, a exemplo dele, não se consideravam republicanas porque estavam conectadas ao legado de Roosevelt, Truman e Kennedy. A igreja cristã não é um partido político, e não somos definidos por um planejamento partidário. Por isso, a analogia é bastante imperfeita. Mas uma situação bem semelhante está em andamento. Podemos esperar uniformidade entre as gerações ou esperar que Deus fale a um cenário cultural modificado de maneira diferente, ancorado na mesma revelação.

Em todas as eras, as gerações mais experientes da igreja precisam decidir se reagirão a seus sucessores como Saul fez com Davi ou como Paulo fez com Timóteo. Em Davi, Saul viu a própria mortalidade e se ressentiu, cheio de ciúmes e inveja, que culminaram no arremesso da lança. Em vez disso, ele deveria ter visto a bondade de Deus ao cumprir suas promessas a Abraão. Paulo, por sua vez, passou seus momentos finais pastoreando e mentoreando seus sucessores: Timóteo, Tito e outros. Cada geração tem uma escolha: partir como Saul ou como Paulo.

Certa vez, fui orador de um congresso em Minneapolis e levei comigo um jovem seminarista. Os organizadores do evento sabiam que eu gosto de música do gênero *bluegrass* e me fizeram uma surpresa: logo antes da pregação, houve uma apresentação empolgante do hino "Brethren, We Have Met to Worship" [Irmãos, reunimo-nos para adorar], com um bandolim e uma rabeca (não um violino, uma rabeca!). Adorei aquilo tanto pelo modo como a música foi apresentada quanto por ser um velho hino que me trouxe lembranças de cantá-lo ainda menino na igreja de minha cidade natal. O estudante que estava comigo cresceu em um contexto bem diferente. Aceitou a Cristo já adulto, por meio de um ministério universitário bastante contemporâneo. Após o culto, ele comentou que havia achado "maravilhosa" a "música nova" que a banda tocou.

Muitos presumem que as gerações mais novas têm a intenção obstinada de jogar fora todos os padrões e estruturas antigas a fim de começar tudo de novo. Não é verdade. Músicos jovens escrevem não só hinos e canções inéditos, como também adaptam cânticos antigos para uma nova época. Alguns deles são tão antigos que trazem lágrimas de reconhecimento aos olhos daqueles que se recordam, e outros não seriam reconhecidas nem em uma classe de escola dominical para a terceira idade, pois são ainda mais antigos do que nossos idosos. Há pouco tempo, ouvi uma das bandas mais jovens e inovadoras do país tocar uma versão de "Crer e observar". Ninguém do público saberia que se trata de um hino evangélico amado pelas gerações mais antigas. Não cantaram porque está no hinário. Aqueles jovens nem sabem o que é hinário. Quando o ouvem, porém, o hino harmoniza autenticamente com aquilo que descobriram ser verdade no evangelho. Há nisso uma parábola para nosso testemunho social. Mas é necessário tanto mentorear a próxima geração quanto aprender o que eles percebem que as gerações anteriores não conseguiram enxergar. Isso significa conectar ética ao evangelho, ao reino e à missão. Persistência por si só não é sinal de fidelidade.

Mas há então o primeiro filho da história de Jesus. Ele disse que não, não iria trabalhar. Esse tipo de indolência arrogante tende a despertar ira no pai e em qualquer um do antigo Oriente Próximo que ouvisse o conto. A tentação seria desistir do filho e apostar no outro. Mas Jesus relata que o filho mudou de ideia e decidiu trabalhar na vinha. Não seria ele o filho mais fiel, pergunta Jesus?

"Ainda" não

Quando criança, lembro-me de ver um homem sentado à minha frente, com o braço descansando no banco. O braço era coberto por uma tatuagem enorme de uma mulher que, bem, digamos que não se encaixava no que consideramos os padrões bíblicos de modéstia no vestuário. Não se esqueçam de que não era uma igreja urbana "relevante", mas, sim, a congregação do sul dos Estados Unidos mais estereotipada que você puder imaginar, defensora do reavivamento, do tipo "fogo e enxofre", que citava textos bíblicos em versão tradicional e cantava hinos evangélicos antigos. Eu não conseguia imaginar que estava vendo aquilo em minha igreja! Fiquei, ao mesmo tempo, empolgado (em que outra ocasião dá para ver mulher pelada dentro da igreja?) e indignado (como alguém ousava fazer isso na minha igreja?). Então chamei a atenção da minha avó e apontei, como se estivesse dizendo: "Dá para acreditar em uma coisa dessas?".

Minha avó se abaixou para sussurrar. Eu esperava que ela estivesse tão indignada quanto eu (embora não tão secretamente empolgada). Afinal, ela era viúva de um pastor e uma mulher de padrões morais rígidos que, certa vez, havia lavado minha boca com sabão por ter tomado o nome de Deus em vão. Mas esse lado da vovó não se revelou naquele momento. Ela sussurrou: "Sim, querido, ele ainda não conhece o Senhor. Teve uma vida difícil, com bebidas, drogas e tudo o mais. Mas sua esposa tem tentado trazê-lo para a igreja há muito tempo, e todos nós temos orado por isso. Ele não está querendo fazer feio com ninguém. Apenas não conhece Jesus ainda".

Jamais me esquecerei da palavra "ainda". Com apenas uma palavra, vovó ativou minha imaginação. Colocou diante de mim a possibilidade de que aquele ex-militar de coração endurecido com tatuagem de mulher pelada um dia fosse meu irmão em Cristo. E, com o tempo, foi isso mesmo que aconteceu. Suponho que, com o tempo, esse novo cristão começou a perceber que sua tatuagem podia ser uma pedra de tropeço para os outros, pois eu comecei a vê-la cada vez menos, já que ele começou a ir de manga comprida para a igreja. Algumas das outras crianças da igreja disseram (uma vez que as tecnologias de remoção de tatuagem não eram comuns na época) que ele havia acrescentado um biquíni na mulher e depois um maiô. Pelo que sei, ele pode ter morrido com a mulher de terninho xadrez e pasta de couro. Acho que aquele homem começou a ver a tatuagem como símbolo da velha vida que havia deixado para trás. Não precisava de um pastor tatuado (e, naquela igreja, nunca teve um assim). Mas precisava de uma igreja que não enxergasse sua tatuagem como evidência de uma vida que fora longe demais, de alguém desordeiro demais para ser amado com o chamado ao arrependimento e à fé.

Eu não gosto de tatuagens e declaro isso com toda ênfase (especialmente se, um dia, um de meus filhos ler isto). Mas se o Espírito começar a se mover com velocidade neste país, nossas igrejas verão cada vez mais pessoas em nossos bancos e púlpitos com tatuagens, e isso deveria mudar nosso testemunho público. Não estou dizendo que precisamos de mais cristãos tatuando cruzes, o credo apostólico ou a oração do pecador arrependido no braço e no pescoço. Isso não é sinal de despertamento evangélico. É apenas, na melhor das hipóteses, moda pessoal ou, na pior, mais publicidade em cima de uma subcultura cristã já explorada demais pelo mercado.

As tatuagens não significam mais o mesmo que no passado. Em gerações anteriores, as tatuagens carregavam consigo uma imagem clara de pessoa "durona". É claro que ainda existem imagens brutas sendo tatuadas — caveiras cheias de sangue, ostentações sexuais profanas ou ameaças de violência, algumas até pagãs ou ocultistas. E, ao vê-las pelas ruas ao redor, eu me repreendo ao perceber que raramente meus primeiros pensamentos estão conectados com a sabedoria de minha avó. Nem todos que têm tatuagem são incrédulos ou tiveram uma vida difícil.

Mas eu me pergunto quantas pessoas não ouvem a nossa mensagem do evangelho porque presumem não "parecer" o tipo de pessoa que seria cristã — a saber, republicanos felizes e sorridentes. E, vergonhosamente, quantas vezes filtramos nossa pregação e nosso testemunho social para pessoas que, depois do batismo, posariam bem para nossas propagandas de ministério?

Com que frequência presumimos que as boas-novas de Cristo são uma mensagem assim como uma campanha política ou comercial, com público-alvo definido pelos compradores específicos de determinado grupo demográfico?

Foi exatamente essa a lição de Jesus na história dos dois filhos. Ele se voltou para a instituição religiosa e disse, para choque dos que o escutavam: "Eu lhes digo a verdade: cobradores de impostos e prostitutas entrarão no reino de Deus antes de vocês" (Mt 21.31). Essa foi a lição de Jesus desde o sermão que pregou na sinagoga de Nazaré, sua cidade natal, ao longo de seu ministério público, até os momentos que antecederam sua morte, ao perdoar um terrorista arrependido. Jesus estava construindo sua igreja com aqueles que pareciam ter arruinado a própria vida para sempre: prostitutas, colaboradores do regime romano opressor, excluídos com doenças infecciosas, endemoninhados que moravam no cemitério, e assim por diante. Se realmente estamos levando adiante a mensagem dele, seremos ouvidos por pessoas cujo corpo carrega mensagens contraditórias à Palavra de Deus. Assim como aconteceu com nosso coração e nossa mente. A jovem com a tatuagem que diz "Aborto legal, sem desculpas" ou o idoso com a marca do clube dos motociclistas mais arruaceiros podem ser perguntar, ao sentir a atração do evangelho: "Como posso entrar com esse lembrete visível de meu passado?". Não é uma indagação nova. Todos nós precisamos fazer esse questionamento, a despeito do quanto parecêssemos "respeitáveis" quando nos achegamos a Cristo: "A mancha é tão profunda que não conseguimos esconder. Vale a pena lavá-la mesmo assim?".

Compartilhando a missão

Jesus construirá sua igreja conosco ou sem nós. No entanto, para ser fiéis a ele, precisamos compartilhar sua missão. Isso quer dizer que não falamos apenas sobre os perdidos, mas também falamos com eles. E não os abordamos como se fôssemos *coaches* iluminados que prometem um futuro melhor, mas, sim, como pecadores crucificados que oferecem um novo nascimento. A esperança para o futuro não é que o cristianismo será considerado mais respeitável ou influente nos setores do poder. A esperança para o futuro se encontra em igrejas cheias de pessoas que jamais imaginaram se encaixar na imagem de "cristãos". Veremos que as marcas na carne, quaisquer que sejam elas, nada valem, pois o que conta é a nova criação (Gl 6.15). Não viemos chamar apenas aqueles que têm a aparência que os cristãos supostamente devem ter; viemos chamar o mundo inteiro. Se a igreja for impulsionada pelo poder do evangelho, o corpo de Cristo terá tatuagens.

Essa realidade deve crucificar nosso pessimismo ranzinza, teimoso e sombrio. Nossas inquietações evidenciam derrotismo, sinal de uma crença oscilante nas promessas do próprio Jesus. Foi isso que o idoso teólogo me ensinou, enquanto eu me preocupava tanto com o pragmatismo, a comercialização e as tendências liberalizantes que enxergava no cristianismo ao meu redor e me perguntava: "Será que o cristianismo tem algum futuro neste país?". Ele me olhou como se eu estivesse louco. É claro que o cristianismo evangélico tinha e tem futuro. Mas os cristãos evangélicos que o liderarão podem muito bem ser pagãos ainda. Ele estava certo. Cristianismo não é política, cheio de dinastias de famílias governantes. Deus constrói sua igreja de maneira diferente.

O próximo Jonathan Edwards pode ser o homem no carro à sua frente com um adesivo evolucionista no para-choque. O próximo Charles Wesley pode ser um cantor de *hip-hop* misógino, cuja boca profere todo tipo de profanidade. O próximo Charles Spurgeon pode estar administrando uma clínica de abortos. A próxima Madre Teresa pode ser hoje uma atriz pornô viciada em cocaína. O próximo Agostinho de Hipona pode ser o membro sexualmente promíscuo de uma seita, assim como foi o primeiro Agostinho de Hipona, se você parar para pensar!

> O novo nascimento não só transforma vidas, criando fé e arrependimento, como também proporciona nova liderança para a igreja e cumpre a promessa de Jesus de dar a ela tudo de que necessita em sua marcha avante no tempo e no espaço (Ef 4.8-16).

Mas o Espírito de Deus é capaz de fazer uma grande reviravolta e parece se alegrar nisso. O novo nascimento não só transforma vidas, criando fé e arrependimento, como também proporciona nova liderança para a igreja e cumpre a promessa de Jesus de dar a ela tudo de que necessita em sua marcha avante no tempo e no espaço (Ef 4.8-16). Afinal, enquanto Filipe conduzia o eunuco etíope para Cristo, Saulo de Tarso ainda era um assassino. E isso acontece vez após vez, à medida que Deus levanta líderes que parecem vir de lugar nenhum com passado sombrio e futuro incerto. E nenhum de nós estaria aqui, não fosse por eles.

Em qualquer geração, a maior parte da igreja provém do discipulado lento e paciente da próxima geração. No entanto, para nos impedir de pensar que o cristianismo é evolutivo e "natural", Jesus choca sua igreja com líderes que parecem vir do nada. Sempre que somos tentados a nos desesperar diante da condição do cristianismo americano, precisamos nos lembrar de que Jesus jamais prometeu o triunfo da igreja americana. Ele prometeu o triunfo *da igreja*. A maior parte da igreja, no céu e na terra, não é deste país. Talvez a esperança da igreja nos Estados Unidos esteja hoje na Nigéria, no Laos, na Indonésia ou na Argentina. Jesus será Rei, e sua igreja prosperará. E ele fará isso da maneira que escolher, exaltando os humildes e humilhando os exaltados, transformando covardes, ladrões e assassinos em pedras fundamentais de sua nova cidade. O ateu na estrada à sua frente que acabou de lhe fazer um gesto obsceno pode ser o homem que evangelizará seus netos.

Nosso testemunho público jamais deve recuar no confronto à injustiça, sobretudo quando há tanto em jogo: a vida de crianças que ainda não nasceram, a liberdade de consciência, a estrutura da família. Mas também devemos reconhecer o tempo inteiro que aqueles com quem argumentamos, inclusive os mais cáusticos de nossos oponentes, podem ser nossos futuros irmãos e irmãs em Cristo. E esse reconhecimento quer dizer que nos abrimos para conversas como a que Jesus teve com Nicodemos, as quais costumam ocorrer disfarçadas pelas sombras da noite, quando aqueles de quem discordamos são assombrados por dores na consciência ou pelo medo da morte. Sim, devemos lutar contra a cultura, mas jamais podemos nos tornar guerreiros culturais que não podem ser, antes de mais nada, evangelistas. Isso não é feito apenas em prol dos perdidos, mas para o nosso bem.

Um quase-evangelho não basta

Precisamos capacitar uma nova geração para uma era diferente. Os jovens precisam saber como lutar a favor da ortodoxia doutrinária e da justiça pública. Um quase-evangelho não basta. Uma justiça de meia tigela também não. Esse engajamento é um ato de amor, pois treina a igreja a rejeitar os argumentos por trás dos quais as consciências culpadas se escondem, a fim de que consigam ouvir a voz que no passado escutaram, a voz que chama: "Adão, onde está você?".

Sim, nós enfrentamos tempos difíceis, assim como todas as gerações da igreja. Mas também deparamos com oportunidades sem precedentes, à medida que o cristianismo desaba ao nosso redor. Muitas das pessoas à nossa volta se machucarão com as promessas não cumpridas e impossíveis de ser cumpridas da revolução sexual e do individualismo faustiano. No curto prazo, essas coisas destruirão comunidades, famílias e igrejas. No longo prazo, porém, deixarão as pessoas carentes. Assim, precisamos estar prontos para aqueles que, a exemplo da mulher junto ao poço de Samaria, necessitarão ouvir sobre a água viva — a única capaz de saciar.

Um quase-evangelho não basta. Uma justiça de meia tigela também não.

Devemos nos esforçar para preservar algo que é, ao mesmo tempo, antigo e sempre novo, não só para nós e nossos filhos, mas também para nossos futuros irmãos e irmãs em Cristo, muitos dos quais hoje nos odeiam. Um dia, muitos deles poderão nos liderar pelo poder do Espírito que chama os mortos à vida. Nesse aspecto, não somos diferentes de qualquer outra era.

A promessa de Deus a Abraão chegou a nós, em primeiro lugar, por intermédio de um filho chamado "Isaque". Ele era o filho da promessa, dado ao velho Abraão. O nome foi esse porque Sara, a mãe de todos que vivem pela fé, não acreditou quando Deus prometeu a bênção (Gn 18.10-14). Ela riu e, por isso, o bebê recebeu o nome de "Isaque", que significa "riso". Assim como na história de Jesus, porém, Abraão teve dois filhos. O outro era Ismael, que nasceu quando Abraão tentou cumprir a obra de Deus por conta própria, tomando uma concubina para engravidar. Ismael é o filho do exílio, o filho da "vontade da carne". No entanto, mesmo que Isaque represente a graça e a liberdade de Deus, a história dele também é trágica.

Para receber a bênção de Deus, Abraão precisava colocar sobre o altar a única esperança de ser abençoado que ele conseguia enxergar — inclusive a promessa divina de um filho. Ofereceu Isaque por crer que as Escrituras nos dizem que a promessa divina é mais forte que a morte. Deus não permitiu que o sacrifício fosse adiante, conforme sabemos. Mas Isaque morreu depois de um tempo, assim como todos os seus filhos. E, na história bíblica, até a própria terra prometida foi apagada. O povo de Deus ficou sem patriarcas, sem reis e até mesmo sem a segurança do lar.

O Cinturão da Bíblia não é a terra prometida. A "América cristã" não é a nação de Israel. Mesmo assim, muitos de nós ficam nervosos quanto ao futuro, com medo de perder a segurança de uma cultura receptiva à ética cristã e ao próprio cristianismo. Perguntamo-nos o que mais será apagado e esquecido. Mas essa é a questão. Nossa fé não é "segura" por causa da falta de ameaças. Não é "segura" por alguma ilusão de permanência. Isaque foi oferecido em sacrifício e, com o passar do tempo, morreu. Jesus, porém, nos conta que Deus não é Deus dos mortos, mas, sim, dos vivos. E ele se identifica hoje ainda como o Deus de Abraão, de Isaque e de Jacó (Mc 12.26-27). Toda nossa segurança, toda nossa sensação de "familiaridade" na cultura e no cosmo acabarão submersas debaixo do fogo do justo juízo de Deus. De tudo isso, porém, surgirá a nova criação que começou com uma promessa de Deus feita há milhares de anos para um nômade do Oriente Médio, quando ainda era pagão, sem povo, sem esperança e sem Deus no mundo.

Conclusão

Muitos dos que hoje estão de pé cairão, incapazes de suportar o escândalo que decorrerá de seguir a Cristo em uma cultura que enxerga essa prática como superstição ou ódio. Alguns dos que começaram bem mudarão de ideia. Ao mesmo tempo, porém, muitos dos que hoje consideramos inimigos passarão a ver a própria vida à sombra da cruz de Cristo. Para eles diremos, juntamente com nosso Senhor: "Quando tiver se arrependido e voltado para mim, fortaleça seus irmãos" (Lc 22.32). Enfrentaremos lutas, perdas, decepções e até o pó da morte. Mas há uma promessa que encarnou no útero de uma virgem em algum lugar de Nazaré. Se conseguíssemos enxergar o tipo de herança e de restauração do lar que ele preparou para nós, provavelmente riríamos maravilhados diante de tudo. Quem sabe não vivamos em uma sociedade pós-cristã. É possível que ainda sejamos pré-cristãos, em uma terra que, embora ouça falar de Cristo, ainda não conheceu o poder do evangelho.

Nesse meio-tempo, nós nos levantamos e falamos, orando para que, por meio de nosso testemunho, vejamos não só uma ordem pública mais justa e reta, mas também a igreja cheia de pessoas que um dia foram prostitutas, publicanos, gente sem esperança e sem Deus no mundo. Deus levantará líderes, como sempre o faz. Provavelmente só não conseguimos enxergar ainda. Pode ser que eles estejam bêbados neste exato momento.

Conclusão

Perto de mim na escrivaninha, enquanto digito este texto, está um caco de vidro pequeno, áspero e irregular. Se você o visse, seu primeiro instinto provavelmente seria pegá-lo para jogar no lixo. Mas ele me acompanha ao longo da maior parte de minha vida e tem um grande significado para mim. Eu o peguei no chão da parte de fora da igreja na cidade onde cresci, em Biloxi, Mississippi. Estava jogando bola com um grupo de crianças antes do culto da noite de domingo. Alguém jogou a bola perto demais do templo. Acertou a janela e choveu vidro ao nosso redor. Algo em mim me impulsionou a me abaixar e pegar um dos cacos. Ele tem estado comigo em todas as etapas de minha vida e, de vez em quando, eu o tiro da gaveta e o seguro nas mãos, a fim de me lembrar do passado e me direcionar para o futuro.

Ver a janela na fachada daquela igreja despedaçar me deixou desorientado. E não só pelo medo de levar uma bronca de um enxame de diáconos furiosos. A questão é que aquele santuário me parecia a coisa mais permanente que eu era capaz de imaginar — um portal para a transcendência. Todo verão eu entrava, junto com outras crianças, pelas mesmas portas para a cerimônia de abertura da escola cristã de férias. Era a coisa mais próxima que nós, batistas do baixo clero, tínhamos de uma liturgia ou de um calendário do ano cristão. E a seriedade, pelo menos para nós, era semelhante à de uma posse presidencial, com exceção dos biscoitos murchos e do suco aguado servidos logo depois. À frente do cortejo ia um de nós, escolhido para levar a bandeira do país. Logo depois seguia outro carregando a bandeira cristã. Marchávamos para dentro do templo à medida que o piano e o órgão soavam os acordes majestosos de "Ó cristãos, avante!".

Os porta-bandeiras posicionavam seu estandarte nas duas laterais do púlpito, enquanto nós permanecíamos de pé, aguardando para ser conduzidos nos juramentos às bandeiras. Mas aquela pequena congregação de Mississippi representava algo para mim que, mesmo sem palavras, permanece comigo até hoje. Acima da bandeira da nação e da bandeira cristã, dependurada acima de todas nós, bem acima do batistério, havia uma cruz. Aquela cruz de madeira retratava a verdade antiga de que nenhum governo, nenhum imperador, nenhuma corte, nenhum exército e nenhuma igreja são capazes de se colocar acima ou ao lado do crucificado e ressurreto Jesus de Nazaré.

Aquela cruz pairava sobre nós o tempo inteiro. Eu a via e ouvia refletida na vida daquelas pessoas, por mais imperfeitas que fossem. Até hoje, tenho a tendência mental de traduzir qualquer passagem da Bíblia para a versão do Rei James, pois foi a que me ensinaram — não por alguma crença teológica de que essa versão é superior, mas, para ser honesto, porque não acho que houvesse outras disponíveis. Ensinaram-me a cantar com eles "Ide, pois, servos seus, ide apressados!" e "Fonte divina". Nem sempre havia concordância entre verbo e sujeito. Às vezes, as lições da escola dominical eram ensinadas por um professor com a boca cheia de fumo de mascar. No entanto, por trás de todos esses sotaques do sul do Mississippi, eu ouvia o sotaque do norte da Galileia dizendo aquilo que já foi declarado em incontáveis dialetos ao longo de dois mil anos: "Venha e siga-me". O caco de vidro me lembra de quem eu sou e, quem quer que eu seja, o sou por causa de quem eles foram.

Enquanto escrevo estas palavras, estou a um quarteirão do Capitólio dos Estados Unidos em uma cidade de mármore resplendente, que representa o maior poder político e militar que o mundo já conheceu. Tudo parece tão permanente. O caco de vidro em minha mão me lembra de que nada deste lado da Nova Jerusalém é tão inabalável quanto pensamos. Um dia, talvez daqui a mil ou cinco mil anos, o brilhante Capitólio logo ali estará em ruínas. O Monumento de Washington pode ser o equivalente das pirâmides hoje — o símbolo de uma grande civilização do passado. O Memorial de Jefferson pode estar coberto por trepadeiras, atacado por vendedores de antiguidades. Não sei, mas há algo de que tenho certeza: o reino de Deus prevalecerá.

Os dias à nossa frente provavelmente serão bem diferentes do que viveram nossos pais e avós. Seremos forçados a articular coisas que antes podíamos presumir. Mas isso não é motivo de preocupação. Tampouco é um chamado à retirada ou à rendição. Também não é um convite para continuarmos a fazer as coisas da mesma maneira, apenas em volume mais alto. Podemos ser considerados estranhos em nossa cultura. Se formos, avante cristãos estranhos! Nossa mensagem soará cada vez mais esquisita para a cultura mais ampla. Abracemos a esquisitice, sabendo que ela se traduz no poder de Deus para a salvação.

Na arena pública, o cristianismo evangélico ortodoxo tem articulado uma visão de dignidade humana, liberdade religiosa e estabilidade familiar, às vezes com heroísmo, embora jamais com a consistência necessária. Ao fazer isso, tais cristãos procuram lembrar a igreja de que devemos ser pessoas que reconhecem a justiça e a retidão. Precisamos dar continuidade ao melhor dessa tradição. E devemos repudiar a degradação e a injustiça à nossa volta e dentro de nós. Vivemos em um mundo no qual crianças demais são descartadas como lixo biológico e outras tantas permanecem à míngua em orfanatos e lares comunitários. Vivemos em um mundo no qual há pessoas demais traficadas e molestadas, destruídas pelo divórcio e pela pobreza, jogadas em sepulturas rasas por causa de fome, doenças ou genocídios. Muitos são desumanizados por causa da etnia, condição de imigração ou fase de desenvolvimento. Tantos outros são atormentados por tiranos, exércitos ou burocratas devido a suas convicções mais profundas. Devemos nos posicionar ao lado deles contra a injustiça com convicção e ímpeto, assim como os profetas e apóstolos antes de nós. Mas é preciso fazê-lo com uma voz moldada pelo evangelho, marcada pela bondade por convicção, reconhecendo que vencer a discussão não basta quando se está em uma guerra cósmica contra principados e potestades do ar invisíveis ao nosso redor.

Ao mesmo tempo, é necessário reconhecer que vivemos em um tempo diferente. O Cinturão da Bíblia não é mais um refúgio seguro dos "valores morais tradicionais". Cada vez mais, a igreja reconhece que as pessoas deste país não nos saúdam como libertadores. Em vez disso, veem a ideia de um "país cristão" mais como ameaça do que como ideal. Se um dia já fomos a maioria moral, é difícil defender que continuamos a sê-lo. Não tentemos ressuscitar as antigas religiões civis. Em vez disso, trabalhemos em prol de algo ao mesmo tempo novo e antigo: o reino de Deus, assim na terra como no céu, reunido em igrejas de pessoas transformadas, reconciliadas umas com as outras, juntas em missão, defendendo juntas o evangelho autêntico de Jesus Cristo. Evitemos a tentação de continuar a dizer o mesmo de sempre, apenas em volume mais alto e tom mais irado. Evitemos também a tentação de nos retrair em nossa subcultura ou de dissociar o evangelho de nossa preocupação com o bem-estar da humanidade. Se não nos rendermos ao espírito desta era — e não devemos fazê-lo — seremos vistos como guerreiros culturais. Que assim seja. Sejamos guerreiros culturais moldados por Cristo que buscam o reino em primeiro lugar.

A Bíblia nos conta que todos nós enxergamos como que por espelho. Eu, porém, me pego olhando cada vez mais para o mundo por meio daquele pequeno caco de vidro colorido. Ele me lembra de quem eu sou, de onde eu venho e quem me encontrou ali. Mas também me lembra de destruição, das perdas e do que significa viver em um universo em guerra. Lembra-me de que, não importa o quanto finquemos raízes, continuamos a ser estrangeiros e peregrinos. Todos somos cacos de vidro quebrado, pedras rejeitadas, encaixadas em um templo que nem sequer conseguimos plenamente imaginar. O evangelho que aceitamos não é estranho apenas para a cultura ao nosso redor, mas para nós também. É isso que faz dele uma boa-nova.

> Em vez disso, trabalhemos em prol de algo ao mesmo tempo novo e antigo: o reino de Deus, assim na terra como no céu, reunido em igrejas de pessoas transformadas, reconciliadas umas com as outras, juntas em missão, defendendo juntas o evangelho autêntico de Jesus Cristo.

É nossa vez de marchar rumo ao futuro. E não o fazemos no papel de maioria moral ou de um remanescente justo, mas, sim, no de pecadores crucificados, sem nada a oferecer ao mundo além de um corpo partido, sangue derramado e um testemunho incessante. Em nossos melhores dias, somos estrangeiros e exilados, mas não órfãos errantes. Nossa estranheza só nos traz esperança caso se apegue absurdamente à estranhíssima missão do Cristo crucificado e ressurreto. A procura por retidão e justiça só tem propósito se fluir primeiro da busca pelo reino. Ao nosso lado, pode haver bandeiras às quais prometemos lealdade sempre que pudermos. Acima, porém, sempre acima, há uma cruz. É possível que não saibamos o tempo inteiro para onde estamos indo, mas conhecemos o Caminho.

Em frente.

Agradecimentos

Em certo sentido, escrevi este livro ao longo da minha vida inteira, ao tentar articular aquilo em que acredito sobre a relação entre o reino de Deus e as culturas da presente era. Há mais pessoas para agradecer no decorrer de todos esses anos do que seria possível registrar aqui.

Antes de mais nada, gostaria de agradecer a Igreja Batista de Woolmarket, em Biloxi, Mississippi. João Calvino estava certo ao dizer que ninguém chama Deus de Pai sem ter uma igreja para chamar de mãe. Minha congregação mãe me ensinou muito bem. Graças a essa igreja, posso dizer com confiança, antes e depois de tudo: "Sim, Cristo me ama. A Bíblia assim me diz".

Agradeço dois homens bem diferentes. Um deles trabalhou predominantemente na Cidade de Deus e o outro, na Cidade dos Homens. Ambos, porém, moldaram meu pensamento e minhas intuições desde o princípio. Carl F. H. Henry, hoje com o Senhor, dedicou tempo perto do fim de sua vida para responder a minhas perguntas e me incentivar a prosseguir. O pequeno livro de sua autoria, *The Uneasy Conscience of Modern Fundamentalism* [A consciência inquieta do fundamentalismo moderno], me influenciou mais do que qualquer outra publicação não inspirada pelo Espírito Santo. E o deputado Gene Taylor, meu ex-chefe, me mentoreou ao ser um homem que serviu na esfera pública com habilidade e integridade.

Agradeço meu grupo de guerreiros felizes na Comissão de Ética e Liberdade Religiosa da Convenção Batista do Sul, sobretudo os membros de meu gabinete Phillipe Bethancourt, Daniel Patterson, Barrett Duke, Daniel Darling e Andrew Walker, bem como meu assistente Sam Dahl. Esses amigos e colegas me incentivaram ao longo do processo e fizeram diversas perguntas que ajudaram a aperfeiçoar meus argumentos. Muito além disso, porém, eles trazem alegria a minha vida porque, além de respeitá-los, eu os amo e espero ansioso para ver cada um todos os dias.

A editora B&H Publishing Group tem sido excelente a cada passo da jornada. Agradeço em especial a Jennifer Lyell, diretora de publicações, e a meu editor, Devin Maddox. Ambos são gênios criativos que trabalham com brilhantismo teológico e editorial.

Muitas das ideias contidas neste livro tiveram seu início embrionário nos artigos que escrevi para as revistas *Christianity Today*, *First Things*, *Touchstone* e outras, bem como em palestras ministradas no Boston College, no American Enterprise Institute, no Vaticano e no Faith Angle Forum. Agradeço a todos que interagiram comigo enquanto falei e escrevi sobre esses temas em todos esses lugares.

É claro que não basta dizer "muito obrigado" a minha linda esposa, Maria, e nossos cinco filhos, Benjamin, Timothy, Samuel, Jonah e Taylor. Todos se adaptaram a uma grande mudança de estilo de vida quando aceitei o "emprego dos sonhos" este ano. Com alegria, viveram com um marido e pai que trabalha em duas cidades ao mesmo tempo. Às vezes, isso significa treinar o dever de casa da matéria Latim por meio de um *link* no computador. Além de tudo isso, eles me ajudaram enquanto eu escrevia cada ideia deste livro. Aguardo com expectativa seguir em frente rumo ao futuro com eles.

Dedico este livro a Jonah, nosso quarto filho. Em parte, porque é a "vez dele". Mas também porque ele representa para mim boa parte do que resume esta obra. Ele tem nome de profeta, com bondade, gentileza e convicção silenciosa. Transborda de firme esperança. Jonah, você é meu filho amado em quem me comprazo.

Notas

Introdução

[1] Confira <http://www.pewforum.org/2015/05/12/americas-changing-religious-landscape>.

[2] J. Greshan Machen, *Christianity and Liberalism* (Grand Rapids, MI: Wm. B. Eerdmans Publishing, 1923).

1. O fim do Cinturão da Bíblia

[1] Confira um debate do que "nação cristã" significa para os evangélicos nos Estados Unidos em Christian Smith, *Christian America? What Evangelicals Really Want* (Berkeley, CA: University of California Press, 2000), p. 21-60.

[2] David Cantwell, *Merle Haggard: The Running Kind* (Austin, TX: University of Texas Press, 2013), p. 157-158.

[3] Richard Perlstein, *Nixonland: The Rise of a President and the Fracturing of America* (New York: Scribner, 2008), p. 377.

[4] Ibid., p. 46-47.

[5] Jerry Falwell, "An Agenda for the 1980s", in *Piety and Politics: Evangelicals and Fundamentalists Confront the World*, eds. Richard John Neuhaus e Michael Cromartie (Washington, DC: Ethics and Public Policy Center, 1987), p. 113.

[6] Alan Wolfe, "The Culture War That Never Came", in *Is There a Culture War? A Dialogue on Values and American Public Life* (Washington, DC: Brooking Institution Press, 2006), p. 56.

[7] Confira a página 34 do documento Religious Orientation by Generation em: <http://publicreligion.org/site/wp-content/uploads/2013/07/2013-Economic-Values-Report-Final-.pdf>.

[8] David R. Swartz, *Moral Minority: The Evangelical Left in an Age of Conservatism.* (Philadelphia, PA: University of Pennsylvania Press, 2012).

[9] Confira, por exemplo, Francis Schaeffer, *A Christian Manifesto* (Wheaton, IL: Crossway, 2005).

[10] Confira Ronald J. Sider, ed., *The Chicago Declaration* (Carol Stream, IL: Creation House, 1974).

[11] James K. A. Smith, *How (Not) to Be Secular: Reading Charles Taylor* (Grand Rapids, MI: Eerdmans, 2014), p. vii.

[12] J. Gresham Machen, *Christianity and Liberalism* (Grand Rapids, MI: Wm. B. Eerdmans, 1923), p. 149-156.

2. Da maioria moral à minoria profética

[1] Walker Percy, *Signposts in a Strange Land* (Nova York: Farrar, Straus, and Giroux, 1991), p. 159.
[2] Para uma síntese dessa história, confira Daniel K. Williams, *God's Own Party: The Making of the Christian Right* (Nova York: Oxford University Press, 2010), p. 111-120.
[3] Martin Luther King Jr., "Letter from Birmingham Jail", in *Why We Can't Wait* (Nova York: Signet, 2000), p. 90-93.
[4] Martin Luther King Jr., "I Have a Dream" (discurso proferido na Marcha pelos Direitos Civis em Washington, DC, em 28 de agosto de 1963).
[5] Confira uma análise ampla do apelo do movimento de direitos civis à consciência em David Chappell, *A Stone of Hope: Prophetic Religion and the Death of Jim Crow* (Chapel Hill, NC: University of North Carolina Press, 2004).
[6] Martin Luther King Jr., "I Have a Dream".

3. Reino

[1] Loretta Lynn e George Vecsey, *Loretta Lynn: Coal Miner's Daughter* (Nova York: Random House, 2010), p. 158.
[2] Frederick Buechner, *Secrets in the Dark: A Life in Sermons* (Nova York: Harper Collins Publishers, 2007), p. 28.
[3] Ibid.

4. Cultura

[1] Anand Giridharadas, "The Immigrant Advantage", *The New York Times*, 25 de maio de 2014.
[2] Søren Kierkegaard, *The Present Age* (Nova York: Harper Torchbooks, 1962).

6. Dignidade humana

[1] Wendell Barry, *Life is a Miracle: An Essay against Modern Superstition* (Washington, DC: Counterpoint, 2000), p. 55.
[2] Walker Percy, *Signposts in a Strange Land* (Nova York: Farrar, Straus, Giroux, 1991), p. 342.

7. Liberdade religiosa

[1] Richard John Neuhaus, *The Naked Public Square: Religion and Democracy in America* (Grand Rapids, MI: Wm. B. Eerdmans, 1984).
[2] Charles Taylor, *A Secular Age* (Cambridge, MA: Belknap Press of Harvard University Press, 2007).

9. Bondade por convicção

[1] W. J. Szlemko, J. A. Benfield, P. A. Bell, J. L. Deffenbacher e L. Troup, "Territorial Markings as a Predictor of Driver Aggression and Road Rage", *Journal of Applied Social Psychology*, 38 (2008), p. 1664-1688.

[2] Philip Jenkins, *The Next Christendom: The Coming of Global Christianity* (Nova York: Oxford University Press, 2011).

[3] Marilynne Robinson, *When I Was a Child I Read Books* (Nova York: Farrar, Straus and Giroux, 2012), p. 30, 134-136.

Obras do mesmo autor:

A família em meio à tormenta

Ao compartilhar fracassos e falhas na experiência familiar, Russell Moore nos lembra de que a graça de Deus desmistifica a família como ideal de perfeição e a coloca em seu devido lugar: uma experiência única marcada pela vulnerabilidade, mas que pode ser redimida pela cruz.

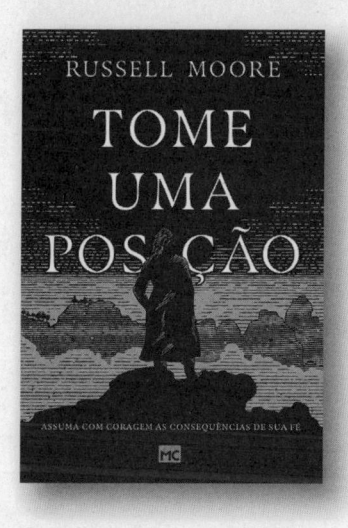

Tome uma posição

Russell Moore enaltece a coragem de enfrentar o bom e verdadeiro combate. E, para nos inspirar nessa jornada, o autor resgata a vida do profeta Elias, oferecendo *insights* valiosos sobre o paradoxo da coragem e sobre como nos posicionar diante das principais questões de nosso tempo.

Compartilhe suas impressões de leitura,
mencionando o título da obra, pelo e-mail
opiniao-do-leitor@mundocristao.com.br
ou por nossas redes sociais

Esta obra foi composta com tipografia Palatino
e impressa em papel Pólen Natural 70 g/m² na gráfica Imprensa da Fé